Jedyne praktyczne przepisy

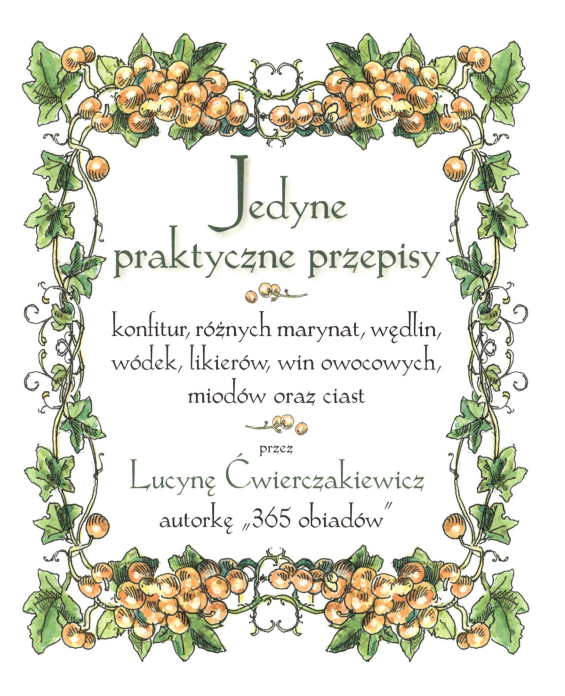

Jedyne praktyczne przepisy

konfitur, różnych marynat, wędlin,
wódek, likierów, win owocowych,
miodów oraz ciast

przez

Lucynę Ćwierczakiewicz
autorkę „365 obiadów"

Zilustrował Piotr Gojowy

WYDAWNICTWO MŁOTKOWSKI
www.mlotkowski.pl

ISBN 978-83-916726-8-9

Wydawnictwo
bernardinum

WYDAWNICTWO „BERNARDINUM" SP. Z O.O.
ul. Biskupa Dominika 11, 83-130 Pelplin
tel. 58 536 17 57; fax 58 536 17 26
bernardinum@bernardinum.com.pl
www.bernardinum.com.pl

ISBN 978-83-7823-521-7

Druk i oprawa:
Drukarnia Wydawnictwa „Bernardinum" Sp. z o.o., Pelplin

TORUŃ – PELPLIN – 2015

SŁÓWKO
OD WYDAWCY

Lucyna Ćwierczakiewiczowa (1829–1901) znalazła swoje trwałe miejsce w polskiej kulturze obyczajowej.

Rzadko się zdarza, aby autorka książek kucharskich i poradników gospodarstwa domowego miała swoje biogramy w encyklopedii czy stosownym słowniku.

Pierwszą książką, która przyniosła jej sławę były wydane w 1858 roku „Jedynie praktyczne przepisy wszelkich zapasów spiżarnianych oraz pieczenia ciast". Kolejne ukazywały się dość szybko po sobie. W 1860 roku „365 obiadów" wznawiane wielokrotnie przyniosły autorce sławę i pieniądze. Dość wspomnieć, że w 1883 roku otrzymała 84 tysiące rubli (dwa, trzy spore majątki ziemskie!), przewyższając honoraria Sienkiewicza czy Prusa, a nakłady jej książek były wyższe od nakładów dzieł Mickiewicza czy Słowackiego. Stała się postacią ogólnie znaną w środowisku warszawskim, choć ocenianą nie zawsze przychylnie.

Jakkolwiek oceniać — pewnie z uśmiechem — twórczość autorki, przyznać trzeba, że stała się kodyfikatorką polskiej kuchni końca XIX wieku oraz że oddała wielkie usługi unowocześnieniu gospodarstwa domowego minionej epoki.

Z tych właśnie powodów pozwoliłem sobie tę pozycję przypomnieć.

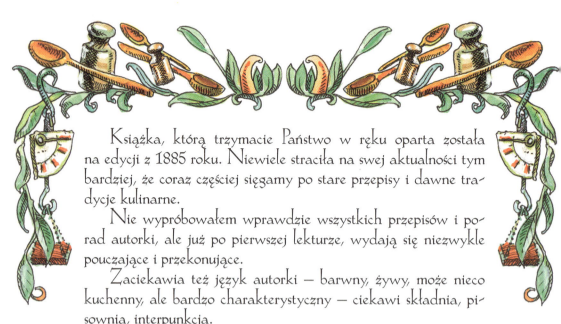

Książka, którą trzymacie Państwo w ręku oparta została na edycji z 1885 roku. Niewiele straciła na swej aktualności tym bardziej, że coraz częściej sięgamy po stare przepisy i dawne tradycje kulinarne.

Nie wypróbowałem wprawdzie wszystkich przepisów i porad autorki, ale już po pierwszej lekturze, wydają się niezwykle pouczające i przekonujące.

Zaciekawia też język autorki — barwny, żywy, może nieco kuchenny, ale bardzo charakterystyczny — ciekawi składnia, pisownia, interpunkcja.

Zachowaliśmy oryginalne formy XIX-wieczne, by dodać książce swoistego smaku i kolorytu. Skład i czcionka, także bogate, kolorowe ilustracje oraz oprawa introligatorska odróżniają za to dzisiejsze wydanie od wiele skromniejszych poprzednich.

Życząc Państwu miłej lektury, mam nadzieję na smaczne na Państwa stołach, a także wykwintne napitki oraz przekąski i desery.

Smacznego!

Krzysztof Młotkowski

SŁÓWKO
DO GOSPODYŃ

Łaskawe przyjęcie przez publiczność dziesięciu edycyj niniejszych „Jedynych praktycznych przepisów", i rozprzedanie tychże, składających się każde z 5000 egzemplarzy, jest mi rękojmią, że i to jedenaste równie dobrze przyjęte zostanie.

Doświadczając ciągle na drodze praktycznej zawarte tu przepisy, doszłam do wielu zmian i ulepszeń, które tu zamieściłam, powiększając edycyę niniejszą wieloma nowemi przepisami.

Dodać tu muszę, że najmniejsze uchybienie któremukolwiek z podanych tutaj warunków, narazi na zmianę smaku i trwałości; oraz że czystość w każdej gałęzi kobiecego gospodarstwa jest jednym z głównych warunków, tem bardziej tu, gdzie od niej zależy jak najdłuższe przechowanie zakonserwować się mającego przedmiotu.

Lucyna Ć.

ZAMIANA WAGI NA MIARĘ

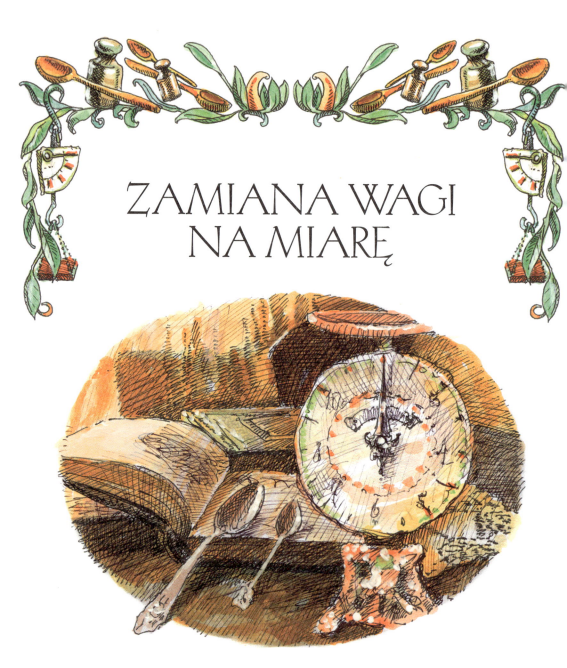

Zastosowana do codziennych
kuchennych potrzeb

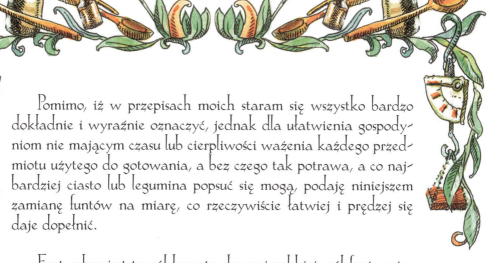

Pomimo, iż w przepisach moich staram się wszystko bardzo dokładnie i wyraźnie oznaczyć, jednak dla ułatwienia gospodyniom nie mającym czasu lub cierpliwości ważenia każdego przedmiotu użytego do gotowania, a bez czego tak potrawa, a co najbardziej ciasto lub legumina popsuć się mogą, podaję niniejszem zamianę funtów na miarę, co rzeczywiście łatwiej i prędzej się daje dopełnić.

Funt cukru jest to pół kwarty dawnej polskiej, pół funta więc będzie kwaterka, a że mniej więcej każda zwyczajnej wielkości do herbaty używana szklanka lub filiżanka odpowiada kwaterce, szklanka więc duża pełna mączki cukrowej lub cukru tartego jest pół funta. Łyżka cukru równa się 4 łutom. Zupełnie ta sama zasada stosuje się do masła, którego kwarta jest dwa funty i łutów 8, pół kwarty więc funt jeden i łutów 4, biorąc więc szlankę mamy niezawodnie nie więcej jak pół funta. Najlepiej jednak do masła mieć wymierzone dwa garnuszki; jeden pół kwartowy a drugi kwaterkowy, w szkle bowiem źle mierzyć naprzykład klarowane masło gorące.

Łyżka masła równa się 4 łutom. Co do mąki przyjęto jest za zasadę, że garniec zawiera 5 funtów, ja jednak przekonałam się, że kwarta zawiera funt 1 i łutów 12 najmniej, to jest jeżeli jest strychowana, garniec więc ma funtów 5 i pół. U siebie w kuchni biorę pół kwarty czubate mąki za 3 ćwierci funta czyli kwaterkę za 12 łutów, szklankę więc strychowana brać można za 10 łutów. Najlepiej jednak do mąki i cukru mieć półkwartę i kwaterkę. Łyżka mąki równa się 2 łutom, gdy idzie o większą ilość, zawsze lepiej użyć wagi.

SPIS
PRZEDMIOTÓW

„Staropolska jest to cnota:
nikomu nie zamknąć wrota"

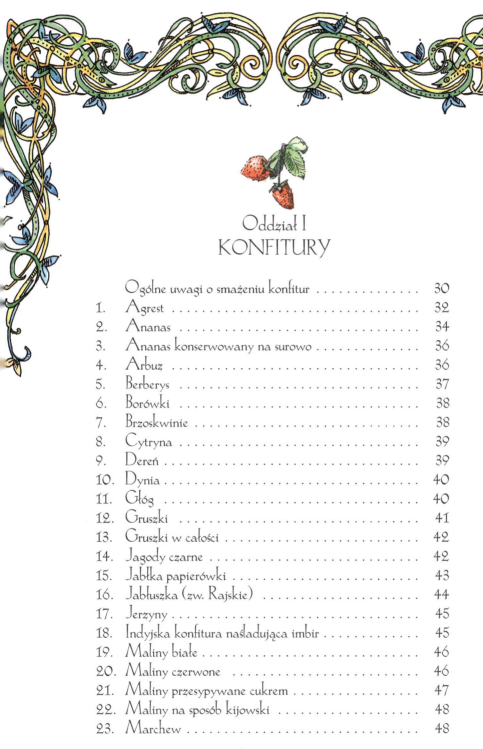

Oddział I
KONFITURY

Oddział II
KONSERWY CZYLI KOMPUTY

KOMPUTY OSTRE

Oddział III
KONFITURY SUCHE, CZYLI OWOCE SUSZONE W CUKRZE

Oddział IV
GALARETY OWOCOWE

Oddział V
SOKI I SYROPY OWOCOWE
I KWIATOWE

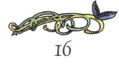

Oddział VI
LODY, RÓŻNE NAPOJE ORAZ PRZYSMAKI

Oddział VII
KONSERWY BEZ CUKRU, MARYNATY

Oddział VIII
SERY, MASŁO, KROCHMALE, KASZE

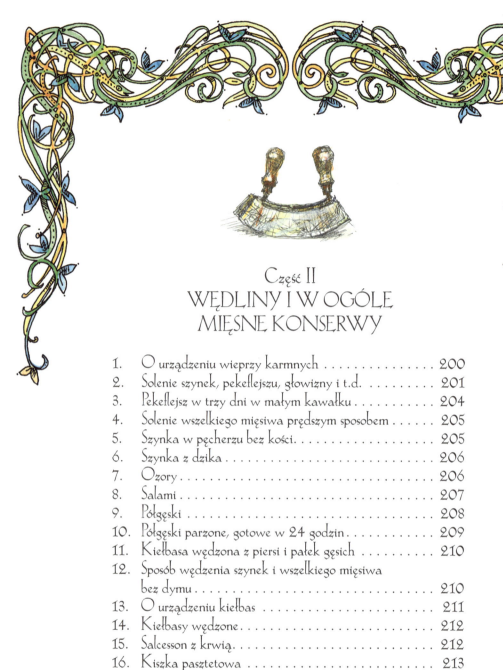

Część II
WĘDLINY I W OGÓLE
MIĘSNE KONSERWY

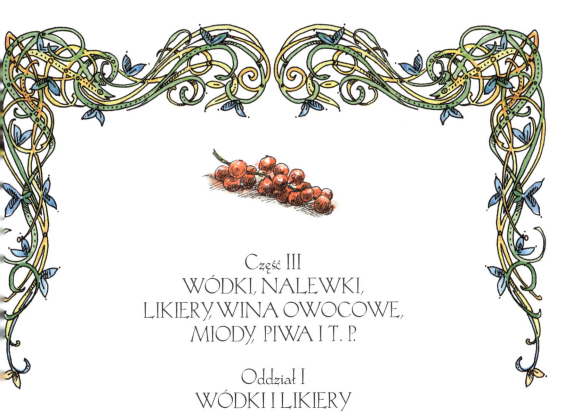

Część III
WÓDKI, NALEWKI, LIKIERY, WINA OWOCOWE, MIODY, PIWA I T. P.

Oddział I
WÓDKI I LIKIERY

Oddział II
WINA OWOCOWE,
ROZMAITE NAPOJE, MIODY I PIWA

Część IV
CIASTA I WSZELKIE PIECZYWA

Część I

„Długo żyje, kto dobrze żyje"

KONFITURY

„Dobra gospodyni ma zawsze pełno w skrzyni"

OGÓLNE UWAGI O SMAŻENIU KONFITUR

Do dokładnego smażenia konfitur potrzeba mieć naczynie mosiężne, wewnątrz nie pobielane; w takiem bowiem tylko nie zmieniają owoce właściwego sobie koloru. Najlepiej więc użyć do tego miednicy nowej mosiężnej, przeznaczywszy ją tylko do smażenia konfitur, im będzie szersza, tem lepiej, bo owoc, przeznaczony do smażenia, mając swobodne miejsce, lepiej się przesmaża, a każda jagoda, nie będąc naciskana wierzchnią warstwą, lepiej się wypełnia syropem.

Najpiękniejsza konfitura, jeżeli się ją smaży na raz z jednego, dwóch do trzech funtów nie więcej owocu; i tak już na trzy funty, biorąc w proporcyi sześć funtów cukru, potrzeba bardzo obszernego naczynia. Można do takiej mosiężnej miednicy kazać dorobić rączkę żelazną, najdogodniej jednak przez grube płótno dwoma rękami zdejmować z ognia naczynie rozgrzane. Usmażone konfitury należy zaraz wylać na salaterkę, gdyż cukier rozpuszczony zniedokwasza metal. Do smażenia konfitur nie koniecznie potrzeba używać najlepszego gatunku cukru; do owoców, których syrop zostaje biały, używa się cukru bielszego; do wszelkich zaś innych, można używać pośledniejszego, byleby nie mączki, bo w tej osadza się piasek. Do borówek, marmolad i t. p. można używać mączki.

Ogólną zasadą co do robienia syropu, jest: cukier, porąbany w niewielkie kawały, maczać w wodzie źródlanej o tyle, ile sam w siebie wody nabierze; lub wreszcie na funt cukru nalać zwyczajną szklankę wody.

Bardzo ważną jest rzeczą szumowanie, które się w ciągu smażenia dwa razy odbywa, raz szumuje się syrop sam, póki czysty nie zostanie, a drugi raz po wrzuceniu owocu; od starannego, szumowania wiele zależy trwałość konfitury. Syrop można szumować

łyżką dużą (szumownicą) na to przeznaczoną, ale z owocem trzeba bardzo ostrożnie, żeby go nie popsuć, najlepiej używać do szumowania srebrnej łyżki, zbierając szumowiny z owocu tylcem, czyli
spodem tejże łyżki. Żadnych konfitur nie można łyżką, w czasie
smażenia, mieszać, tylko często potrząsać naczynie, w którem
się smażą, aby się równo gotowały. Im delikatniejszy owoc, tem
wolniejszego potrzebuje ognia, w ogóle ani na bardzo silnym, ani
też na zbyt małym ogniu smażyć nie trzeba, najlepiej z początku
zagotować na mocnym, a potem dosmażyć na bardzo wolnym.
Najpiękniejsza konfitura będzie, jeżeli nie jest od razu dosmażona,
lecz na drugi dzień pięć minut jeszcze raz przesmażyć dla zupełnego
dosmażenia.

Konfitura nigdy na gorąco nie może być układaną w słoiki,
lecz dopiero po zupełnem ostudzeniu, wtedy okrywa się powierzchnia słoika okrągłym kawałkiem bibułki angielskiej, umaczanej
w araku a w końcu obwiązuje papierem, najlepiej albuminowym,
który doskonale chroni od przystępu powietrza.

1. AGREST

Konfiturę z agrestu można smażyć dwojakim sposobem. Pierwszy nierównie więcej starania i pracy wymagający, wydaje prześliczną konfiturę szmaragdowego koloru; drugi sposób mniej kosztowny daje również konfiturze kolor zielony i smak bardzo dobry.

SPOSÓB 1. Agrest smażyć trzeba pomiędzy 10 a 15 czerwca, kiedy jeszcze jest zupełnie zielony, używa się gatunku podługowatego, zupełnie gładkiego, włochaty jest niezdatny.

Po wybraniu dobrze ziarnek, które należy wybierać, przerznąwszy każdą jagodę z boku wzdłuż, wydłubując pestki szpilką podwójną, ułożyć agrest w garnku miedzianym, ale kto się obawia, można i w glinianym, byle polewanym, przekładając go liśćmi wiśniowemi, porzeczkowemi i winnemi; nalać go spirytusem 12 próby; oblepić garnek ciastem i wstawić do pieca po wyjęciu chleba, na godzin 12, lub pod blachę angielskiej kuchni, zaraz po wygaszeniu ognia. Po tym przeciągu czasu wyjąć go na salaterkę, wypłukać kilka razy w zimnej wodzie, żeby wszelki odór spirytusu wyszedł, wybrać na serwetę, to reszta wody w nią wsiąknie; potem wziąść na 1 funt agrestu 2 funty cukru, zrobić syrop, maczając cukier w wodzie, wyszumować, przestudzić i zupełnie letnim nalać agrest. Na drugi dzień zlać syrop, przesmażyć go i cokolwiek cieplejszym agrest nalać, i to powtarzać przez 3 dni, codzień cieplejszym syropem nalewając; czwartego dnia razem z agrestem zasmażyć, to jest wstawić syrop na wolny ogień i gdy się zacznie gotować, wrzucić agrest, a gdy się raz zasmaży, zaraz zdjąć z ognia, bo smażąc dłużej stwardnieje z pewnością. Dla

nadania właściwego smaku, ostatniego dnia przed smażeniem agrestu, wrzucić do syropu garść świeżego agrestu, wybranego tylko z ziarnek, zagotować, potem wybrać go, a przygotowany agrest wrzucić. Po usmażeniu, wylać na salaterkę, aby tak ostygł; gdyż jak jagoda nie jest jedna na drugiej, to się dobrze syropem wypełnia i nabiera pierwotnego kształtu.

SPOSÓB 2. Po dokładnem oczyszczeniu agrestu wewnątrz z ziarnek (najlepiej oczyszczać szpilką podwójną średniej wielkości) zważyć funt tegoż, wrzucić w ciepłą wodę w mosiężne, lub miedziane naczynie, wsypać 4 łuty ałonu na garniec agrestu i trzymać tak długo na wolnym ogniu, aż się na powierzchni wody pokażą bułki, co znaczy, że woda natychmiast zawrze; wtedy odcedzić agrest, który zostanie brzydki, żółty i miękki, nalać go zimną wodą, tak go trzymać 24 godzin, często wodę zmieniając. Po tym przeciągu czasu, odcedzić wodę, odważyć dwa funty cukru, z jednego funta i jednej szklanki wody zrobić syrop lekki, wyszumować i zupełnie ostudzonym polać agrest na salaterce; drugiego dnia przegotować zlany syrop i wolnym polewać agrest; trzeciego dnia dołożyć pół funta cukru do syropu, przegotować, i znowu polać cieplejszym; czwartego dnia resztę cukru wrzucić w syrop, gotować żeby był gęsty, i wtedy na wrzący syrop wrzucić agrest, i raz jeden z agrestem zagotować; nie można dłużej gotować bo agrest stwardnieje; wylać na salaterkę, po zupełnem ostudzeniu w słoiki układać.

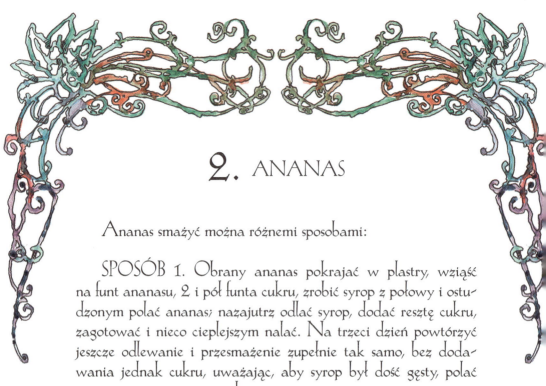

2. ANANAS

Ananas smażyć można różnemi sposobami:

SPOSÓB 1. Obrany ananas pokrajać w plastry, wziąść na funt ananasu, 2 i pół funta cukru, zrobić syrop z połowy i ostudzonym polać ananas; nazajutrz odlać syrop, dodać resztę cukru, zagotować i nieco cieplejszym nalać. Na trzeci dzień powtórzyć jeszcze odlewanie i przesmażenie zupełnie tak samo, bez dodawania jednak cukru, uważając, aby syrop był dość gęsty, polać gorętszym, a czwartego dnia wrzucić ananas w syrop gotujący i z 5 minut trzymać go na bardzo wolnym ogniu. Syropu można odlać we flaszkę do użycia do ponczu, galaret i t. p., bo na konfitury go za dużo będzie.

SPOSÓB 2. Ananas w najaromatyczniejszy sposób urządzony. Obrany z wierzchnich przyschniętych skórek ananas, pokrajać w plastry, ułożyć w szeroki słój kamienny lub szklanny, przesypując go miałkim cukrem, którego na funt ananasu bierze się funtów dwa; obwiązać słoik pęcherzem i wstawić w rondel z zimną wodą, gotując od zagotowania wody w rondlu minut 10. Zostawić słoik w rondlu do ostudzenia wody, wyjmując z wody kilka razy przewrócić słoik, dla wymieszania syropu. Na drugi dzień powtórzyć to działanie w zupełnie ten sam sposób, gotować i przewracać. Na trzeci dzień jeszcze raz zagotować, ale już tylko 5 minut gotując od zagotowania wody, za każdą razą kilka razy przewracając słoik, aby się dobrze syrop wymieszał, inaczej bowiem cukier osiądzie na dnie. Po otworzeniu takiego słoika, aromat jaki wydaje ananas, przechodzi nawet świeży, a użyty do ponczu lub galaret jest przepyszny.

SPOSÓB 3. Oczyściwszy jak najuważniej ananas cokolwiek ze zwierzchnich przyschniętych skóreczek, pokrajać go ostrym nożem w cienkie plasterki; na funt ananasu wziąść funt cukru tartego i tym cukrem przesypując plasterki, układać w porcelanowem naczyniu. Tak urządzone zostawić na 24 godzin, żeby się cukier rozpuścił. Po tym przeciągu czasu zrobić syrop z dwóch funtów cukru, maczając cukier w wodzie tyle tylko, ile sam wody nabierze; wyszumować, wrzucić na ten wrzący syrop ananas wraz z powstałym sokiem i przesmażyć kilka razy; póki syrop gęsty nie zostanie. Probuje się gęstość syropu do wszystkich owoców na nożu: jeżeli kropla jedna na zimny nóż puszczona, nie rozleje się w tej chwili, już ten syrop ma dosyć, szumuje się syrop z owocem łyżką, dotykając się tylną jej stroną, powierzchni syropu, gdyż naumyślnie bierze się dużo cukru, aby z tak drogiego owocu było go jak najwięcej; co będzie nadto zlać we flaszeczkę i używać jako syrop ananasowy do ponczu lub galaret.

SPOSÓB 4. Chcąc mieć ananas w całości, po oczyszczeniu nakłuć głęboko drutem spiczastym, gotować w lekkim bardzo syropie póki nie zmięknie, a później dokładając za każdym razem po pół funta cukru, polewać go od 4 do 6 dni coraz gęstszym syropem. Rachując na funt ananasu 3 funty cukru. Podając kraje się w plasterki lub ćwiartki. Łupiny pozostałe od obierania ananasów, należy przetłuc w moździerzu, wrzucić w syrop lekki i wolno przeszło pół godziny gotować, uformowany sok zlać przecedzony w butelki i używać do ponczu.

3. ANANAS KONSERWOWANY NA SUROWO

Obrany zupełnie dojrzały ananas pokrajać w plasterki. Na funt ananasu wziąść funt i pół cukru lodowatego, utłuc go, przesiać, żeby był zupełnie miałki. Ułożyć ananas w słoju niewielkim: plasterek ananasu, łyżka tłuczonego cukru, tak aby cukier zupełnie pokrył ananas, i tak dalej, aż do napełnienia zupełnego słoja; wierzchnia warstwa powinna być z cukru, obwiązać szczelnie pęcherzem i zachować w suchej, a chłodnej piwnicy lub lepiej spiżarni. Cukier lodowaty nie można zastąpić zwyczajnym, bo ten ostatni ma zawiele wilgoci; można jednak robić z takim cukrem, należy go tylko wtedy pęcherzem razem ze słoikiem w wodzie zimnej aż do zawrzenia zagotować i zostawić w niej do ostudzenia.

4. ARBUZ

Z arbuza robi się prześliczna konfitura mało znana, a bardzo smaczna. Po wykrojeniu wnętrza, które się używa do jedzenia pozostałość obrać ze skóry zielonej; czyli wyraźniej mówiąc, bierze się tylko mięso białe zostające pomiędzy soczystą częścią arbuza a skórą zieloną; po zupełnem obraniu z zielonej powłoki, kraje się w podługowate kawałki, nalewa wodą i gotuje, póki tak miękkie nie będzie, że słomka przejdzie, wtedy odcedza się i nalewa zimną wodą. Należy zważyć arbuz surowy, na jeden funt wziąść cukru 2 funty, zrobić syrop z dwóch szklanek wody niebardzo gęsty, wrzucić wyjęty z wody ugotowany arbuz, gdy arbuz zaczyna być

przezroczysty czyli gdy się dobrze podsmaży wcisnąć 2 cytryny na 1 funt arbuza i smażyć, szumując łyżką, aż arbuz będzie zupełnie przezroczysty, a syrop dość gęsty.

Dla zapachu wrzucić w czasie smażenia jeżeli można kawałek ananasu pokrajanego cienko jak makaron; zwykle się bierze na 3 funty arbuza mały ananas, można go także przesypać cukrem. Gdy niema ananasu trzeba wrzucić na 1 funt laskę wanilji pokrajanej w kawałki.

5. BERBERYS

Z berberysu robią się jedne z najulubieńszych konfitur, tem bardziej poszukiwane, że rzadko się je spotyka. Berberys ma kilka pestek, bywa jednak w niektórych miejscowościach bez pestek zupełnie.

Po dokładnem oczyszczeniu z pestek szpilką pojedynczą, bierze się na funt berberysu najmniej 3 funty cukru; co nie jest za wiele, bo owoc bardzo kwaśny a soczysty potrzebuje dużo syropu; a im więcej będzie syropu, tem piękniejszy pozór będą mieć konfitury. Zrobić z tego cukru, maczając go w wodzie, syrop, na wrzący wrzucić berberys, smażyć na wolnym ogniu 15 minut, szumować łyżką; gdy już szumowin nie będzie, a syrop pokaże się gęsty, zestawić z ognia, ostudzić zwykłym sposobem na szerokiej salaterce, po ostudzeniu zupełnem kłaść w słoiki i przykryć bibułką angielską maczaną w araku, w końcu obwiązać papierem.

Drugi sposób. Wziąść szklankę oczyszczonego z pestek berberysu, dwie szklanki cukru tartego i pół szklanki wody; razem wszystko włożyć w miednicę, smażyć na wolnym ogniu, zdejmując z ognia na chwilę po każdem zawrzeniu: we dwadzieścia minut gdy syrop dosyć gęsty, konfitury gotowe.

6. BORÓWKI

Na funt borówek wybranych czysto, bierze się półtora funta cukru i pół szklanki wody; zrobiwszy z tego gęsty syrop wrzucić borówki, smażyć 15 minut z początku na płomieniu, a później na wolnym ogniu, wyszumować i wylać na salaterkę do ostudzenia. Wcale nie złe, tanie konfitury, doskonałe do pieczystego.

7. BRZOSKWINIE

Wziąść brzoskwinie jeszcze niedojrzałe, obrać ze skórki scyzorykiem, gęsto ponakałać drewnianą szpilką, nalać zimną wodą, z lekka zagotować na wolniutkim ogniu bardzo ostrożnie, żeby brzoskwinie nie popękały; potem zlać i nalać zimną wodą. Na drugi dzień wybrać z wody, nalać lekkim syropem niech tak stoją do drugiego dnia. Po 24 godzinach zlać ten syrop, zrobić syropu zwyczajnego biorąc na funt odważonych poprzednio surowych brzoskwiń, 2 funty cukru i szklankę wody, w gotujący syrop wrzucić brzoskwinie, smażyć 10 minut na większym ogniu, a następnie jeszcze 10 na wolnym ciągle szumując, gdy syrop klarowny, konfitura gotowa. Po 6-ciu dniach jeżeli syrop z wierzchu zwodnieje, przegotować jeszcze raz całą konfiturę na wolnym ogniu 6 minut, a gdy ostygnie ułożyć w słoje. Odlany pierwszy syrop użyć do wódek przegotowawszy go i przefiltrowawszy.

8. CYTRYNA

Wziąć np. cytryn sześć, moczyć w wodzie miękkiej przez dni dwanaście, w ciągu tego trzeba kilka razy wodę zmienić. Po wymoczeniu ponakałać gęsto cytryny, ułożyć w rądlu jedna obok drugiej, i gotować na wolnym ogniu godzin 4 a nawet dłużej, jeżeli się pokaże, że jeszcze nie są zupełnie miękkie. Potem wyjąć z wody, do ostudzenia poukładać na salaterce wyłożonej serwetą; warunek to konieczny, ażeby leżały w serwecie, bo inaczej pozapadają się boki w cytrynach. Na drugi dzień cytryny bardzo ostrym nożem pokrajać w plasterki lub w ćwiartki, ostrożnie pestki wyjmując; wziąwszy cukru funtów 3, z jednego zrobić lekki syrop i zupełnie ostudzonym nalać; dalej przez dni cztery odlewać syrop, dodając po pół funta cukru codzień, coraz cieplejszym nalewać, jednak zawsze tylko wolnym, bo jak się raz zaleje gorącym, to zaraz twardnieją. Po pięciu dniach syrop okaże się dość gęsty, jednak zostawić konfitury jeszcze w salaterce, gdzie były nalewane i za kilka dni, jeżeliby syrop zrzedniał znowu go przegotować.

9. DEREŃ

Konfitury z dereniu bardzo smaczne mało u nas używane, znane są najwięcej na Podolu i na Rusi. U nas dereniu drzew znajduje się bardzo wiele w Mokotowie pod. Warszawą. Bierze się dereń już dojrzały, wyjmuje szpilką pestkę; jeżeli jest jeszcze nie bardzo dojrzały, to go sparzyć parę razy wodą wrzącą, jeżeli jest już dojrzały to nie trzeba. Na funt wybranego derenia, bierze się 2 funty cukru.

Zrobić syrop dość gęsty zwykłym sposobem, wrzucić dereń i smarzyć póki syrop nie zgęstnie, jak zwykle u wszystkich konfitur, najprzód na silnym ogniu, a później na małym. Wylać na szeroką salaterkę a na drugi dzień z pięć minut dosmażyć i wystudzone układać w słoiki. Konfitura będzie ładna, koloru wiśni czerwonych, smaku cierpkokwaskowatego, bardzo miłego.

10. DYNIA

Dynia smaży się podobnym sposobem, jak arbuz. Z niedojrzałej dyni wy krawa się łyżeczką żelazną okrągłą używaną zwykle w kuchni do wykrajania kartofli, małe okrągłe kulki; te gotują, się chwilkę w gorącej wodzie, lub jeżeli gatunek dyni miękki i dobry, to tylko się parzą mocno ukropem; na funt takich kulek bierze się półtora funta cukru, robi syrop nie bardzo gęsty, wrzuca dynię i wciska jedną cytrynę; smażyć tak z pół godziny, aż kulki staną się przezroczyste. Zawsze stosując się do tego, żeby gdy syrop dość gęsty, ostudzić i dopiero schować.

11. GŁÓG

SPOSÓB 1. Głóg należy smażyć póki jeszcze nie przemarznie, a smak i pozór zależą głównie od gatunku głogu. Wydrążywszy najstaranniej szpilką podwójną, wypłukać kilka razy w wodzie, potem sparzyć ukropem, w którym leżeć powinien aż woda ostygnie; odcedzić, na funt wziąść dwa funty cukru, zrobić syrop zwykłej gęstości, wrzucić i smażyć jak zwykle każdą konfiturę. Z początku na większym a później dosmażać na mniejszym ogniu.

SPOSÓB 2. Głóg jak najstaranniej wydrążyć, wypłukać kilka razy w wodzie zimnej; w radiu zagotować wody, ten głóg wrzucić i ostrożnie na wolnym ogniu gotować, żeby nie popękał, a będzie zupełnie miękki; wtedy odcedzić go na durszlak i zimną wodą nalać. Na funt głogu bierze się dwa funty cukru (owoc każdy waży się surowy po wybraniu pestek). Zrobić syrop lekki z jednego funta cukru, nalać głóg wolnym syropem po wybraniu go z zimnej wody; na drugi dzień odlać syrop, dołożyć resztę cukru i na gorący syrop wrzucić głóg; wcisnąć pół cytryny i niech tak z kwadrans się smaży, uważać tylko, żeby nie twardniał, co następuje gdy się za długo smaży. Ażeby syrop był bardzo czysty, trzeba go drugiego dnia gdy się nalewa, przecedzić przez gęste sito lub muślin. Ostudzić jak zwyczajnie, żeby się każda jagoda syropem wypełniła poruszając salaterką.

12. GRUSZKI (PANNY ZWANE)

Wziąść gruszek zwanych pannami lub pasówkami, obrać, pokrajać w paski grube lub ćwiartki. Na funt takich gruszek bierze się półtora funta cukru tartego i jedna cytryna. W salaterkę sypie się naprzód warstwa cukru, potem warstwa gruszek, znowu cukier i tak dalej, wyciskając na to sok z cytryny i nakrapiając arakiem dobrym, bardzo niewiele. Na drugi dzień odcedzić sos, czyli cukier rozpuszczony, zagotować, wyszumować i na gorący wrzucić gruszki, przesmażyć aż syrop zgęstnieje. Można, układając na drugi dzień w słoiki, wrzucić gdzieniegdzie kawałek wanilji.

13. GRUSZKI W CAŁOŚCI

Wybrawszy gruszki miernej wielkości, kiedy są już na dojrzeniu, ale jeszcze nie dojrzałe zupełnie, obiera się ze skórki, nie odrzucając ogonków; ze środka wydobyć ziarnka z łuską, w której te ziarnka się znajdują, gruszki wrzucić w wodę zimną, w którą, żeby nie czarniały, wsypać łyżeczkę ałunu; potem ugotować w wodzie czystej na miękko, to jest aż słomka przejdzie z łatwością przez gruszkę, wybrać na przetak, aby wilgoć ściekła zupełnie. Zrobić syrop lekki, np. do garnca gruszek jeszcze nie obranych wziąść półtora funta cukru i wody trzy szklanki, odszumować, wystudzić i nalać gruszki tym syropem; nazajutrz zlawszy ten syrop dodać pół funta cukru, przegotować, odszumować i tak codzień powtarzać zalewając gruszki codzień cieplejszym syropem aż do wrzącego; dziewiątego dnia gdy syrop wystudzony już będzie, włożyć do niego gruszki i zagotować raz, ostudzić i składać do słoików, na drugi dzień poobwiązywać dobrze i w suchem miejscu trzymać. Najlepsze do tego gatunki są: bonkrety, bonkrestjany, cukrówki, pasówki czyli panny, jako też muszkatułki, byle nie bardzo drobne. Duże gruszki trzeba na połowę przekrawać.

14. JAGODY CZARNE

Jagody czarne zupełnie dojrzałe wybrać czysto, na funt jagód wziąść funt cukru, zrobić syrop gęsty, wrzucić na gorący syrop jagody, przesmarzyć na wolnym ogniu 20 minut, wyszumować, ostudzić na salaterce i schować. Bardzo smaczna i tania konfitura.

15. JABŁKA PAPIERÓWKI

Prześliczne konfitury i bardzo smaczne. Do nich mogą być użyte tylko jabłka prawdziwe, papierówki niezbyt białe, dojrzałe; te kraja się w talarki bez obierania, z bocznej strony niedochodząc do środka, talarki bowiem powinny być całkowite i nie mieścić w sobie ani łuskwiny ani pestki; ma się rozumieć, pierwszy plasterek, gdzie jest prawie sama skóra, odrzuca się. Każdy taki talarek naciera się z obu stron cytryną na wpół przekrajaną. Potem robi się syrop z 2 funtów cukru na jeden funt przygotowanych już jabłek, nie zbyt gęsty; zostawia się w mosiężnem naczyniu jedną, trzecią syropu, na ten gorący syrop, rzuca się tyle plasterków jabłek, żeby cała powierzchnia była pokrytą, i na bardzo wolnym ogniu smaży, zostawiając często ilekroć mocniej zawrze, a gdy jabłka zrobią się przezroczyste, ostrożnie na salaterkę łyżką durszlakową wyjmować, na syrop zaś świeżą warstwę jabłek wrzucać. Za każdą razą, przed wrzuceniem jabłek dolać trochę świeżego, zimnego pozostałego syropu i ze dwie łyżek wody; tym sposobem nigdy syrop nie zmieni koloru, i tak dalej smażyć, aż się wszystkie jabłka wysmażą: smażenie to jest podobne smażeniu pączków. Gdy się to działanie skończy, nalać pozostałym syropem ułożone w słoiki jabłka: gdyby owego białego syropu było trzeba więcej, to świeżego zrobić, tak aby jabłka były nim pokryte; układając jabłka, można je przełożyć cienką skóreczką cytrynową lub wrzucić gdzieniegdzie kawałki wanilji.

Pozostałe kawałki jabłek, dodawszy mniej ładnych nalać wodą w garnku lub rondlu: tyle tylko aby woda jabłka przykryła, ugotować dobrze, odcedzić przez płócienny worek, a zlawszy włożyć cukru na kwartę soku funt i pół, gotować dopóki się doczysta

nie wyszumuje i nie zrobi czerwony zupełnie. Spróbować, jeżeli lejąc łyżką zostaje coś na łyżce, to ma dosyć; wlać w słoiki zwane lampkami, które się zwykle do galaret używają póki galareta gorąca, a będzie po ostudzeniu ładna jabłkowa galareta. Tym sposobem nic się nie zmarnuje.

Drugi sposób równie smaczny, ale nie tak pozorny: po obraniu papierówek niedojrzałych, pokrajać je w cienkie podługowate paseczki jak makaron: na funt jabłek tak pokrajanych wycisnąć dwie cytryny, wybierając starannie pestki; czynność tę odbywać trzeba szybko, najmniej we dwie osoby, żeby jabłka krajane nie czerniały; zrobić syrop gęsty z półtora funta cukru, wrzucić jabłka, z 10 do 15 minut smażyć, wylać do ostudzenia i konfitura gotowa.

16. JABŁUSZKA (ZWANE RAJSKIE)

Wybrać zdrowych jabłuszek bez plam, ale nie przestałych, oczyścić z korzonków, ponakłówać cienką drewnianą szpilką, włożyć w zimną wodę i na wolnym ogniu zagotować bardzo uważnie, żeby nie popękały; gdy będą miękkie odcedzić i nalać zimną wodą. Na funt jabłek zrobić syrop z funta cukru i szklanki wody, gotując go niedługo, żeby nie był gęstym; ostudzonym nalać jabłka osiąknięte z wody; na drugi dzień odlać syrop, dodać ćwierć funta cukru, przegotować i ciepłym nalać; trzeciego dnia dodać znowu ćwierć funta cukru, syrop zagotować, wrzucić na chwilę jabłka, żeby się raz zagotowały i wylać na salaterkę do ostudzenia; gdyby po kilku dniach syrop zrzedniał, odlać go jeszcze raz i sam syrop przegotować.

17. JERZYNY

Na funt jerzyn czysto wybranych, dojrzałych, zrobić gęsty syrop z funta cukru zwykłym sposobem, maczając cukier w wodzie, na wrzący syrop rzucić jerzyny i na wolnym ogniu z kwadrans lub 20 minut smażyć szumując starannie, i stosując się zawsze do tego, aż syrop będzie gęsty, ostudzić i schować.

18. INDYJSKA KONFITURA NAŚLADUJĄCA IMBIR

Wziąwszy naszą zwykłą banię jeszcze nie dojrzałą, można mieć z niej konfiturę naśladującą do złudzenia smak i pozór imbiru. Wykroiwszy mięsistą część bani nie zupełnie jeszcze dojrzałej, kraje się ją w kawałki, kształt podługowatych korzeni mające, i gotuje do połowy w wodzie zimnej, poczem wykłada na sito dla osiąknięcia, co gdy nastąpi, układa się je na misce polewanej, każdy kawałek mocno obsypując bardzo miałko utłuczonym białym pieprzem i imbirem, przykrywszy na noc zostawić. Nazajutrz robi się syrop z lodowatego cukru biorąc go dwa funty na funt bani, którą polać ciepłym syropem, na drugi dzień syrop przez sito lub gruby muślin przecedzić dla sklarowania, i dodawszy jeszcze funt zwyczajnego w najlepszym gatunku cukru, znów syrop na wolnym ogniu przegotować i gorącym polać banię — powtarzając to kilka razy póki syrop nie będzie gęsty. Wtedy wrzucić banię na pięć minut w syrop gorący, zagotować raz i ułożoną banię w słoiki, zalać przecedzonym syropem, a po wystygnięciu zawiązać słoje jak zwykle rozmiękczonym w zimnej wodzie papierem aluminowym,

i jak wszytkie konfitury, w chłodnem a suchem miejscu przechować. Ta konfitura dobrze zrobiona, może trwać lat kilka, czem starsza tem lepsza.

19. MALINY BIAŁE

Na funt oczyszczonych malin zrobić syrop gęsty z półtora funta cukru, wrzucić maliny na wrzący syrop, smażyć od 15 do 20 minut, najprzód na większym a później na mniejszym ogniu, aż syrop dość gęsty będzie i wylać na salaterkę do ostudzenia.

20. MALINY CZERWONE

Maliny do smażenia wybierać trzeba z tych gatunków, co nie mają dużych ziarnek, ale przeciwnie, duże maliny utworzone z małych ziarnek. Maliny przebrać cienką igłą z korzonków i robaczków, których maliny bardzo wiele mają wewnątrz, ułożyć na półmiskach jedną malinę obok drugiej, żeby się jagody nie gniotły i wynieść do piwnicy dla obwiędnięcia, tak dalece, że jeżeli maliny były świeże, można je w piwnicy trzymać 24 do 36 godzin, żeby zupełnie owiędły. Na drugi dzień zważywszy maliny, na funt wziąść dwa funty cukru; zrobić syrop zwyczajnym sposobem maczając cukier w wodzie, wyszumować go dobrze, aż będzie bardzo gęsty; wtedy na wrzący syrop, nie zdejmując go z ognia wrzucić maliny, zagotować tak trzy razy aż się przewrócą, za każdą razą zdejmując z ognia; potem smażyć na wolnym ogniu, potrząsając często naczyniem, aby się równo wszędzie gotowały. Gdy się pokażą szumowiny na powierzchni, nie trzeba je łyżką zbierać

jak z innych owoców, bo maliny są tak delikatne, że za naj-
mniejszem dotknięciem popsuły by się, ale szumuje się w następny
sposób: wziąść czysty arkusz bibuły zwyczajnej, przykryć nią całą
powierzchnię smażących się malin, zostawić tak sekundę, potem
podnieść bibułę, a wszystkie szumowiny pozostaną na bibule;
powtarzać to działanie, dopóki się tylko szumowiny pokazywać
będą. Smażyć tak należy ostrożnie 15 do 20 minut, póki pestki
na wierzch nie wypłyną, które bardzo starannie należy wybrać
a maliny wlać ostrożnie na salaterkę i zostawić tak 24 godzin
do ostudzenia. Syrop gorący zawsze zdaje się rzadki; dla przekonania się czy ma dosyć, kilka kropel na nożu ostudzić, to najlepiej
można się przekonać czy dość gęsty; na drugi dzień włożyć w słoiki, a układając jeszcze łyżeczką wybierać pestki z syropu, których
uniknąć niepodobna. Maliny smażone tym sposobem będą miękkie, pięknego jasnego koloru.

21. MALINY PRZESYPYWANE CUKREM

Na funt malin wybranych czysto, bierze się półtora funta
cukru miałko tartego. Maliny układają się w szeroki zupełnie
nowy gliniany tygiel: warstwa malin, gruba warstwa cukru,
skropić arakiem, i znowu druga warstwa i tak dalej. Maliny
ułożone tak zostawia się w piwnicy na 2 godziny; w tem samem
naczyniu wcale nie ruszane stawiają się na wolnym ogniu i smażą,
aż wszystkie dobrze piana okryje: wtedy pokryć powierzchnię
arkuszem zwykłej bibuły, można nawet czarnej, którą po chwili
podniósłszy wszystka piana na bibule zostanie; od zagotowania
smażyć należy od 15 do 18 minut nie więcej, a będą miały dosyć;
zdejmując z ognia jeszcze raz pokryć bibułą, jak chwilę przestygną,

zdjąć bibułę, a zostaną czyste maliny. Do wystudzenia zostawić w tem samem naczyniu. Można także, przesypując cukrem maliny, wcale arakiem nie skrapiać, i zaraz smażyć, a będą większe jak kropione arakiem. Maliny tym sposobem smażone zostaną w całości, żadna pestka nie wypłynie, ale kolor ich będzie nieco ciemniejszy, maliny twardsze ale zawsze dobre.

22. MALINY NA SPOSÓB KIJOWSKI

Do funta malin bierze się trzy funty cukru, z tego robi się syrop gęsty, nalawszy trzy kwaterki wody, jak syrop już dobrze gęsty, sypać na gotujący się maliny, które poprzednio powinne być sparzone octem z wodą; do dwóch kwart wody bierze się kwaterka octu, i gotującym parzy na sicie maliny, a następnie kilka razy przelewa po nich zimną wodą; gdy już nic octu nie czuć, rzucają się maliny na syrop i dopóty smażą, aż jagody przezroczyste, a syrop dość gęsty nie będzie; po ostudzeniu wybrać maliny szpilką w słoiki, syrop rozgrzać i przecedzić przez muślin, aby był czysty. Zbywający syrop jest wybornym sokiem.

23. MARCHEW

Bierze się marchew gruba, słodka, byle nie czerwona, ale żółta, płócze się starannie w wodzie i oskrobuje z powierzchniej skórki; rdzeń się wykrawa, odrzuca a reszta marchwi kraje się cienko, podługowato jak makaron, kładzie w rondel lub garnek nowy, żeby odoru obcego nie nabrała; nalewa się wodą zdrojową i gotuje aż zmięknie; wtedy odlewa się woda, żeby marchew dobrze osiąkła.

Na funt tak pokrajanej i ugotowanej marchwi bierze się ćwierć funta pomarańczowych skórek, również pierwej ugotowanych i cienko w paseczki pokrajanych, wykrawając starannie białą stronę skórki; do tego robi się syrop z półtora funta cukru, nalawszy na ten cukier półtory szklanki wody, nie wygotowując go nazbyt, żeby nie był zagęsty; wrzuca się wyżej przyrządzoną marchew, smaży przez pół godziny: w czasie smażenia wcisnąć sok z jednej soczystej cytryny, można i więcej do smaku. Gdy syrop będzie gęsty, konfitury gotowe.

Tę konfiturę smaży się na jesieni, gdyż później marchew już nie dobra.

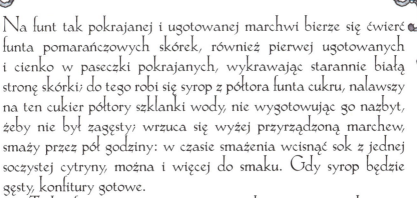

24. MELON

Bierze się na wpół dojrzały melon, ze skóry zielonej obiera, środek odrzuca i kraje w kawałki, formy podług upodobania, byle nie bardzo małe, naprzykład wielkości ćwiartki jabłka; dobrze bardzo wyglądają czworo-graniasto podługowate kawałki; kładzie się w wodę zimną i trzyma na ogniu 15 minut. Gdy zmięknie, odlewa się wodę i na durszlaku, przelewa kilka razy bardzo zimną wodą, następnie kładzie się melon w salaterkę i skrapia dobrze arakiem, po dwóch godzinach wrzucić na gorący syrop, i smażyć z początku na większym, a później na bardzo wolnym ogniu. Wody do cukru użyć tylko tyle, ile w cukier wsiąknie, lub na dwa funty cukru półtory szklanki wody.

25. MORELE

Prawie dojrzałe morele wybrać równej wielkości i równej dojrzałości, nakłuć mocno, to jest głęboko i gęsto drewnianą szpilką, i wrzucać w wodę zimną. Odważywszy poprzednio morele, wziąść na funt dwa funty cukru, zrobić syrop zwykłej gęstości, to jest maczając tylko cukier w wodzie ile wsiąknie; gdy zawrze, wrzucić osaczone z wody morele, postawić na silnym ogniu, gdy się okryją pianą, zdjąć z ognia, potrzymać 20 minut odstawione, następnie drugi raz powtórzyć mocne zagotowanie i odstawić znowu na 20 minut, trzeci raz to samo jeszcze powtórzyć, a następnie na wolnym zupełnie ogniu dać się dosmażyć powoli, póki owoc nie nabierze zwykłej konfiturowej przezroczystości, a syrop stosownej gęstości. Morele lepiej na drugi dzień dosmażyć.

26. ORZECHY WŁOSKIE

Wziąść orzechy zielone, nakłuć gęsto szpilką drewnianą w około i moczyć w miękkiej wodzie dni 9. Po 9 dniach nastawić w wodzie miękkiej niech się gotują aż zupełnie miękkie będą, tak, żeby z łatwością szpilka przechodziła; potem odlać na sito, żeby osiąkły; na funt orzechów wziąść 2 funty cukru, z połowy zrobić syrop niezbyt gęsty, włożyć w ten syrop kawałek cynamonu, trochę goździków i zimnym syropem nalać orzechy, niech tak stoją trzy dni. Po trzech dniach wybrać orzechy na sito, do syropu dołożyć resztę cukru i wolnym zalać, niech tak postoją trzy dni. Po trzech dniach znów wybrać orzechy na sito, wygotować dobrze syrop, żeby był gęsty, i tym gorącym syropem polać orzechy, niech tak

stoją; po 9 dniach, jeżeli orzechy od środka będą czarne, a skóra twardawa, to mają dosyć, jeżeli zaś nie, to jeszcze raz syrop odlać i wrzącym zalać orzechy. Ostudzić i zakilka dni układać w słoje. Konfitury tej używa się tylko na sucho lub do ubierania ciast, komputów i t. p.

27. PORZECZKI CZERWONE

SPOSÓB 1. Wybrać co największe grona porzeczek, z tych ziarna szpilką pojedynczą powybierać; nawybierawszy funt, włożyć w durszlak i przelać bardzo zimną świeżą wodą. Tymczasem zrobić syrop gęsty, z dwóch, a nawet można z dwóch i pół funta cukru: będzie w takim razie więcej syropu, który przy porzeczkach jest bardzo smaczny. Na wrzący syrop wrzucić porzeczki, smażyć od 15 do 20 minut, często potrząsając międniczką, żeby się równo i ciągle smażyły, zbierając szumowiny tylcem łyżki srebrnej; po 15 minutach powinny mieć dosyć; gdyby jednak jeszcze szumowiny się pokazywały, to można smarzyć do 20 minut, nigdy dłużej, bo zgalarecieją. Wylać do ostudzenia a na drugi dzień schować.

SPOSÓB 2. Porzeczki wybrane z pestek (czarne szypułki z wierzchu zostawiają się zawsze) zważyć, na funt porzeczek zrobić syrop nie bardzo gęsty z półtory szklanki wody i funta cukru, wolnym polać porzeczki, na drugi dzień odlać syrop, przegotować i cieplejszym polać; na trzeci dzień dodać pół funta cukru, i znowu ciepłym polać; czwartego dnia dodać pół funta cukru, przegotować syrop i gorącym nalać; piątego dnia dodać znowu pół funta cukru, syrop przegotować i wrzącym nalać; szóstego wysadzić syrop do gęstości tak, jak powinien być przy konfiturach i gdy najbar-

dziej wrzeć będzie, wrzucić porzeczki i natychmiast, nie czekając aż się przesmażą, zdjąć z ognia niech tak postoją, aż naczynie mosiężne ostygnie; wtedy zlać na salaterkę niech tak stoją dwa dni, trzeciego dnia schować w słoje. Porzeczki będą, prześliczne i całe.

SPOSÓB 3. Porzeczki wybrać z pestek, na funt porzeczek wziąść dwa funty cukru miałkiego i pół szklanki wody; cukier wsypać na środek naczynia mosiężnego, naokoło obrzucić go porzeczkami, a w środek nalać wody; smażyć to razem na wolnym ogniu, aż syrop dobry będzie, to jest aż będzie dość gęsty, a porzeezki po spróbowaniu nie czuć surowizną, szumować bibułą, będą śliczne.

28. PORZECZKI BIAŁE

Porzeczki białe smażą się tym samym, sposobem co czerwono, z tą różnicą, że trzeba wybierać, żeby jeszcze nie bardzo dojrzałe były, ale już nie zielone i uważać, smażąc, żeby nie żółkły, co się zwykle dzieje, gdy się zadługo smażą, powinny bowiem zostać zupełnie białe; na tem ich piękność zależy. Można również białe porzeczki smażyć w gronkach, nie obrywając jagód, wybiera się z powierzchniej strony szpilką pestkę, całe grona układają się na półmiskach, żeby się nie poplątały; tak smażyć można tylko dwoma pierwszemi sposobami. Rzucając w syrop, trzeba ostrożnie gronko po gronku układać, żeby się nie pomieszały: najlepiej smażyć je drugiem sposobem, ułożywszy w szerokiej salaterce.
Porzeczki bez druzgania. Porzeczki są arcy smaczną konfiturą, ale z powodu druzgania, to jest czasu na to potrzebnego, rzadko gdzie i mało kto je robi. Otóż można je robić bez druzgania w na-

stępujący sposób. Wziąść dużych, bardzo dużych, bo tylko z tego gatunku robić je można, porzeczek, obrać z gałązek, zważyć, na funt porzeczek wziąść półtora funta cukru, zrobić bardzo gęsty syrop, wrzucić w czasie największego wrzenia porzeczki, smażyć nie dłużej jak 10 minut, bo smażone dłużej stwardnieją. Wylać na salaterkę do ostudzenia, co gdy nastąpi, jagody powinny wyglądać jak w galarecie i całą zimę się utrzymują.

29. POZIOMKI (JAGODY CZERWONE)

Wybrać funt dużych dojrzałych a nie przestałych poziomek, zrobić syrop bardzo gęsty z półtora funta cukru, wrzucić poziomki, gdy syrop mocno się gotuje i jest już bardzo gęsty, trzy razy zagotować na mocnym ogniu, za każdą razą, zdejmując z ognia na 5 minut, dosmażyć na wolnym 10 minut nie dłużej często potrząsając naczyniem, żeby się ciągle i równo gotowały. Gdy trochę przestygną, dopiero zlać na salaterkę, a na drugi dzień w słoiki.

30. POMIDORY

SPOSÓB 1. Dojrzałe, czerwone pomidory poprzekrawać na wpół, wyrzucić pestki, skropić arakiem na 24 godzin. Na drugi dzień wziąść na funt pomidorów 2 funty cukru, zrobić syrop gęsty, wrzucić pomidory wraz z arakiem, smażyć jak zwykle póki syrop nie zgęstnie, a na dosmażeniu wcisnąć sok z jednej cytryny.

SPOSÓB 2. Pomidory bardzo jeszcze zielone, przekrajać na połowę, wyjąć ziarnka, nalać zimną wodą i na lekkim ogniu

zagotować; potem na serwecie porozkładać, aby woda ściekła. Odważywszy półtora lub dwa funty cukru na funt pomidorów, zrobić z połowy ulep na wodzie, w której się jedna cytryna bez pestek w talarki pokrajana pierwej gotuje; gorącym ulepem zalać pomidory na całą noc, nazajutrz smażyć, obsypując drugą połową cukru miałkiego do zwykłej gęstości syropu.

31. POMARAŃCZE

Wymoczone pomarańcze nalać w glinianym garnku (w rondlu gotują się za prędko) wodą miękką i gotować 4 godziny na wolnym ogniu, kilka razy zlewając wodę, a nalewając świeża ale gorąca. Gdy już miękkie będą, że słomką przekłuć się dają, wyjąć z wody, położyć między serwety, żeby nie tak gwałtownie ostygły. W kilka godzin gdy ostygną zupełnie, pokrajać je ostrym nożem w ćwiartki lub plasterki, i nalać lekkim zimnym syropem. Na drugi dzień zlać ten syrop, użyć go można do zaprawy wódek, a wziąść cukru, rachując na funt pomarańcz półtora funta cukru; z większej połowy tego cukru zrobić syrop zwyczajnej gęstości, biorąc szklankę wody na funt cukru, i wolnym syropem nalać pomarańcze. Trzeciego dnia cukru dołożyć do syropu, przesmażyć i wolnym zalać. Czwartego lub piątego dnia jeszcze raz zlać syrop, resztę cukru dołożyć, ale w drobnych kawałkach; szóstego lub siódmego dnia znowu przegotować i gorącym zalać, a na ósmy dzień przesmażyć i ciepłym gęstym zalać pomarańcze, gdy ostygną w słoje schować i bibułką angielską umoczoną w araku przykryć. Takie pomarańcze można wyjmować z syropu, rzucać w konserwę z cukru jak niżej skórki i używać zamiast skórek pomarańczowych na sucho.

32. PIGWY

Pigwa jest to owoc z rodzaju jabłek u nas mało znany, lecz bardzo powszechny na Podolu i Ukrainie. Obrane ze skórki, pokrajane na ćwiartki gotować w źródlanej wodzie, aż zupełnie miękkie będą. Wtedy wyjąć ostrożnie na sito, osączyć z wody, zrobić syrop biorąc półtora funta cukru na funt owocu; na wrzący i dość gęsty wrzucić pigwy, smażyć kilka razy, ale nie długo, żeby nie stwardniały i wylać na salaterkę do ostudzenia. Łupiny można ugotować na tym smaku, w którym się gotowały pigwy, a sklaro-wawszy i dołożywszy funt cukru na pół kwarty soku, ugotować z tego galaretę, która będzie ponsowego koloru, i robi się tak samo jak z jabłek.

33. RÓŻA

Funt obranych liści z róż dużych, cukrowych, oczyścić nożycz-kami z żółtego proszku i wrzucić w dużą miskę z wodą twardą źródlaną, do której wlać poprzednio dwie łyżeczki kwaśnych kropli, znanych pod tą nazwą w aptekach, niech tak poleżą, aż się woda zrobi czerwonego koloru. Zrobić syrop z 6-ciu najmniej funtów cukru. Gdy się cukier wyszumuje wycisnąć ręką różę do-brze z wody i wrzucić w syrop, łyżką srebrną ciągle w rondlu liście mieszając i rozcierając, aby się nie kawaliły, ale każdy oddzielnie smażył. Gdy róża nabiera przezroczystości, a syrop będzie dość gęsty, wlać znowu łyżeczkę kwaśnych kropli, lub wcisnąć 3 soczyste cytryny przez muślin, wylać konfiturę na salaterkę i w oknie lub w przewiewnem miejscu mieszać czyli przelewać łyżką, aż prze-

stygną zupełnie. Każdy listek będzie osobno, a konfitura śliczna. Na dobrem wymieszaniu łyżką w chłodnem miejscu zależy piękność konfitury.

34. RENEKLODY

Reneklody smażą, się w pierwszej połowie sierpnia; gdy są jeszcze zupełnie nie dojrzałe. Nakłute drewnianą szpilką, włożyć w zimną dobrze słoną wodę na 12 godzin, a wypłukawszy z niej włożyć w świeżą i potrzymać na ogniu, z pięć minut, potem zdjąć z ognia i nakryć sitem; gdy ostygną, znowu na ogniu potrzymać, uważając żeby się nie gotowały, i to powtarzać trzy lub cztery razy aż będą, miękkie. Wziąść na 1 funt 2 funty cukru, zrobić syrop z połowy cukru, włożyć w gorący reneklody, potrzymać na wolnym ogniu pięć minut i zostawić na salaterce do następnego dnia. Nazajutrz dołożyć trochę cukru do syropu, przesmażyć i zalać gorącym; trzeciego dnia tak samo uczynić, a czwartego wrzucić w gorący syrop i dosmażyć na wolnym ogniu. Dobroć reneklodów zależy na tem, aby były miękko ugotowane i bardzo krótko w syropie smażone, gdyż inaczej stwardnieją.

SPOSÓB 2. W połowie sierpnia, kiedy jeszcze są zupełnie twarde i niedojrzałe, wziąść funt reneklodów nakłuć drewniana szpilką, posolić miałką solą, niech tak poleżą 12 godzin przykryte mokrem płótnem. Na noc nalać je zimną wodą i niech tak stoją całą noc, rano w tej samej wodzie słonej zagotować na wolnym ogniu uważając, aby się nie mocno gotowały, wyjąć, włożyć w zimną wodę, którą odmieniać kilka razy przez dwa dni. Wtedy zrobić lekki syrop z funta cukru i nalać reneklody na 24 godzin, wyjąć z tego syropu, zrobić świeży gęsty syrop, biorąc na funt rene-klodów półtora funta cukru, wrzucić reneklody i smażyć uważnie, aż się zrobią przezroczyste — zdejmując kilka razy w czasie smaże-nia z ognia do szumowania.

35. SAŁATA

Łodygi zielonego gatunku sałaty kiedy tylko w pąk puściła, póki nie stwardnieją obrać z wierzchniej skórki, krajać w podługo-wate cienkie kawałki i gotować w zimnej wodzie uważnie, żeby się nie rozgotowały; odlać, wrzucić w zimną wodę, i znowu drugi raz gotować i odlać. Robi się syrop zwykłym sposobem biorąc na funt sałaty funt i pół cukru; odlaną i osiąkłą dobrze sałatę, wrzuca się w ten syrop gorący i wciska jedną całą cytrynę, tak przesmażyć póki syrop nie będzie dość gęsty, a sałata, przezroczystą, szumować dobrze. Można dla zapachu wrzucić trochę skórki cytrynowej cienko pokrajanej.

36. ŚLIWKI WĘGIERKI

Śliwki węgierki smażyć można na konfiturę ze skórką lub oparzone i obrane ze skórki. Wybrać śliwki piękne, już dojrza-łe ale nie przestałe, obetrzeć płótnem czystem barwę, przekroić ostrożnie scyzorykiem, wyjąć pestkę potem zważyć; na funt śliwek wziąść funt cukru, zrobić syrop zwyczajny, śliwki polać ciepłym; na drugi dzień odlać syrop, dodać pół funta cukru, przegotować, wyszumować i na gorący wrzucić śliwki niech się raz zagotują; trzeciego dnia odlać syrop, wysadzić, aż gęsty będzie, wrzucić

57

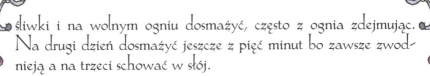

śliwki i na wolnym ogniu dosmażyć, często z ognia zdejmując. Na drugi dzień dosmażyć jeszcze z pięć minut bo zawsze zwodnieją a na trzeci schować w słój.

37. ŚLIWKI DROBNE ZIELONE

Robią się w końcu sierpnia, zupełnie tak jak reneklody. Wyjęte potem z syropu, osypane cukrem i jak kijowskie obsuszone w cukrze ślicznie wyglądają (patrz suche konfitury).

38. ŚLIWKI WĘGIERKI ZIELONE

Funt śliwek nie zupełnie dojrzałych bez barwy jeszcze, wrzucić do rondla z gorącą wodą, nakryć i wyjmować w miarę możności po jednej, obierać ze skórki nożykiem wrzucając je do zimnej wody. Jak wszystkie będą obrane zmienić raz jeszcze wodę i postawić jeżeli można na noc na lód lub wreszcie do zimnej piwnicy na godzin dwanaście. Nazajutrz odcedzić śliwki z wody, ażeby dobrze osiąkły na sicie, zrobić syrop z półtora funta cukru i kwaterki wody, wrzucić śliwki i smażyć na wolnym ogniu, często zdejmując miedniczkę dla dobrego wyszumowania. Gdy szumowiny przestaną się pokazywać, śliwki mają dosyć, ostudzić a nazajutrz dosmażyć jeszcze z 10 minut. Można w każdą zamiast pestki włożyć migdał oparzony i obrany ze skórki.

39. TRUSKAWKI

Z truskawek smaży się śliczna konfitura i bardzo różnorodna, gdyż ile jest gatunków truskawek, z każdego można smażyć; najpiękniejsze są z białych ananasowych lub czerwonych okrągłych włoskierni zwanych; hiszpańskie czerwone podługowate, najmniej się dobrze smażą.

Obrać z korzonków truskawki nie pogniecione i świeżo rwane w suchy dzień, pierwej jednak każdą opłukać w spirytusie 12 próby, lub w araku dla oczyszczenia z piasku i ziemi, jaka zawsze na truskawkach się znajduje z powodu ich poziomego wzrostu. Na funt truskawek wziąść 2 funty cukru, zrobić syrop bardzo gęsty, i na wrzący wrzucić truskawki; gotować z początku na wielkim ogniu, trzy razy je zdejmując z ognia, i odstawiając za każdą razą na 5 minut, gdy się zagotują, a później na wolnym dosmażyć, często naczyniem potrząsając, żeby się równo smażyły i w czasie tego smażenia po trzykroć zdejmując naczynie z ognia, i znowu je wstawiając na chwilkę. Szumowiny, których tu jest wiele, zbierać bardzo ostrożnie, dotykając tylko powierzchni tylcem łyżki srebrnej, aby nie zgnieść jagód; gdy już syrop zgęstnieje, zestawić z ognia, niech chwilkę przestygną, dopiero zlać na salaterkę do ostudzenia, na drugi dzień wlać w słoiki ostrożnie, gdyż na spodzie ustoją się pesteczki i prochy z truskawek. Smażyć od 20 do 25 minut nie dłużej.

SPOSÓB 2. Odważyć na funt jagód, koniecznie w dzień pogodny zbieranych, 2 funty cukru, 1/3 część utłuc miałko i posypać nim ułożone na półmisku jagody, które trzeba wpierw skropić spirytusem lub arakiem, a lepiej każdą z osobna w nim umoczyć, i postawić na noc do piwnicy lub na lód. Nazajutrz wziąść szklan-

kę wody na każdy funt cukru, zrobić syrop z pozostałym od wagi cukrem, a do wrzącego włożywszy jagody, smażyć jak zwyczajnie, pierwej na dużym ogniu, zagotowując trzy razy, a potem dosmażajac na żarze póty, aż w jagodach żadnego kwasu nie czuć, a powierzchnia syropu po zastudzeniu marszczyć się będzie. Konfitury te szumując z lekka, nigdy łyżką, nie cisnąć, ani mieszać, bo się jagody pogniotą, trzeba tylko potrząsać, i na wszystkie strony obracać miedniczkę.

40. WIŚNIE CZEREŚNIE BIAŁE

Z czereśni będzie konfitura ładna, ale bardzo słodka. Biało są, lepsze do smażenia, bo mają troszeczkę winkowatości. W brane czereśnie oczyszczają się z pestek za pomocą szpilki lub piórka, ogonki się obrywają; na funt takich czereśni bierze się funt i pół cukru, zrobić gęsty syrop; czereśnie wsypać i smażyć, póki syrop nie zgęstnieje, z początku na większym, a później na wolnym ogniu, wyszumować i wylać na salaterkę do ostudzenia.

41. WIŚNIE CZARNE HISZPANKI

Duże czarne, kwaśne wiśnie, zwane hiszpankami, opłukać z lekka na przetaku z kurzu i nieczystości i dopiero po opłukaniu obrywać korzonki i wybierać z nich pestki za pomocą szpilki pojedynczej, lub komu to idzie niezręcznie, za pomocą piórka obciętego równo po obu stronach; takie piórko przepycha się przez wiśnie, zaczynając od strony przeciwnej korzonkowi, a tak razem wypada pestka wraz z korzonkiem. Tymczasem zrobić syrop gęsty biorąc na funt wisien dwa funty cukru, i szklankę wody wsypać wiśnie na wrzący syrop, z początku na większym a później na wolnym ogniu gotować; za każdą razą, gdy się zagotuje, zdjąć na 5 minut do studzenia, potrząsać naczyniem, aby się wszędzie równo gotowały, szumując łyżką srebrną lub durszlakową, ale tylko dotykając tylcem powierzchni. Smażyć tak minut 20; potem aż do ostudzenia, potrząsać naczyniem, aby się dobrze syropem napełniły lub też robić to, wylawszy w wazę. Na drugi dzień, jeżeliby jeszcze się okazały za rzadkie, wstawić wiśnie na ogień i smażyć od zagotowania minut 5, aż syrop gęsty się okaże. Im mniej wiśni, krócej się smażyć powinny.

Można także brać półtora tylko funta cukru na funt wisien, a będą dobre, ale będzie mniej syropu, który u wisien jest bardzo użyteczny, bo go jak soku używać można.

Chcąc smażyć wiśnie kwaśne do legumin i kuchennego użytku, bierze się tylko funt cukru na funt wisien, ale po wrzuceniu wisien w syrop daleko je dłużej gotować, nie uważając już na utrzymanie całości wisien, tylko na trwałość; dobrze je trzeba wysadzić do gęstości, bo większa ilość cukru konserwuje dłużej owoc. Każdy gatunek czarnych wiśni smażyć najlepiej powyższym sposobem.

42. WIŚNIE CZARNE PRZESYPYWANE CUKREM

Do funta wybranych wisien bierze się funt i pół cukru miałkiego, a wiśnie, ułożone w szerokiem porcelanowem lub fajansowem naczyniu, przesypują się tym cukrem, uważając, żeby na spodzie i na wierzchu wisien było po warstwie cukru. Tak stać powinny 12 godzin, po tym przeciągu czasu odlewa się uformowany sos, przygotowuje i nalewa wiśnie gorącym, na drugi dzień powtarza

się to samo; a na trzeci po odlaniu syropu wysadza się do gęstości właściwej, wrzuca wiśnie, zagotowuje kilka razy, nie zapominając szumować i wylewa do ostudzenia. Wiśnie zostaną tym sposobem zupełnie w całości ale będą twardsze.

43. WIŚNIOWA KONFITURA SMAŻONA RAZOM Z SOKIEM

W cukierniach dla oszczędzenia kosztu na owoce, robią sok i konfiturę razem następującym sposobem. Wybrane z pestek wiśnie czarne nalewa się syropem ciepłym, biorąc na funt wisien półtora funta cukru, na drugi dzień odlać sok uformowany, przegotować i zalać wiśnie gorącym; na trzeci dzień odlać, zalać gotowanym, — a po kilku godzinach odcedzić zupełnie sok, zagotować parę razy i Sok gotów; wiśnie zaś wrzucić zaraz, wyjąwszy je z soku, w gorący syrop zwykłej gęstości używany na konfitury, licząc tylko w proporcyi jednego funta cukru na funt wiśni poprzednio zważonych, gdy się zalewało syropem. Przesmażyć w tym syropie 15 minut na wolnym ogniu — konfitura gotowa i będzie ładna w całości, a syrop bardzo czysty, tylko mało kwaśny i soku będzie w nich mniej, niżeli zwykłym sposobem smażonych. Konfitury kupowane w cukierniach dlatego to też mają zwykle wiele owocu, a ma ło soku w sobie, maliny smażą się tak samo, z tą różnicą, że tylko raz się nalewają.

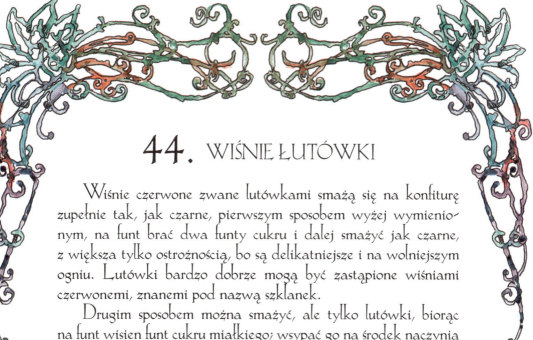

44. WIŚNIE ŁUTÓWKI

Wiśnie czerwone zwane łutówkami smażą się na konfiturę zupełnie tak, jak czarne, pierwszym sposobem wyżej wymienionym, na funt brać dwa funty cukru i dalej smażyć jak czarne, z większa tylko ostrożnością, bo są delikatniejsze i na wolniejszym ogniu. Łutówki bardzo dobrze mogą być zastąpione wiśniami czerwonemi, znanemi pod nazwą szklanek.

Drugim sposobem można smażyć, ale tylko łutówki, biorąc na funt wisien funt cukru miałkiego; wsypać go na środek naczynia a w około wiśnie ułożyć, na cukier wlać pół szklanki wody. Smaży się bardzo wolno, co chwila, gdy się wiśnie chcą zagotować, zdejmując z ognia, ogień powinien być mały. Wiśnie tym sposobem smażone, będą prześlicznego różowego koloru. Więcej jak funt, a najwyżej 2, tym sposobem smażyć nie można.

46. WINOGRONA

Wybrać niedojrzałe winogrona, zupełnie równe, poodcinać jagody od gałązek; wziąść na funt winogron dwa funty cukru, zrobić syrop gęsty, wrzucić na gotujący się jagody, pozwalając jak zawsze, trzy razy się zagotować na mocnym ogniu, za każdą razą zdejmując z ognia — pilnować bardzo, a gdy pestki na wierzch wypłyną, zebrać je łyżką durszlakową, do czysta można je zebrać z szumowinami, następnie dosmażyć na wolnym ogniu, a wylawszy na salaterkę tak długo nią ruszać, aż konfitura wystygnie, a jagody wypełnią się syropem. Będzie ładna konfitura.

46. ŻURAWINY

Wybrać tylko zdrowe i duże jagody, ponakalać je cienką szpilką i nalać zimna wodą. Na drugi dzień odlać wodę i nalać świeżą, na trzeci powtórzyć to jeszcze raz. Czwartego dnia zważyć jagody, na funt, wziąść dwa funty cukru, zrobić syrop jak zwykle, biorąc szklankę wody na funt cukru, gdy będzie gęsty i zawrze silnie, wrzucić jagody przesmażyć parę razy na mocnym ogniu, zdejmując rondel z ognia, gdy zawrzą, następnie jeszcze z pięć minut na wolnym ogniu potrzymać, a konfitura gotowa, przezroczysta, prześlicznego koloru i wybornego smaku. Sok zlany pierwszy raz można użyć zaraz na kisiel, lub przesmażyć go z cukrem na sok do herbaty.

47. SMAŻENIE KONFITUR

Po wieloletnich doświadczeniach uważam, że najlepiej smażyć wszelkie soczyste delikatne owoce z przestankami, to jest po wrzuceniu owocu w syrop, zasmażyć; odstawić, ostudzić, i w 10 minut napowrót na ogniu zagotować, odstawić, ostudzić, powtarzając to działanie 3 razy, w końcu dosmażać, aż nabiorą przezroczystości, wylać na salaterkę, a na drugi dzień schować do słoików, obwiązując albuminowym papierem. Wodę używać do syropu studzienną lub źródlaną; miękka jest nie dobra, bo jagody prędzej się rozgotowują. Szumować w czasie smażenia dnem łyżki srebrnej. Chcąc się przekonać czy jagoda jest usmażona, położyć kilka na miseczkę, jeżeli po ostudzeniu zupełnem, skórka się nieco marszczy, to mają dosyć. Po usmażeniu wylany na salaterkę owoc póty poruszać w przewiewnem miejscu póki nie wypłyną i nie wypełnią się syropem.

UWAGI

CO DO UTRZYMANIA KONFITUR

Konfitury, które po rocznem lub dłuższem przechowaniu zaczynają cukrzeć, łatwo bardzo przyprowadzić do pierwotnego stanu, wstawiwszy słoik z konfiturami w rądel z zimną wodą; tak gotować ciągle dolewając wody do rądla, dopóki zupełnie się zcukrzałość nie rozpuści; wtedy zestawia się rądel, a słoiki dopiero po wystudzeniu z wody wyjmuje. Konfitury są zdatne do użycia, jednak trzeba je używać nie długo, gdyż po kilku tygodniach częstokroć znowu cukrzeją.

Konfitury burzące się czyli fermentujące, należy wlać w rądel, posypać miałkim cukrem i zagotować kilka razy na wolnym ogniu, dopóki szumować się nie przestaną.

Próba syropu. Wziąść próbkę Beaume'go do cukru (kosztuje u optyków pół rubla) próbować syrop na konfiturę, aby na gorąco miał 32 stopnie, to jest wziąwszy tego syropu w kieliszek wązki a wysoki, próbować aby próba zanurzyła się do 32 stopni. Gotowy sok owocowy próbować tak samo czy ma dosyć gęstości. Aby syrop nie opadał na spód w konfiturach, a owoc był nim wypełniony, trzeba gorące usmażone konfitury poruszać ciągle na salaterce, gdzie są złożone aż do zupełnego prawie ostudzenia, a tak owoc będzie pełny i nie będzie się dzielił od syropu.

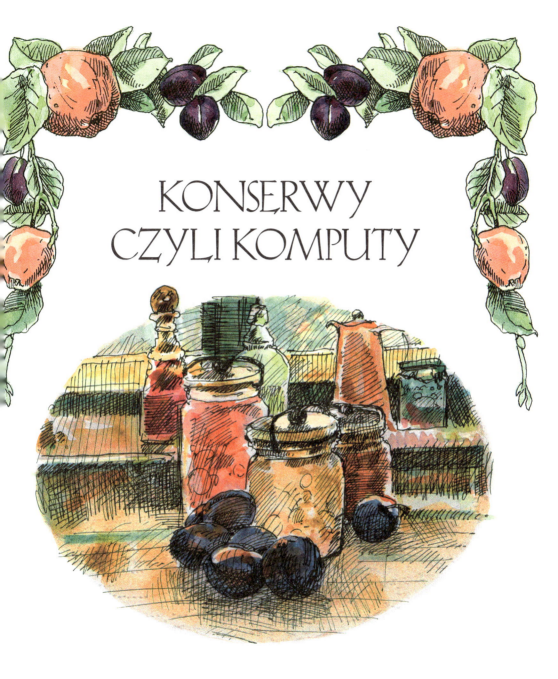

KONSERWY
CZYLI KOMPUTY

„Jak ugościsz tak ci będą radzi"

OGÓLNE UWAGI PRZY GOTOWANIU KONSERW

Konserwy maja tę wyższość nad konfiturami, że zachowują zupełną świeżość owocu, tak, że otworzywszy w czasie zimy dobrze urządzoną konserwę, wydaje ona zapach jakby tylko co zerwanego owocu; powtóre, nie będąc tak zbytecznie słodkie jak konfitury, dają się częściej i więcej używać, zastępując najwykwintniejsze letnie komputy. Owoce użyte na konserwy powinny być dojrzałe. Do konserwów używa się słoików w kształcie karafki, szerszych od dołu, węższych od góry, gdyż do gotowania takowe są najwygodniejsze; znane one są powszechnie pod nazwą kompotjerów, w takich samych bowiem przychodzą do nas z Francyi owoce konserwami zwane. Pęcherze używać się mające do pokrycia słoików, powinny być suche, żadnego odoru i tłuszczu w sobie nie zawierające; po wypuszczeniu powietrza, którem zwykle bywają dla zachowania napełnione, moczą się w wolnej wodzie z solą przez godzinę, a potem łatwo do rozciągania bez obawy o pęknięcie, używają w miarę potrzeby.

Nauka chemii dała nam dziś papier albuminowy czyli pargamin roślinny, zastępujący w zupełności pęcherze. Rozmoczony taki papier w zimnej wodzie, używa się jak pęcherz.

O GOTOWANIU I PRZECHOWANIU KOMPUTÓW

Urządzone słoiki z owocem, ustawia się w kociołek lub duży bardzo głęboki rondel, podłożywszy na spód deseczkę dziurkowatą, która zapobiega pęknięciu słoików, okłada słomą lub sianem,

żeby słoiki w czasie gotowania jedne o drugie trącając nie popękały, nalewa wodą zimną, na wysokość 10 do 12 cali, — i stawia na wolnym początkowo, a następnie na silniejszym ogniu, pilnując uważnie, kiedy się woda zacznie w kociołku gotować, wtedy spojrzeć na zegarek, od chwili zagotowania wody dać się gotować bezustanku przez minut 15, poczem ostrożnie zdjąć z ognia kociołek i razem ze słoikami ustawić w spokojnem miejscu, dopóki zupełnie nie ostygnie; Wtedy dopiero wyjmują się kompotiery gotowe i zdatne do zachowania jak najdłuższego, byle w suchem a nie wilgotnem miejscu.

Drugi sposób, którym można gotować konserwy, jest następujący: obwiązane już pęcherzem słoiki wstawić pod blachę czyli w piec do pieczenia pieczystego od kuchni angielskiej, po skończonym obiedzie; to jest wtedy, kiedy reszta ognia się dopala i zostawić je tam od 3 do 4 godzin. Jeśli piec niezbyt gorący to można blachę zasunąć. Sposób jest wyborny i pewny, owoc tylko niekiedy traci na kolorze, wiśnie lutowe zatem i maliny lepiej gotować w wodzie. Należy pamiętać, aby słoiki były z wierzchu suche, gdyż inaczej pękają. Bardzo rzadko która piwnica może być tak sucha, aby konserwy w niej nie pleśniały, nawet w czasie lata zachować w piecach przy otwartym lufcie, a w zimie w spiżarni chłodnej. Gdyby jednak pomimo dobrego zachowania, po kilku miesiącach skutkiem dojścia powietrza, na powierzchni owocu pokazała się pleśń lub jakiś rodzaj powłoki, jeżeli tylko nie fermentuje, czyli jeśli się nie burzy, co łatwo poznać po wznoszących się od dołu kulkach powietrza, to można być spokojną po roku nawet po odwiązaniu pęcherza zdjąć ostrożnie uformowany kożuch z pleśni, a pod nim będzie konserwa jak najlepsza. Mając jednak staranie ciągłe o kompotierach można i tego uniknąć, przewracając co parę tygodni w ręku kilkakrotnie do góry dnem tak, aby syrop się wymieszał; zawsze i to działanie trzeba robić ostrożnie nie zbyt gwałtownie.

W wypadku, gdyby ze złego przechowania, upału lub jakiej innej przyczyny zaczęła się konserwa burzyć, nie odwiązując pęcherza włożyć słoik w garnek z wolną wodą, postawić na ogniu aby się woda 10 minut gotowała dobrze, wtedy zdjąć z ognia, ale nie wyjmować z wody aż po ostudzeniu. Taka kompotjera będzie dobra, ale niedługo potrzeba ją użyć i zawsze nie będzie już miała zapachu i świeżości.

O UŻYCIU KOMPUTÓW SUROWYCH

Podają w zimie najwięcej komputy owocowe z kompotjerów, przyrządzonych w czasie lata. W kompotjerach syrop zwykle rzednieje, a cukier cały absorbują owoce, przez co należy uważać, że wylane na salaterki pływają częstokroć jak w rzece, co i nieładnie wygląda i źle smakuje.

Chcąc temu zapobiedz, należy najprzód otworzyć kompotjerę, zlać kilka łyżeczek sosu, a następnie odlawszy resztę syropu w rondel wygotować do gęstości właściwej, przecedzić gorący przez sitko i ułożone na salaterce owoce ostudzonym polać sosem. Najładniej wygląda ułożyć rozmaite owoce razem i polać dopiero gęstym białym syropem, nie używając w takim razie żadnego z kolorowych sosów, od komputów chyba od brzoskwiń, gruszek lub białych śliwek. Pozostałe zaś syropy od różnych owoców zagotować razem, dołożyć nieco cukru, jeżeli się okażą za kwaśne, i ugotować na takich syropach komput z zimowych jabłek jak zwyczajnie gotując jabłka od razu w syropie, a po wyjęciu jabłek wygotować syrop do gęstości, polać jabłka, ubrać konfiturami i pomarańczowa skórka smażona w cukrze, nie używając nigdy czarnych wisien, gdyż te farbują cały syrop i komput.

Uwaga. Wszystkie owoce trzeba na konserwę blanżerować czyli odparzyć w wodzie to jest włożyć w zimną wodę i trzymać w niej na wolnym ogniu póki na wodzie się bulki nie zaczną pokazywać co znaczy, że woda gorąca, wtedy odlać — nalać owoc lekkim syropem na 24 godzin, zlać ten syrop, nalać gęstszym i dopiero ułożywszy owoc w słoiki, obwiązać pęcherzem do gotowania „au bain marie" — Wyjątek tu stanowią maliny, agrest i porzeczki — które wrzucić na gorący syrop — a gdy wystygną lać w kompotjery.

71

1. AGREST

Bierze się agrest zupełnie dojrzały; gatunku jakiego kto chce, można zielony, lub żółty im piękniejszy agrest, tem piękniejsza będzie konserwa — i obrzyna ostrożnie korzonki nożem, nie naruszając owocu. Zrobić syrop, biorąc na funt cukru kwaterkę wody, wyszumować jak zwykle, pilnie bacząc, żeby był średniej gęstości; najlepiej uważać kiedy się do czysta wyszumuje, to już dobry; wtedy wrzucić w ten gorący syrop agrest, i zdjąć natychmiast z ognia, nieco ostudzić, i dopiero wtedy biorąc razem syrop z owocem ponapełniać nim kompotjery, zostawiając zawsze od wierzchu słoika trzy cale wolnego miejsca, gdyż jak się zacznie gotować, owoc napęcznieje i pęcherze by popękały. Po nalaniu pokrywa się słoik szczelnie pęcherzem, mocno szpagatem obwiązuje, i gotuje w zimnej wodzie od zagotowania minut 10.

SPOSÓB 2. Dojrzały zupełnie agrest obrany z szypułek, układać w kompotjery, zalać syropem średniej gęstości, biorąc na funt cukru kwaterkę wody, zawiązać pęcherzem i wstawić w kociołek z zimną wodą, postępując dalej jak wyżej.

2. BANIA

Odgotować banię prawie dojrzałą, w lekkim syropie, obraną i pokrajaną, w kawałki, następnie odlać na drugi dzień ten syrop, a dołożywszy cukru, włożyć kawałek wanilii, wcisnąć na funt cukru jedną całą cytrynę, zagotować, aby syrop był gęsty, nalać nim ułożoną w kompotjerę banię, zawiązać pęcherzem i gotować

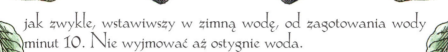

jak zwykle, wstawiwszy w zimną wodę, od zagotowania wody
minut 10. Nie wyjmować aż ostygnie woda.

3. BRZOSKWINIE

Wybrać brzoskwinie dojrzałe, bez plam i nigdzie nie nadpsute, gdyż wszelki owoc na konserwę przeznaczony powinien być
zupełnie zdrowy, obrać je cienkim nożykiem ze skórki jak można
najstaranniej, wrzucić w zimną wodę i trzymać na wolnym ogniu
dopóty, dopóki woda dobrze parować nie zacznie, to jest dopóki
woda nie będzie mocno gorąca, ale nie gotująca, a brzoskwinie
miękkie. Po wyjęciu z wody gorącej, włożyć je w zimną wodę
na 12 godzin. Na drugi dzień zlać wodę, nalać brzoskwinie lekkim wolnym syropem, i zostawić w nim 24 godzin. Po tym czasie
odlać ten syrop, który może być użyty na letni komput — a brzoskwinie albo w całości układać w słoiki, albo przekrawać, pestki
wyjmować i nalewać na ten cel przygotowanym bardzo gęstym
syropem, obwiązać pęcherzem i gotować rachując od zagotowania
wody w kociołku minut 15; lub jak wyżej opisałam przy uwagach
pod blachą od angielskiej kuchni.

4. BORÓWKI NA KOMPUT

Borówki mają zawsze taką cierpkość, że przez to są nie miłe
wielu osobom w użyciu; dla zniszczenia tej cierpkości podaję tu sposób przyprawiania takowych. I tak, przebrane i sparzone ukropem
borówki wsypać w garnek gliniany polewany, przykryć pokrywę
i wstawić na noc w piec po chlebie lub pod angielską kuchnię.

Po 6 lub 8 godzinach uformowany sok zlać, a czyste borówki włożyć w rondel, wsypać cukru miałkiego biorąc funt na każdą kwartę surowych, zaraz włożyć obrane i pokrajane na ćwiartki gruszki, jabłka, cynamonu kawałek i smażyć na małym ogniu pół godziny, nie dłużej.

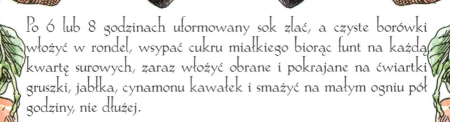

Drugi sposób, Włożyć opłukane same borówki w rondel, postawić na ogniu, gdy puszczą sok odlać go, mieć zrobiony syrop, biorąc funt cukru na kwartę surowych borówek, wrzucić je i razem gruszki, jabłka, skórki pomarańczowe pokrajane w paseczki, poprzednio ugotowane na miękko lub smażone w cukrze. Tak smażyć razem małe pół godziny, a gdy ostygną, w słój włożyć. Borówki tak jednym jak drugim sposobem smażone, zachowują kolor i nie mają, cierpkości.

Trzeci sposób najlepszy. Na garniec borówek wybranych czysto, bez wypłukania, wziąść pięć funtów cukru, kwartę i pół wody — do mączki bierze się nieco mniej wody, np. kwartę — zrobić syrop zwykłej gęstości, wrzucić na gotujący borówki, włożyć cynamonu lub gwoździków w całości, smażyć 5 minut na mocnym ogniu, a następnie 15 na wolnym borówki gotować; idzie o to, aby smażyć krótko, wtedy części galaretowate zostaną, jak galareta, borówki będą jasnego koloru i pozbawione zupełnie wszelkiej cierpkości. Jabłka, gruszki i skórka pomarańczowa, kładą, się tylko wtedy, gdy do borówek chcemy mniej cukru użyć.

74

5. BORÓWKI JAKO KOMPUT, JAK ŚWIEŻE

Wybrane, dojrzałe borówki sypać lekko w kompotjery, przesypując miałkim cukrem, licząc funt na kwartę — nie utrząsać i nie upychać bardzo i lepiej wziąć więcej cukru niżeli jagód, zawiązać pęcherzem, wstawić w kociołek z zimną, wodą, gotować od razu na mocnym ogniu od zagotowania wody w kociołku minut 15 — odstawić, ostudzić i dopiero wtedy wyjmować kompotiery. Po otworzeniu w czasie zimy jest świeży, doskonały i zdrowy kompot. Można tak samo wsypane jagody, bez upychania i utrząsania nalać syropem gęstym i gotować jak wyżej — ale wtedy dosyć jest minut 15. Przez właściwą ilość cukru, borówki tracą cierpkość, nie trzeba więc go żałować, chcąc mieć coś dobrego.

6. GRUSZKI

Jednym z najpiękniejszych zapewne komputów są gruszki. Używają się do tego następujące gatunki: pasówki, cukrówki, bąkrety, jedwabnice; najlepsze jednak i najaromatyczniejsze są bergamoty. Takie gruszki obrane jak najstaranniej i oczyszczone o ile się dadzą, najpiękniejsze bowiem w całości, wrzucają się w źródlaną wodę, żeby nie zczerniały, wsypawszy w wodę trochę ałunu, podczas gdy inne jeszcze się obierają, a gdy już dostatecznie woda gorąca, wrzucają się gruszki w rondel i pod pokrywą gotują, ostrożnie, aby się nie rozgotowały. Gdy już są miękkie wybrać je na sito i przelać natychmiast zimną, wodą, zrobić syrop bardzo gęsty, rachując na funt cukru kwartę wody, do gotowego wlać kie-

75

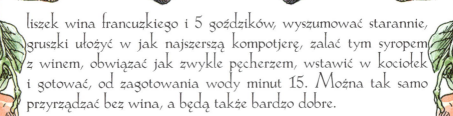

liszek wina francuzkiego i 5 goździków, wyszumować starannie, gruszki ułożyć w jak najszerszą kompotjerę, zalać tym syropem z winem, obwiązać jak zwykle pęcherzem, wstawić w kociołek i gotować, od zagotowania wody minut 15. Można tak samo przyrządzać bez wina, a będą także bardzo dobre.

7. JAGODY CZARNE

Ten owoc tani, daje smaczny komput, pozwolony a nawet często zalecany chorym. Jagody dojrzałe ale nie przestałe sypie się w kompotierę, zalewa syropem zwyczajnym, można rzadszym nawet, jeżeli je kto chce mieć kwaśniejsze i na częstszy użytek. Obwiązuje się pęcherzem, ustawia w kociołek jak wyżej, gotuje, rachując zawsze od zagotowania minut 10.

Drugi sposób. Jagody czarne bardzo dobrze bywają używane na zupę. Wsypać czysto wybrane jagody, suche zupełnie, w czyste butelki, potrząsając butelką, żeby się dobrze wypełniła; zakorkować mocno i pęcherzem obwiązać; wstawić w kociołek z wodą, przełożywszy butelki sianem, zagotować wodę i od zagotowania gotować minut 20. Odstawić z ognia a po wystudzeniu wyjąć z wody butelki i do piwnicy schować. Przefasowawszy przez sito z cukrem używać w zimie za napój lub za zupę. Można tym samym sposobem urządzać porzeczki, agrest i wiśnie, używając w zimie zamiast komputu do pieczystego, wymieszawszy dobrze z miałkim cukrem.

8. JABŁKA

Nigdy nie bywają robione konserwy z jabłek, z przyczyny, że jabłka całą zimę przechować się dające, służą w każdej porze roku za świeży komput.

9. JABŁKA Z ANANASEM W KONSERWIE

Sztetyny lub złote renety obrać, pokrajać na ćwiartki, oczyścić z szypułek i na wolnym ogniu ugotować, kładąc jabłka w gorącą, ale nie gotującą się wodę; gdy jabłka nabiorą pewnej przezroczystości, wybrać łyżką durszlakową, ostudzić, ułożyć w kompotjerę, przekładając ananasem w kostkę krajanym, świeżo obranym; nalać gęstym syropem, obwiązać pęcherzem lub papierem pargaminowym i ugotować jak zwykle „au bain marie" to jest, wstawiwszy w kociołek z wodą, od zagotowania minut 10.

Drugi sposób jeszcze lepszy: Jabłka gatunków wyżej wymienionych pokrajać w kostkę, ananas także w drobniejszą kostkę, wsypać w kompotjerę, przesypując bardzo obficie, funt na funt, miałkim cukrem, obwiązać jak wyżej i ugotować „au bain marie", 15 minut od zagotowania. Wszystko smakować będzie jak ananas.

10. JABŁUSZKA RAJSKIE

Jabłuszka oczyszczone po wierzchu, to jest z korzonka pozostawionego w jednej czwartej części szypułka przeciwległego korzonkowi, nakała się szpilką drewnianą, kilkakrotnie w roz-

maitych miejscach i wrzuca w rondel z wolną wodą na ogniu postawiony. Tak pozostać powinny dopóki nie będą miękkie, pilnie bacząc, aby nie popękały, co tylko nastąpić może, gdyby się woda bardzo gotowała, czego nie trzeba dopuścić; gdy już jabłuszka będą miękkie, odlewa się woda, nalewa lekkim syropem w którym leżeć powinny 24 godzin, wtedy odlawszy syrop, układają się w kompotjery, potrząsając mocno, nalewa gęstym syropem, postępując dalej jak wyżej, rachując gotowanie od zagotowania wody w kociołku minut 15.

11. JERZYNY

Przebrane z listków i robaczków, znajdujących się między niemi, wsypuje się w kompotjerę, zalewa gęstym syropem, obwiązuje pęcherzem i gotuje, rachując od zagotowania wody w kociołku minut 10, nigdy więcej.

12. MALINY

Konserwa z malin jest jedną z najsmaczniejszych i najwięcej poszukiwanych z powodu aromatu swego. Nigdy konfitura z malin a nawet galareta nie może zachować tyle zapachu, ile go posiada konserwa; przysposobić je można trojakim sposobem:

Pierwszy sposób. Wybrać piękne zupełnie dojrzałe, zdrowe maliny z robaczków i układać w kompotjerę; gdy będzie pełna (nie trzeba utrząsać jak inne owoce, żeby się maliny nie potłukły) zalać gęstym zimnym syropem, obwiązać pęcherzem i wstawić w kociołek z wodą obłożywszy sianem jak zwyczajnie, gotować

się powinny na wolnym ogniu, rachując od zagotowania minut 10, nigdy więcej.

Drugi sposób. Bardzo podobny; pierwej nalać w kompotjerę syropu zimnego do połowy, a dopiero maliny w ten syrop po jednej wrzucać, aż będzie pełno, a syrop stanie na wierzchu malin, dalej jak poprzednio. Oba te sposoby są doskonałe, trzeci jednak, podług którego robią w Bordeaux, jest najlepszy, chociaż nieco ambarasowniejszy.

Trzeci sposób. Po wybraniu malin zważyć je i zrobić syrop, biorąc na funt malin funt cukru. Gdy syrop już jest prawie tak gęsty jak do konfitur, wrzuca się na wrzący syrop maliny, trzymając je na ogniu minutę, nigdy dłużej i następnie maliny zostawić spokojnie w naczyniu dopóki nie ostygną: wtedy łyżką srebrną nakładać ostrożnie w kompotjery zostawiając równie jak w surowym owocu trzy cale słoika z wierzchu puste. Dalej postępuje się jak po przednio, równie szczelnie pęcherzem obwiązując i gotując od zagotowania wody minut 10. Tym sposobem robiona konserwa z malin nie zatrzyma tak całości owocu jak dwoma poprzedniemi, ale zachowa piękniejszy kolor i smak doskonały. Z białych malin nie robią konserwy, gdyż te zapachu nie mają.

13. MELON

Komput z melona jest nadzwyczaj mgły, robić go jednak można. Wybrać piękny melon siatkowy, tak zwany ananasowy, gdyż te jedynie posiadają zapach; trzeba, żeby był dojrzały; obrać ze skórki powierzchniej, oczyścić z pestek i pokrajać podług upodobania w czworograniaste lub podługowate kawałki, byle nie mniejsze od orzecha włoskiego, lub ćwiartki gruszki średniej wielkości. Wsta-

wić w rondlu w zimnej wodzie melon a pilnując, żeby się nie rozgotował; gdy już widać że miękki, odlać wodę i przelać go na durszlaku kilka razy zimną wodą, żeby prędko ostygł. Gdy zupełnie osiąknie z części wodnych, znajdujących się w nim, zalać w wazie zimnym syropem, w którym leżeć powinien 24 godzin — następnie odlawszy syrop ułożyć w kompotjerę, zalać gęstym syropem, dolewając araku parę łyżek do każdej kompotjery; dalej postępując jak zwykle, gotować rachując od zagotowania wody w kociołku minut 15.

14. MORELE

Wybrać prawie dojrzałe ale stałe morele, rzucić w rondel z wodą zimną na wolnym ogniu postawiony. Kiedy morele już dostatecznie miękkie, zdjąć z ognia, łyżką durszlakową wybrać i złożyć w naczynie z zimną wodą, w której stać powinny 12 godzin, następnie nalać wolnym lekkim syropem na 24 godzin, potem zlać ten syrop ułożyć morele w kompotjerę i zalać zimnym, gęstym świeżym syropem, obwiązać pęcherzem, dalej postępując jak przy wszystkich owocach. Gotować od zagotowania wody minut 15.

15. ORZECHY

Wyborną a zupełnie nową jest konserwa z orzechów. Świeże orzechy dopiero co dojrzałe, obrać ze skóry zielonej, następnie z twardej łupiny, a nakoniec, obciągnąć z cienkiej skórki pokrywającej sam owoc. Tak obrane orzechy ułożyć w kompotjerę, zalać syropem, obwiązać pęcherzem i gotować w wodzie zimnej pół godziny od zagotowania lub pod angielską kuchnią.

16. PORZECZKI

Porzeczki poobcinać nożyczkami z gałązek tak ostrożnie, żeby soku niepuszczały; wsypać w kompotjerę, nic nie upychając, zalać gęstym syropem, gdyż to bardzo kwaśny owoc i dużo soku w gotowaniu puszcza, obwiązać pęcherzem, dalej postępując jak zwykle; gotować od zagotowania wody najwięcej minut 10. Zarówno dobry z białych jak i z czerwonych porzeczek. Doskonałe pomieszane z malinami.

17. RENEKLODY, I WSZELKIE BIAŁE CZY ZIELONE ŚLIWKI OPRÓCZ WĘGIEREK

Reneklody należy najprzód posypać drobną solą śniegówką na 12 godzin i przykryć mokrem płótnem a następnie wymoczyć z tej soli 24 godzin zmieniając często wodę. Każdy z wyżej wymienionych owoców należy zupełnie dojrzały brać na konserwę, wybierać zdrowy, bez plam, ponakałać drewnianą szpilką i włożyć w zimną wodę w rondlu na ogniu, pilnując, aby się woda nie zagotowała; gdy bulki zaczną się na wodzie pokazywać, należy wodę odlać i owoce włożyć w zimną studzienną wodę na 12 godzin. Po tym przeciągu czasu, odlewa się woda i nalewa lekkim, wolnym syropem, w którym powinny leżeć 24 godzin. Następnego dnia zlać ten syrop a ułożywszy owoce w kompotjery nalać gęstym, zimnym syropem, obwiązać pęcherzem, wstawić w rondel głęboki z zimną wodą, gotując od zagotowania minut 15. Odstawić, zostawiając w wodne aż do wystudzenia. Konserwa taka

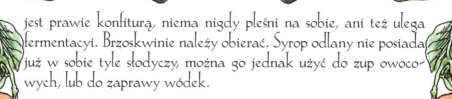

jest prawie konfiturą, niema nigdy pleśni na sobie, ani też ulega fermentacyi. Brzoskwinie należy obierać. Syrop odlany nie posiada już w sobie tyle słodyczy, można go jednak użyć do zup owocowych, lub do zaprawy wódek.

18. ŚLIWKI

Każdy gatunek śliwek, zdatny jest na konserwę. Zielone małe, duże, żółte, czerwone, słowem wszelkie gatunki są użyteczne na komputy; należy je tylko brać zupełnie dojrzałe i urządzać jak wyżej przy reneklodach opisano.

19. ŚLIWKI WĘGIERKI

Najlepszym gatunkiem na konserwy są węgierki, z których to śliwek komput dobrze zrobiony, daje się zachować parę lat nawet. Dwojakim się je przyrządza sposobem, z łupinami i bez łupin, zawsze dojrzałe zupełnie.

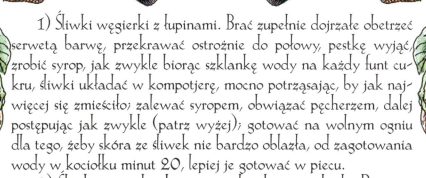

1) Śliwki węgierki z łupinami. Brać zupełnie dojrzałe obetrzeć serwetą barwę, przekrawać ostrożnie do połowy, pestkę wyjąć, zrobić syrop, jak zwykle biorąc szklankę wody na każdy funt cukru, śliwki układać w kompotjerę, mocno potrząsając, by jak najwięcej się zmieściło; zalewać syropem, obwiązać pęcherzem, dalej postępując jak zwykle (patrz wyżej); gotować na wolnym ogniu dla tego, żeby skóra ze śliwek nie bardzo oblazła, od zagotowania wody w kociołku minut 20, lepiej je gotować w piecu.

2) Śliwki węgierki obierane, czyli tak zwane białe. Parzy się śliwki i obiera z łupin; bacząc na to, by tylko po kilka od razu parzyć, albowiem gdy ich jest więcej razem sparzonych, leżąc długo w wodzie, nabierają z łupin koloru fioletowego. Zwykle zostawia się pestka w obieranych śliwkach; upchać jak można najwięcej w kompetjerę, zalać bardzo gęstym, zimnym syropem, dalej postępując zwyczajnie (patrz o gotowaniu) gotować od zagotowania wody minut 15.

Drugi sposób. Można jeszcze śliwki tak z łupinami jak i bez łupin robić w następny sposób: zważywszy śliwki, wziąć na funt śliwek funt cukru, zrobić gęsty syrop, i gdy jest jeszcze ciepły ale nie gotujący wrzucić w niego śliwki i trzymać na ogniu minut 10 aby napęczniały i straciły wszelką surowość; gotować nie potrzeba. Gdy przestygną, układać w kompotjery, obwiązać pęcherzem i gotować w piecu lub w wodzie minut 15. Sposób ten jest wyborny.

20. TRUSKAWKI

Na funt dojrzałych truskawek bierze się funt cukru, zrobić syrop bardzo gęsty, wrzucić obrane truskawki, potrzymać na wolnym ogniu minut 5, aż war je obejmie, a jak ostygną wlewać w słoiki, obwiązać pęcherzem i gotować w kociołku minut 10.

21. WIŚNIE

Równie jak ze śliwek z każdego gatunku wisien można robić konserwy; z czereśni białych, wiśni hiszpanek, czerwonych czyli szklanek, łutówek i czarnych kwaśnych. Można zostawić pestki lub wyjmować; jednak lepsze są po wyjęciu pestek, gdyż stojąc długo z pestkami, nabierają zanadto smaku pestkowego, najlepsze z łutowych — hiszpanek i tak zwanych hortensyj pąsowych. Na funt wisien bierze się funt cukru, zrobić syrop gęsty, wrzucić wiśnie, trzymając je na ogniu minut 3; gdy przestygna, nalewa się je w kompotjery, dalej postępując jak zwyczajnie (patrz wyżej) gotować od zagotowania minut 10. Można także surowe zalać gęstym syropem a będą wyborne, postępując dalej jak zwykle.

22. WINOGRONA

Dojrzałe grona winogron, można użyć na komput, układając w kompotjerę, zalać gęstym syropem, obwiązać szczelnie i gotować na wolnym ogniu od zagotowania minut 6 nie więcej.

84

KOMPUTY OSTRE

„Słodka twarz gospodyni
i chrzan gościom w miód zamieni"

1. GRUSZKI

Dwa są najlepsze gatunki gruszek do marynowania w occie: bergamotki i muszkatółki, można jednak użyć i jeszcze trzeciego, to jest pasówek. Obrać gruszki jak najcieniej i oczyścić z wewnątrz o ile się dadzą; bergamótki i pasówki można przekrawać na połowy, gotyż to są dość duże gruszki, muszkatółki zaś są bardzo drobne, zostawia się je więc w całości, a nawet i bergamótki jeżeli nie są zbyt duże. W proporcji ilości gruszek, z powodu bowiem różnej ich wielkości, nie można oznaczyć miary, trzeba tylko uważać, aby zawsze sosu było poddostatkiem, wziąść na garniec gruszek, półtory kwarty octu, 3 funty cukru, nieco goździków i cynamonu, przegotować, wrzucić gruszki niech się gotują dopóki miękkie nie będą; gotować się muszą na wolnym ogniu blizko godzinę, wtedy wybrać łyżką durszlakową na sito niech dobrze osiakną; sos zaś wygotować dostatecznie, wyszumować, i gdy ostygnie, nalać na gruszki, które w słoju ułożone być powinny. Po kilku dniach, sos zlać z gruszek, zagotować parę razy i ostudzonym polać powtórnie gruszki. Można to jeszcze powtórzyć trzeci raz po dwóch dniach, a po ostudzeniu obwiązać pęcherzem i schować w suche miejsce.

Drugi sposób. Nieobierane gruszki kładąc w zimna wodę obgotować, a potem obrać, zagotować kwartę octu na garniec gruszek z 2 funtami cukru, wrzucić cynamonu i goździków, włożyć osiąknięte gruszki, niech się parę razy zagotują, wylać razem na miskę, a gdy ostygną, w słoju obwiązanym pęcherzem w suchem miejscu schować. Za kilka dni jeszcze raz sos przegotować.

2. GROCH SZABLASTY

Wziąść grochu szablastego kiedy tylko co wyłuskany świeżo, wrzucić na ukrop, żeby się ugotował, na kwartę grochu przegotować pół kwarty octu z jednym funtem cukru, nieco goździków: groch odcedzony wsypać w słój i zalać tym przegotowanym octem. Bardzo smaczny zamiast komputu, lub pomieszany z innemi komputami, można go również mieszać do sałat wszelkiego rodzaju.

3. FASOLA ZIELONA NA SAŁATĘ

Młodą bardzo fasolę obrać z żyłki idącej wzdłuż — wrzucić na osolony ukrop i zagotować do połowy miękkości, pilnując jednak aby się nie rozgotował, wtedy odlać i nalać ciepłym, lekkim octem, zostawić w nim na 48 godzin, po tym czasie odlać ocet, mieć przygotowany mocniejszy ocet z cukrem, biorąc na garniec fasolki kwartę octu, dwa funty cukru, ćwierć łuta cynamonu i kilkanaście goździków; i tym zimnym nalać fasolkę. Zawiązać słój papierem i trzymać w suchej spiżarni, a cały rok a nawet lat kilka będzie dobry, zielony i smaczny.

4. MELON

Wziąść piękny dojrzały ale nie przestały z zapachem melon, obrać, pokrajać w dość duże kawałki, naprzykład wielkości ćwiartki gruszki; wziąść octu dobrego, w zimny wrzucić melona i pod pokrywą, na wolnym ogniu zagotować dopóki nie będzie

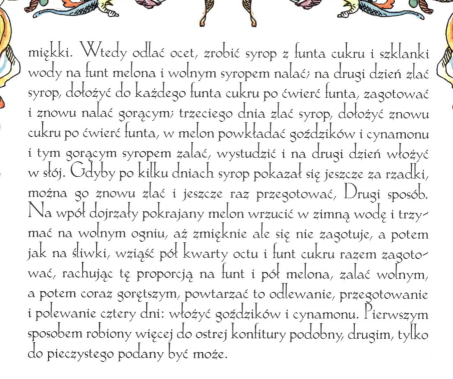

miękki. Wtedy odlać ocet, zrobić syrop z funta cukru i szklanki
wody na funt melona i wolnym syropem nalać; na drugi dzień zlać
syrop, dołożyć do każdego funta cukru po ćwierć funta, zagotować
i znowu nalać gorącym; trzeciego dnia zlać syrop, dołożyć znowu
cukru po ćwierć funta, w melon powkładać goździków i cynamonu
i tym gorącym syropem zalać, wystudzić i na drugi dzień włożyć
w słój. Gdyby po kilku dniach syrop pokazał się jeszcze za rzadki,
można go znowu zlać i jeszcze raz przegotować. Drugi sposób.
Na wpół dojrzały pokrajany melon wrzucić w zimną wodę i trzymać na wolnym ogniu, aż zmięknie ale się nie zagotuje, a potem
jak na śliwki, wziąść pół kwarty octu i funt cukru razem zagotować, rachując tę proporcją na funt i pół melona, zalać wolnym,
a potem coraz gorętszym, powtarzać to odlewanie, przegotowanie
i polewanie cztery dni: włożyć goździków i cynamonu. Pierwszym
sposobem robiony więcej do ostrej konfitury podobny, drugim, tylko
do pieczystego podany być może.

6. OGÓRKI NA SAŁATĘ Z CUKREM

Zdrowe, ładne ogórki obrać, przekroić na połowę, ze środka
wyrzucić starannie jądra łyżeczką, pokrajać w paseczki długości
2 cale i sparzyć gorącym zwyczajnym octem; tak stać mają godzin
24. Na drugi dzień odlać ten ocet, a wziąść np. kwartę dobrego
octu i 2 funty cukru; zagotować i nalać wolnym; trzeciego dnia
odlać, przegotować i zalać cieplejszym, na czwarty dzień gorącym
i tak dalej powtarzać przez dni 7, do wrzącego octu, uważając, żeby ogórki stały się przezroczyste; a wtedy wrzucić ogórki
na moment w ten ocet, żeby się raz zagotowały. Układając w słój
wrzucić gdzie niegdzie trochę goździków i cynamonu, a podając

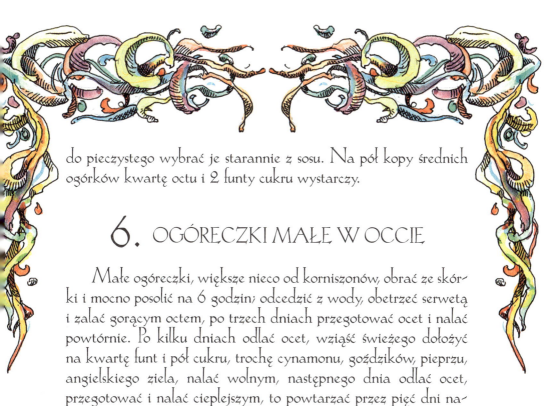

do pieczystego wybrać je starannie z sosu. Na pół kopy średnich ogórków kwartę octu i 2 funty cukru wystarczy.

6. OGÓRECZKI MAŁE W OCCIE

Małe ogóreczki, większe nieco od korniszonów, obrać ze skórki i mocno posolić na 6 godzin; odcedzić z wody, obetrzeć serwetą i zalać gorącym octem, po trzech dniach przegotować ocet i nalać powtórnie. Po kilku dniach odlać ocet, wziąść świeżego dołożyć na kwartę funt i pół cukru, trochę cynamonu, goździków, pieprzu, angielskiego ziela, nalać wolnym, następnego dnia odlać ocet, przegotować i nalać cieplejszym, to powtarzać przez pięć dni nalewając coraz cieplejszym aż do wrzącego — szóstego dnia wrzucić na rondel w gotujący ocet zaraz zdjąć, wystudzić i schować. Na garniec kwarta octu i dwa funty cukru.

7. MELON MARYNOWANY W CAŁOŚCI

Melon zielony na wpół dostały obiera się ostrym nożem jak najcieniej, pozostałą zaś powłokę zieloną zbiera się nożem od karbowania, nadając jednocześnie fason wrębów właściwy melonowi, następnie skroić z melona pokrywkę tak dużą, żeby w otwór mogła wejść swobodnie ręka. Ze środka wybiera się łyżką pestki i włókna, czystym gałgankiem do suchości wyciera, wrzuca w wodę z octem dosyć kwaśną i gotuje dopóki nie zmięknie, poczem wyjmuje go się na durszlak i przelewa zimną wodą, dopóki zupełnie nie ostygnie i pozostawia na durszlaku, żeby dobrze osiąkł z wody. Na funt tak ugotowanego melona bierze się 1 funt cukru, 1 szklankę octu

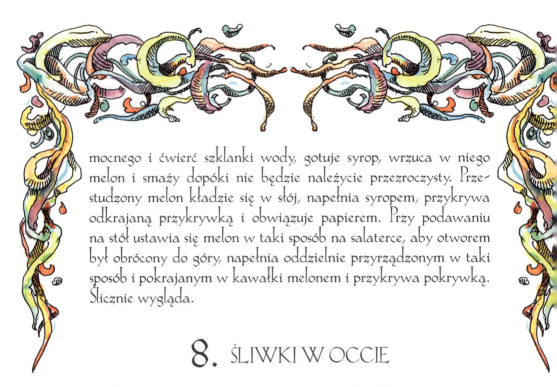

mocnego i ćwierć szklanki wody, gotuje syrop, wrzuca w niego melon i smaży dopóki nie będzie należycie przezroczysty. Przestudzony melon kładzie się w słój, napełnia syropem, przykrywa odkrajaną przykrywką i obwiązuje papierem. Przy podawaniu na stół ustawia się melon w taki sposób na salaterce, aby otworem był obrócony do góry, napełnia oddzielnie przyrządzonym w taki sposób i pokrajanym w kawałki melonem i przykrywa pokrywką. Ślicznie wygląda.

8. ŚLIWKI W OCCIE

Dwa następne sposoby marynowania śliwek w occie są najlepsze:

I. Na dwa funty węgierek zdrowych, dojrzałych, obtartych z barwy, bierze się jeden funt cukru i półtory kwaterki octu niezbyt mocnego, ale jednak dobrego, niczem nie zaprawionego. Śliwki nakała się w kilku miejscach goździkami i układa w naczynie fajansowe, cukier zaś kładzie się w ocet, zagotowuje razem, a wyszumowawszy starannie wolnym octem polewa śliwki. Na drugi dzień odlać ocet, zagotować i znowu śliwki cieplejszym zalać; trzeciego dnia zagotować tenże sam ocet, dodać nieco cynamonu, gotującym sparzyć śliwki; czwartego dnia w gotowany wrzucić śliwki, raz wolno zagotować, aby skórka nie popękała, ostudziwszy zlać w słój i papierem obwiązać.

II. Drugi sposób daje śliwki daleko milszego smaku: na cztery funty śliwek, butelka wina lekkiego czerwonego lub białego francuzkiego, pół kwarty mocnego octu, nieco korzeni i dwa funty cukru. Robi się zupełnie tak samo jak przy pierwszym sposobie. Sos nie jest tak ostry.

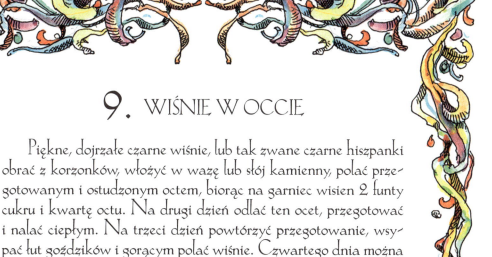

9. WIŚNIE W OCCIE

Piękne, dojrzałe czarne wiśnie, lub tak zwane czarne hiszpanki obrać z korzonków, włożyć w wazę lub słój kamienny, polać przegotowanym i ostudzonym octem, biorąc na garniec wisien 2 funty cukru i kwartę octu. Na drugi dzień odlać ten ocet, przegotować i nalać ciepłym. Na trzeci dzień powtórzyć przegotowanie, wsypać łut goździków i gorącym polać wiśnie. Czwartego dnia można przelać do szklannego słoja, obwiązać pęcherzem i zachować w suchej piwnicy lub spiżarni. Ocet nie potrzebuje być najmocniejszy, ale jednak dobry.

10. WYBORNY OSTRY KOMPUT Z RÓŻNYCH OWOCÓW

Trzy funty cukru zagotować z kwartą, dobrego winnego octu, wrzucić w to funt wisien jakichkolwiek, byle nie czarnych, bo te zafarbują sos; najlepiej łutówek lub białych czereśni, lejąc w kamienny lub polewany garnek, po kilku chwilach odlać sos przez durszlak w rondel, włożyć łut cynamonu, ćwierć łuta goździków i kilka listków bobkowych. Gdy nastąpią morele, odlać sos z wisien, w zimny sos włożyć funt moreli przekrajanych na połówki, wyjmując z nich pestki, gdy się zagotują wlać gorące razem na wiśnie. Dalej gdy nastąpią melony odlać znowu sos, wziąść funt dojrzałego melonu, obrać, pokrajać w kawałki, wrzucić w zimny sos, dać się zagotować raz, i nalać gorący na poprzednie owoce. Po kilku dniach znowu, ponieważ te wszystkie owoce są prawie jednocześnie — odlać sos, w zimny włożyć funt dojrzałych reneklo-

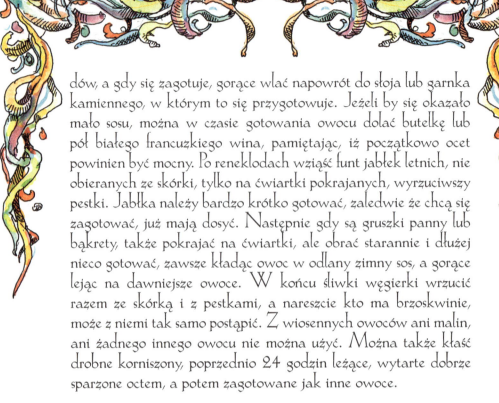

dów, a gdy się zagotuje, gorące wlać napowrót do słoja lub garnka kamiennego, w którym to się przygotowuje. Jeżeli by się okazało mało sosu, można w czasie gotowania owocu dolać butelkę lub pół białego francuzkiego wina, pamiętając, iż początkowo ocet powinien być mocny. Po reneklodach wziąść funt jabłek letnich, nie obieranych ze skórki, tylko na ćwiartki pokrajanych, wyrzuciwszy pestki. Jabłka należy bardzo krótko gotować, zaledwie że chcą się zagotować, już mają dosyć. Następnie gdy są gruszki panny lub bąkrety, także pokrajać na ćwiartki, ale obrać starannie i dłużej nieco gotować, zawsze kładąc owoc w odlany zimny sos, a gorące lejąc na dawniejsze owoce. W końcu śliwki węgierki wrzucić razem ze skórką i z pestkami, a nareszcie kto ma brzoskwinie, może z niemi tak samo postąpić. Z wiosennych owoców ani malin, ani żadnego innego owocu nie można użyć. Można także kłaść drobne korniszony, poprzednio 24 godzin leżące, wytarte dobrze sparzone octem, a potem zagotowane jak inne owoce.

* * *

Papier albuminowy czyli białkowany. Tak bardzo używany i potrzebny dziś w gospodarstwie kobiecem, mający szerokie zastosowanie papier albuminowy, chroniąc przedmioty od wpływu powietrza, przyrządza się w następujący sposób.

Rozbić białko na bardzo gęsta pianę i dodać na każde białko po jednym gramie soli morskiej i po pół grama sody oczyszczonej, rozmieszać, aby się te substancye rozpuściły i maczać biały, zwykłej grubości papier tak, aby dobrze nasiąkł, następnie wysuszyć na powietrzu, a gdy dobrze uschnie, przeciągnąć gorącym żelazem do prasowania.

KONSERWY OWOCOWE W SPIRYTUSIE

„Lepiej zgrzeszyć i żałować,
niż żałować, że się nie zgrzeszyło"

Owoce konserwowane w spirytusie są bardzo rzeczą zwyczajną we Francji i krajach południowych, u nas mało w użyciu pomimo wybornego smaku. Jeżeli zaleje się owoc zbyt mocnym spirytusem zrobi się z tego wyborna nalewka owocowa, owoc zaś straci zapach, smak właściwy i barwę. 33% spirytusu wystarcza do powstrzymania fermentacji. Bierze się więc jedna trzecia spirytusu 14 próby, czyli w handlu znanego pod Nr. 4, a dwie trzecie wody zimnej przegotowanej i miesza razem jakby na wódkę i tą dobraną wódką nalewa owoc, do którego dla słodyczy dokłada się syropu także w proporcji jednej trzeciej funta na funt owocu.

1. WIŚNIE

Najlepsze są czerwone łutówki szklanki, hortensje, lub białe czereśnie i tylko te gatunki używają się do spirytusu. Wybrać zupełnie dojrzałe, ale nie przestałe wiśnie, uciąć ogonki do połowy włożyć do słoja, wsypać na 3 funty wiśni pół łuta goździków całych, najlepiej zawiązanych w muślin, aby je łatwo było później wyjąć, zalać je zimnym, gęstym syropem, biorąc na 3 funty owocu 1 funt cukru i pełną kwaterkę wody, można nawet trochę więcej, nalać ten zimny syrop na wiśnie i dolać do pełna tak, aby wiśnie pokryło roztworem spirytusowym. Słoik zawiązać papierem albuminowym; po czterech, a najwyżej sześciu tygodniach wystania się w ciepłej pokojowej temperaturze, wiśnie będą dobre do użycia, wyjąć goździki i używać na deser.

2. RENEKLODY, MIRABELLE LUB INNE ŚLIWKI BIAŁE, ŻÓŁTE LUB ZIELONE Z WYJĄTKIEM WĘGIEREK

Wszystkie te owoce najlepiej używać bardzo dojrzałe ale jednak nie przestałe. Na trzy funty takich owoców obtartych z barwy zrobić syrop z funta cukru i kwaterki wody, wrzucić owoce i mieszać na wolnym ogniu ostrożnie tak, aby się syrop z owocem kilka razy zagotował, wtedy wyjąć owoce, włożyć w słój, syrop zagotować, wyszumować, wystudzić, dolać do niego na trzy funty owocu kwartę i kwaterkę roztworu spirytusowego, wymieszać dobrze, zalać śliwki, zawiązać słój papierem albuminowym, lub pęcherzem i zachować w chłodnem miejscu, a dwa lub więcej lat będą, dobre. Jest to najprostszy sposób postępowania.

Chcąc reneklody mieć zielone, należy je brać nie zupełnie dojrzałe, nakłuć gęsto, następnie w słonej wodzie, biorąc na 3 funty łut soli, ostrożnie trzymać na ogniu, w zimną wodę kładąc póki nie zmiękną, co ma miejsce gdy woda jest tak gorąca, że palca w niej utrzymać nie można, wtedy wyjąć, w zimną wodę w której niech wymiękną z soli 24 godzin i dalej zalać syropem na 24 godzin, na drugi dzień w gorący syrop świeży wrzucić, zagotować parę razy, wyjąć, ułożyć w słój, a syrop wymieszać jak wyżej ze spirytusowym roztworem i zalać reneklody tak, aby pokryte były spirytusem.

3. BRZOSKWINIE LUB MORELE

Brzoskwinie zupełnie dojrzałe ale nie przejrzałe obrać ze skórki, morele zaś tylko obetrzeć ze zwykłego meszku i nakłuć kilkakrotnie, wrzucić w gotującą wodę na 1 minutę, następnie osączone wyjąć na sito dla obeschnięcia. Zrobić syrop z 1 funta cukru i pół kwarty wody na każde 3 funty owoców. Wrzucić morele czy brzoskwinie, raz zagotować, odstawić i w syropie zostawić do drugiego dnia; na drugi dzień odlać syrop zagotować, wrzucić owoce i znowu raz zagotować, gdy wystygnie, znowu syrop zagotować, wyszumować, ostudzony wymieszać z kwartą roztworu spirytusowego i ułożone owoce zalać nim w słoju. Owoce powinny być miękkie. Obwiązać papierem albuminowym lub pęcherzem a w sześć tygodni używać.

4. GRUSZKI

Na konserwę spirytusową wybiera się bardzo soczyste i najlepsze gatunki gruszek nie zbyt dojrzałe. Kładzie się gruszki do gorącej wody i trzyma w niej na ogniu póki nie zmiękną, aby je można łatwo obierać. Obrane kładzie się do zimnej wody w która na 3 funty gruszek wcisnąć cała cytrynę. Zrobić syropu z 1 funta cukru i pół kwarty wody na 3 funty owoców, wrzucić aby się zagotowały raz, na drugi dzień odlać syrop, wrzucić w gorący i znowu zagotować, trzeciego dnia powtórzyć to działanie, uważając, żeby gruszki były miękkie, wtedy wystudzone układać w słój, syrop wygotowany wymieszać z roztworem spirytusowym i zalać nim gruszki.

KONFITURY SUCHE, CZYLI OWOCE SUSZONE W CUKRZE

„Przy gościach lepszy talar szkody
niż szeląg wstydu"

Każdy owoc dobrze usmażony można wyjąć z syropu, osączyć dobrze na sicie, posypać cukrem miałkim, obsuszać w wolnem miejscu, kilkakrotnie to powtarzając, aby nie usechł odrazu, ale żeby tylko owoc zwiądł; takie owoce nie ustąpią kijowskim. Układać w pudełka sztukę przy sztuce i przekładać papierem.

1. AGREST

Agrest usmażony na konfiturę powyjmować z syropu układając na sito lub półmisek, żeby osiąkł zupełnie; po 24 godzinach nadziać go na cienko połupane trzcinki i tak na sicie lub przetaku poukładawszy posypać cukrem i postawić w ciepłem miejscu.

2. ANANAS

Ananas do obsuszania, smażąc na konfiturę, trzeba krajać w plasterki, a chcąc i, go mieć na sucho, powyjmować kawałki na półmisek, żeby syrop osiąkł; zrobić świeży gęsty z funta cukru i pół szklanki wody, doprowa dzić go do gęstości konserwy czyli do nitki (patrz dalej gruszki), wrzucić w niego ananas, zdjąć natychmiast z ognia i mieszać łyżką srebrną, dopóki nie zacznie stygnąć, ułożyć jeden kawałek opodal od drugiego na sicie drucianem, postawionem w ciepłym pokoju a za godzinę będzie suchy.

3. BRZOSKWINIE

Brzoskwinie suszą się zupełnie takim samym sposobem jak ananas, używając do tego brzoskwiń usmażonych poprzednio na konfiturę, lub sposobem kijowskim (patrz niżej ten sam rozdział).

4. CYTRYNOWE SKÓRKI

Używają się do tego świeże skórki cytrynowe, a że takowe robią się zupełnie jak skórki pomarańczowe, bez żadnej różnicy, przy pomarańczach, więc opiszę dokładnie sposób, gdyż cytrynowe, jako twardsze i zawierające więcej nierównie goryczy, daleko rzadziej się na suchą konfiturę robią.

5. GRUSZKI

Wybrawszy podług upodobania gatunek gruszek, najlepiej cukrówki, panny lub bąkrety, oczyścić je z łupiny nie odrzucając ogonka; jeżeli są większe, poprzekrawać na połówki, wydobyć ze środka o ile się da ziarna i wewnętrzną łuskę kładąc je w wodę, w którą włożyć na kopę łut ałunu w proszku, żeby nie czerniały, po obraniu wszystkich, włożyć w zimną wodę w rondel i pod pokrywą gotować do miękka, z pilnem baczeniem, aby się nie rozgotowały i nie były za miękkie; skoro się to uskuteczni, wyjmować ostrożnie łyżką durszlakową na przetak do ostudzenia.

Na garniec gruszek wziąść 2 funty cukru, ugotować zwyczajny syrop, wyszumować, ostudzić i nalać zimnym gruszki ułożone

w jakiem szerokiem porcelanowem naczyniu. Na drugi dzień odlać syrop, dodać pół funta cukru, przegotować i znowu zalać gruszki wolnym syropem; tak codzień powtarzać, dodając zawsze 1 po pół funta cukru, zalewać gruszki coraz cieplejszym syropem aż do gorącego; szóstego dnia gdy syrop zagotowany ciągnąć się już będzie, włożyć w niego gruszki, zagotować raz, odszumować, ostudzić i ułożyć w słój, zalewając zawsze syropem. W miarę potrzeby wyjmować gdyż jeżeli się wszystkie razem obciągnie cukrem, wysychają i z czasem stają się za nadto twarde. Wyjąć z syropu na przetak, potrzebną ilość aby płyn ociekł, a gruszki obeschły nieco, trzeciego dnia wziąść syropu ze świeżego cukru, który umoczywszy tylko w wodzie, na miernym ogniu doprowadzić do gęstości konserwy, to jest próbując widelcem umoczonym w gotującym się syropie; dmuchnąć w po wietrze, jeżeli będą, lecieć piórka czyli nitki, to już dobry; wtedy zdjąć z ognia, każdą gruszkę umoczyć w cukrze i układać na półmisku posmarowanym oliwą, za kilka minut będą, suche; na dopilnowaniu cukru wszystko zależy, żeby był dosyć gęsty.

SPOSÓB 2 kijowski. Gruszki obrane i oczyszczone w połówkach, gotować pod pokrywą w syropie lekkim, na garniec 1 funt cukru ostrożnie aby się nierozgotowały; łyżką durszlakową wyjąć na przetak, do tegoż syropu dodać cukru podług proporcyi wyżej wskazanej, zagotować, żeby się zrobił gęsty, zalać wolnym gruszki; powtarzać to polewanie trzy dni coraz gęstszym; do zupełnej gęstości, zostawić w tym syropie kilka dni, można nawet obwiązawszy pęcherzem i kilka tygodni, a w miarę potrzeby wyjąć z syropu, osączyć na przetaku, posypać miałkim cukrem, powtarzając to przez kilka dni potrząsając niemi na półmisku i ciągle pudrem cukrowym posypując póki nie uschną pod cukrem. Gdy

trochę suchsze, przekładając papierem układać w suche słoje lub pudełka blaszane.

SPOSÓB 3. Gruszki obrać, wydrążyć ze środka; obierzyny opłukane, gotować w garnku nalawszy wodą; gdy się już dostatecznie wygotują, odcedzić sos; na dwie szklanki soku wziąść szklankę miodu, zagotować razem, włożyć gruszki i w tym syropie ugotować na miękko; potem wyjąć na sito, niech osiąkną, gdy ostygną, można je nadziać tłuczonemi migdałami, zmięszanemi z cykatą lub skórką pomarańczową. Sos zaś wygotować do gęstości, maczać w nim gruszki, obsypywać miałkim cukrem i na słomie, lub na tak zwanych lasach, w letnim piecu po chlebie obsuszać. Należy kilka razy powtarzać maczanie w sosie, obsypywanie i obsuszanie; gdy już dobrze stężeją i obeschną, jeszcze raz posypać każdą cukrem i zupełnie zimne, wystudzone, po wyjęciu z pieca, układać w słoje i w suchem miejscu chować.

SPOSÓB 4. Gotować gruszki w sosie z obierzyn, osłodzonym miodem, na wpół z piwem, długo, ażeby stały się żółte i przezroczyste; włożywszy potem na przetak, spłaszcza się je cokolwiek i nadziewa następna mieszanina: jabłek i gruszek, obranych, ugotowanych i usiekanych jak najdrobniej po połowie, do tego dodać skórek pomarańczowych ugotowanych i usiekanych, cynamonu, goździków kilka i miodu, przesmażyć tę massę, aby zgęstniała, ostudzić i potem nadziewać nią gruszki. Sos, w którym się gotowały gruszki, wysadzić na syrop, maczać je w nim i na przetakach lub słomie w wolnym piecu, kilkakrotnie suszyć, codzień maczając w owym syropie, przez co pięknego nabiorą koloru.

6. GRUSZKI SUSZONE W CUKRZE LODOWATYM

Pierwsze gruszki letnie jedwabnice, których obfitość jest zwykle wielka — gdy są zupełnie dojrzałe, obrać ze skórki i zostawiając w całości, ugotować w miękkiej wodzie, kładąc je w zimną. Gdy będą zupełnie miękkie tak, iż słomka z łatwością, przejdzie, wyjąć, ułożyć na sicie, aby woda swobodnie osiąkła. Gdy jeszcze ciepłe, wziąść każdą oddzielnie i łyżką srebrną spłaszczyć kładąc ją bokiem. Tak spłaszczone układać na przetaki, sita lub tak zwane lasy z wiciny do suszenia owoców używane, posypać ze wszystkich stron tłuczonym lodowatym cukrem i wstawić w bardzo wolny piec na całą noc. Na drugi lub trzeci dzień przewrócić gruszki, posypać znowu świeżym cukrem i wstawić w wolny zupełnie piec. Powtarzać to posypywanie i suszenie póty, póki się na gruszkach nie uformuje krystaliczna warstwa, co się zwykle otrzymuje po 7—8 do 9 posypywaniach.

Gotowe i zimne zupełnie układać szczelnie jedne na drugie w drewniane lub łubowe pudełka, a trzymać się będą wilgotnawe i dobre do użytku parę lat.

7. JABŁKA

Jabłka robią się zupełnie tak samo jak gruszki drugim sposobem, trzeba tylko jeszcze ostrożniej je gotować na wolnym ogniu w syropie od razu, żeby się nie rozgotowały, i nie brać zupełnie dojrzałych, gatunku winkowatego.

8. JABŁECZNE SERKI

Doskonałą rzeczą są tak zwane serki z jabłek. Wybrać jabłka smaku winnego, upiec w piecu, przetrzeć przez durszlak, dodać do tego cukru miałkiego podług upodobania trochę wanilji, można i bez korzeni gdy kto nie lubi; w formy z tektury ponakładać i wstawić na piec, powinny odrazu uschnąć.

9. SERY JABŁECZNE DUŻE

Gdy kto ma poddostatkiem jabłek, robią się duże sery, zwane jabłecznikami; do takowych bowiem wychodzi niezmierna ilość owocu. Obrane, oczyszczone pokrajane jabłka, gotują się w kociołku lub ogromnym rondlu, nalane małą ilością wody, gdy się zupełnie wygotują, odcedzić przez płócienny worek pozostały w nich jeszcze sok, wcale nie wyciskając, o tyle tylko, aby zbyt wiele wody w sobie nie zawierały; jeżeli nawet tak się rozgotowały, że nie mają w sobie klarownego soku, to jeszcze lepiej, nie trzeba w takim razie wcale odlewać, przefasować tylko przez durszlak lub przetak, włożyć powtórnie massę w rondel, dołożyć cukru ile kto chce, korzeni miałko utłuczonych, jako to: cynamonu, goździków i pomarańczowych skórek w cukrze smażonych i usiekanych drobno, tak to wszystko wysadzić na wolnym ogniu ciągle łyżką mieszając, żeby się nie przypaliło, dopóki od rondla odstawać nie będzie. Natenczas włożyć w płótno umoczone w wodzie i wyciśnięte z niej zupełnie i jak zwyczajne sery pod prasą wyciskać, w której parę dni leżeć powinny. Po wyjęciu z prasy, gdyby się okazał wilgotny, włożyć do bardzo wolnego pieca.

10. SER JABŁECZNY Z MIODEM

Kto ma obfitość, nawet jesiennych jabłek, a trudność korzystnego zbytu, niech robi sery jabłeczne, które zawsze z łatwością
w zimie na funty zbyt znajdą, a robiąc je starannie kilka lat trwać
mogą. Obrane, a nawet oczyszczone z jąder wewnętrznych,
jabłka pokrajać w kawały lub małe ćwiartki, włożyć je w garnki
gliniane i wstawić w piec po chlebie, niech tam stoją godzin 6
do 8, póki zupełnie nie będą rozpieczone. Wtedy przełasować
jeszcze przez rzadkie sito dla pewności, aby się gdzie pestka nie
wmieszała. Wziąść na garniec tej massy dwa funty miodu, przesmażyć, wrzuciwszy w niego kawałek stali, która odbiera mu
pewien właściwy odór niemiły, miód przypominający; po wyjęciu
stali włożyć wtedy na dwa funty miodu, 30 goździków tłuczonych
i skórek pomarańczowych w cukrze smażonych i drobno krajanych lub odgotowanych w wodzie, po skrojeniu samych żółtych
powierzchni usiekanych jak najdrobniej. Wymieszawszy dobrze
podsmażyć jeszcze kilka minut, a następnie wyłożyć całą massę
w grube rzadkie płótno posmarowane olejkiem migdałowym lub
umaczane w zimnej wodzie i wyciśnięte z niej mocno. Zawinąć
jak krajanki, lub okrągło jak bochenki chleba i włożyć pod prassę,
gdzie leżeć powinien cały tydzień. Po tygodniu wyjąć, położyć
na deseczce i postawić w przewiewnem miejscu do obsuszenia,
na czem głównie trwałość sera polega. Zupełnie tym sposobem
można robić używając cukru zamiast miodu, jednak należy wtedy
zamiast dwóch funtów brać najmniej trzy.

11. SERKI JABŁECZNE MAŁE

Utrzeć na tartce jabłka kwaskowate, które jedynie są dobre na wszelki użytek kuchenny, odlać sok uformowany, z którego można zrobić galaretę; na szklankę tej utartej massy wziąść szklankę miałkiego cukru, wymieszać i w rondlu na wolnym ogniu smażyć, aż się zrobi jednolita żółtawa massa, wylać na płaski półmisek oliwą posmarowany, lub na blat marmurowy, postawić na noc na piecu lub na kuchni angielskiej. Na drugi dzień małą foremką blaszanną, lub małym cienkim kieliszkiem, wreszcie naparstkiem wyrzynać małe krążki, osypywać krystaliczna mączką, to jest grubszą, nie z pod maszyny i na deseczkach suszyć w bardzo letnim piecu. Można także, jeżeli wycinane naparstkiem, a wiec drobne, nawlekać na słomki i na lasach w niem suszyć, lub na sitach. Piec zaledwie powinien być wolny. Będą wyborne.

12. MELON

Doskonałą suchą konfiturą jest melon. Robi się zupełnie jak zwykła konfiturę biorąc jak przy tamtych na wpół dojrzałe melony, gdy się usmażą zupełnie, wyjmuje z syropu, ażeby osiąkły, syrop zaś wlewa się w rondel, wygotowywa do gęstości konserwy jak przy ananasie, wrzuca w niego melon i zaraz zdejmuje z ognia, mieszając już na zimnem miejscu łyżką srebrną, dopóki stygnąć nie zacznie; wtedy wyjmować po kawałku, układać na sicie drucianem, postawić w pokoju a za godzinę suchy będzie. Jednak tylko w miarę potrzeby wyjmować z syropu i obsuszać, gdyż jeżeli długo suszony leży zsycha się zbytecznie.

Można także wyjmować z syropu i kijowskim sposobem obsypywać miałkim cukrem póki pod cukrem nie obeschnie.

13. MORELE

Usmażywszy jak zwykle na konfiturę, wyjmować z syropu, osączyć na sicie postępując dalej jak wyżej przy melonie lub ananasie.

14. MIGDAŁY PALONE W CUKRZE

Funt jeden migdałów w łupinkach wytrzeć dobrze w serwecie, potem wsypać w garnuszek kamienny i trzymać na ogniu, aż się mocno rozgrzeją. Funt cukru miałkiego czyli mączki wsypać w rondel, nalawszy pół szklanki wody i gotować do zupełnej gęstości syropu; poczem wsypać w ten gęsty syrop wprost z garnka rozgrzane migdały i mieszając ciągle łyżka drewniana, smażyć aż zaczną trzeszczeć. Niepowinno to dłużej trwać nad 20 minut, jeżeli ogień jest dobry. Wyrzucić na porcelanowy lub blaszany półmisek, porozdzielać łyżka jedne od drugich i przykryć białym papierem aby glansu nie straciły.

15. ORZECHY WŁOSKIE

Usmażone na konfiturę orzechy, wyjąć z syropu, osączyć dobrze, zrobić syropu gęstego, próbując go do piórka jak niżej opisano przy skórkach pomarańczowych, wrzucić orzechy, zamaczać, wy-

jąć i układać na sito, a będą suchą powłoką cukrową powłóczone jak skórki lub gruszki. Można jednak wyjmując tylko z syropu obsypywać kilkakrotnie miałkim cukrem żeby pod cukrem obeschły.

16. POMARAŃCZOWE SKÓRKI

Wybrać ładne pomarańcze z grubemi skórkami, takowe nadkrawa się na cztery części i delikatnie obdziera, żeby nie porozrywać. Jeżeli kto zbiera do smażenia przez jakie dni 10 skórki — trzeba je kłaść w garnek z zimną wodą zmieniając ją codziennie. Włożyć je do garnka kamiennego lub rondla, nalać wodą i gotować kilka godzin, to jest nie mniej jak cztery, a nie więcej jak pięć stosownie do ognia i ilości skórek, póki zupełnie miękkie nie będą. Nie można gotować w żelaznym garnku, bo tracą kolor — robią się ciemne i brzydkie. Wtedy odlewa się woda, a skórki włożywszy do miski nalewa wodą zimną w której zostać powinny godzin 24. Na drugi dzień wybrać skórki na przetak, żeby zupełnie z wody osiąkły. Zrobić syrop zwyczajny, lekki, skórki włożyć do jakiego szerokiego naczynia i wolnym zupełnie nalać tak, aby wszystkie nim pokryte były. Nazajutrz odlać syrop, który użyć do osłodzenia wódek gorszych — a zrobić świeżego syropu, rachując funt cukru na funt skórek, zważonych przed gotowaniem i półtory szklanki wody, skórki osączyć zupełnie i powtórnie gorącym syropem nalać. Tak zostawić znowu przez dobę. Na trzeci dzień skórki odcedzić, dobrze osączyć na przetaku, do syropu dodać cukru, znowu po funcie na każdy funt skórek, nie dolewając już wody, a gdy się wygotuje do gęstości, gorącym syropem zalać skórki. Czwartego dnia odlać syrop — gdy się zagotuje wrzucić skórki, dać się parę razy zagotować i zostawić na salaterce. Tak urządzone, chowają się w słojach obwiązane papierem, w spiżarni lub w suchej piwnicy, dopiero gdy potrzeba je mieć na sucho, wyjąć ile potrzeba z syropu, rozłożyć na przetaku i osuszyć w pokoju 24 godzin. Wziąść świeżego cukru, zamoczyć w wodzie tyle tylko ile przyjmie w siebie, zrobić syrop gęsty czyli konserwę, którą się próbuje w następujący sposób: widelec umoczyć w gotującym się syropie i dmuchnąć w powietrze; jeżeli będą z niego lecieć piórka czyli nitki cukrowe, to właśnie już cukier dobry, wrzucić skórki, mieszać na ogniu 3 minuty, zdjąć z ognia i mieszać w około rondla piórkiem, aż cukier stygnąć zacznie; wtedy wyjmować widelcem na rzadkie druciane sito, najlepiej zaś na siatkę rzadką z drutu zrobioną, na nóżkach opartą. Wtedy nie trzeba już osuszać, bo same natychmiast obsychają. Można użyć i ten syrop, w którym były smażone z dołożeniem cukru, nigdy jednak tak białe nie będą. Świeżo zrobione najlepsze, gdy leżą dziesięć dni lub więcej, zsychają się bardzo. Skórki do osuszania wyjęte z syropu można obmyć w wodzie z cukru i dobrze osączyć przez 24 godzin, aby lepiej cukier przyjęły.

Do pierwszego nalania skórek bierze się na kwartę wody dwa funty cukru, do drugiego i trzeciego razu po funcie cukru, gdyż syrop zwodnieje od wilgoci skórek pomarańczowych, czyli na funt skórek bierze się trzy funty cukru w ogólności.

17. CYKATA Z BANI

Dużą mięsistą banię niedojrzałą obrać ze skórki wierzchniej i wydrążyć w środku — pokrajać ją w grube ćwiartki jak zwykle cykata, włożyć w zimną wodę i trzymać na wolnym ogniu, aż się odparzy czyli zmięknie dobrze — wtedy odcedzić i nalać ją zim-

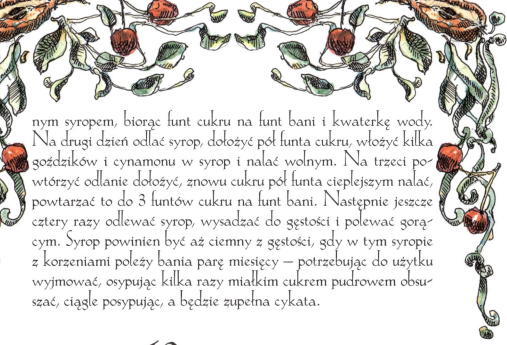

nym syropem, biorąc funt cukru na funt bani i kwaterkę wody. Na drugi dzień odlać syrop, dołożyć pół funta cukru, włożyć kilka goździków i cynamonu w syrop i nalać wolnym. Na trzeci powtórzyć odlanie dołożyć, znowu cukru pół funta cieplejszym nalać, powtarzać to do 3 funtów cukru na funt bani. Następnie jeszcze cztery razy odlewać syrop, wysadzać do gęstości i polewać gorącym. Syrop powinien być aż ciemny z gęstości, gdy w tym syropie z korzeniami poleży bania parę miesięcy — potrzebując do użytku wyjmować, osypując kilka razy miałkim cukrem pudrowem obsuszać, ciągle posypując, a będzie zupełna cykata.

18. RENOKLODY

Usmażone na konfitury reneklody wyjąć z syropu, osączyć dobrze na sicie, obsuszać kilkakrotnie, posypując miałkim cukrem.

Tak samo można wszystkie owoce suszyć po kijowsku, wyjąwszy tylko z syropu, osypać miałkim cukrem, póki nie uschną w pokojowej temperaturze.

UWAGA CO DO SUSZENIA KAŻDYCH ŚLIWEK

Uważać zawsze, aby śliwki powoli schły, gdyż przy każdych śliwkach tę zasadę zachować potrzeba, że jeżeli ciepło jest za silne w piecu, to śliwki pękają i z sokiem najlepsza esencya wychodzi, a potem tak mocno się zmarszczą, że z najpiękniejszych zrobią się małe i zeschłe. Wszelkie śliwki lepiej się suszą na przetakach, sitach, deseczkach, lasach, niżeli blachach; bo do tych ostatnich przylepiają się zanadto, chyba że blachy są bardzo grubo słomą pokryte.

19. ŚLIWKI WĘGIERKI

Zdrowe dojrzałe węgierki obetrzeć z barwy, przekrawać z jednej strony tyle, aby pestkę wyjąć można było. Zrobić syrop, biorąc na pół kwarty wody dwa funty cukru na 3 kopy śliwek, tym zimnym syropem nalewa się śliwki w szerokiej misce polewanej lub też w jakiem innem naczyniu fajansowem, syropu tyle zrobić, aby wszystkie śliwki były pokryte. Po 24 godzinach odlewa się syrop; dodaje po pół funta cukru, przegotowuje kilka razy i ciepłym nalewa powtórnie śliwki. Trzeciego dnia przegotować i gorącym polać śliwki, dodając jeszcze po pół funta cukru. Czwartego dnia śliwki z syropu odcedzić, syrop wygotować, śliwki wrzucić na wrzący syrop i jeden raz zagotować. Jeżeli jest dużo śliwek, to lepiej na kilka części podzielić, wrzuciwszy najpierwej jedną część przesmażyć, łyżką durszlakową wyjąć, następnie drugą część w tymże samym syropie i tak dalej.

Gdy są wszystkie przesmażone, zostawić do wystudzenia w syropie, na drugi dzień brać dwie razem i jedną w drugą wkła-

dać, przez co uformuje się jedna ogromna śliwka; takowe układać na przetakach lub na blachach słomą pokrytych i w letnim piecu suszyć. Suszenie to powtarzać trzeba kilkakrotnie, przewracając często śliwki.

Takim sposobem urządzone śliwki przechowują się lat kilka, układane w pudełkach blaszanych, lub dużych słojach szklannych. Pozostały syrop można użyć do wódki śliwowicy. (Patrz rozdział o wódkach).

20. ŚLIWKI WĘGIERKI NADZIEWANE

Bierze się pewną część śliwek, przekrawa na wpół, wyjmuje pestki, a drugą, część oparzywszy i obrawszy z łupin i pestek smaży na powidła z dodaniem cukru, trochę cynamonu, goździków, pomarańczowej lub cytrynowej skórki pokrajanej drobniutko, migdałów posiekanych, i tem skoro się usmaży na gęste powidła napełniać czyli nadziewać każdą śliwkę, ułożyć na blachę pokrytą słomą i w ciepły piec wstawić. Nie uschną one od jednego razu, trzeba to suszenie powtarzać kilkakrotnie, gdyż jeżeli od razu piec za gorący, to się sos z powideł wysmaży, a śliwki będą nie dobre. Tak urządzone, układa się szczelnie upychając w pudełka blaszane lub drewniane, a zachowują świeżość i smak doskonały.

21. ŚLIWKI WĘGIERKI PARZONE

Zdrowe, dojrzałe węgierki oparzyć, obrać ze skórki, pestki wyjąć i nasuwać na słomki lub trzcinki, sypiąc w każdą z nich w środek kminek lub anyż dobrze oczyszczony i zmieszany z cukrem; a ułożywszy na blachach rożenki, postawić w wolny piec, powtarzając to suszenie kilka dni.

Po kilku dniach, gdy już nie mają w sobie wilgoci, zdejmują się z rożenków, układają w kamienny lub porcelanowy słój, albo jakieś tym podobne naczynie, łyżką drewnianą mocno upychają tak, żeby to jedną massę stanowiło, z lekka za każdą warstwą cukrem miałkim przesypując, bardzo jednak nie wiele; na szczelnem upakowaniu i dobrem wysuszeniu śliwek zależy zachowanie ich od pleśni. Tym sposobem suszone są może mniej ładne, ale wyborne.

22. ŚLIWKI WĘGIERKI NA ROŻENKACH

Suszą także śliwki na rożenkach, w łupinach, wyjąwszy tylko pestki; takowe anyżem lub kminkiem z cukrem i t. p., lub nawet same tylko śliwki z lekka cukrem posypać. Uważać wtedy zawsze potrzeba, by piec nie był za gorący, żeby się od razu nie wysmażyły; doskonałą stanowią przekąskę po wódce.

23. ŚLIWKI ZWANE PRUNELE

Śliwki oparzyć, obrać, pestki wyjąć i śliwki łyżką lub nożem spłaszczyć o ile się da i tak na deseczkach suszyć w bardzo wolnym piecu; gdy już dostatecznie uschną, włożyć w beczułki lub pudełka, przekładając gdzieniegdzie liśćmi bobkowemi; upchać mocno, przykryć denkiem i na wierzchu kamień położyć, aby się razem trzymały. Tym sposobem suszone śliwki zowią się prunele. Można też obrane, na miejsce pestki, włożyć oparzony migdał.

24. TATARAK NA SUCHĄ KONFITURĘ

Korzenie tataraku kopią się w końcu maja lub w jesieni i obrane krają w kawałki stosownej wielkości, nawłóczą w grube nici w wianki, następnie gotują całe, odmieniając 7 razy wodę, aby gorycz z nich wyszła, w gotowaniu tatarak nabiera koloru ciemnego. Po ugotowaniu odważyć tatarak, wziąść na jeden funt dwa funty cukru, zrobić syrop dość lekki i zalać nim tatarak, na drugi dzień syrop odcedzić, zagotować i znowu nim nalać, tak powtarzać przez dni trzy, następnie smażyć w tym samym syropie, aż zrobi się zupełnie gęsty, potem postawić na parę godzin na bardzo wolnym ogniu, albo z boku na angielskiej kuchni tak, aby się nie gotował syrop, lecz powoli zcukrował, poczem rozwieszać wiankami ten tatarak na gałązkach ciernia lub innych i w wolny bardzo piec wsunąć na całą noc. Gdy ostygnie, złożyć w słój i zachować w suchej, chłodnej spiżarni.

25. WIŚNIE

Najlepiej do suszenia używać konfiturę z wiśni, która zaczyna cukrzeć, jak się często zdarza z przyczyny zbytniej ilości cukru. Osączyć z soku, jaki się w nich znajduje, nawlec na słomki lub trzcinki i tak obsypawszy cukrem, na rożenkach w bardzo wolnym piecu obsuszać.

Uwaga. Chcąc mieć owoce skrystalizowane po wierzchu, trzeba je kilka razy obsuszać w letnim piecu, za każdym razem maczając w gęstym syropie i obsypując grubo tłuczonym krystalicznym cukrem.

26. KONFITURY SUCHE NA SPOSÓB SŁAWNYCH KIJOWSKICH SUSZONYCH OWOCÓW

Podaję tu najskrupulatniej wypróbowany i tylko z własnej domyślności czerpany sposób suchych konfitur na sposób kijowski, które amatorzy płacą na miejscu po niepraktykowanie drogiej cenie r.s. 1 kop. 20 za funt.

Każdy owoc usmażony zwykłym sposobem na konfiturę, lub lepiej nawet na dobrą konserwę (komput), wyjmować widelcem na półmisek, osączając jak można najbardziej z syropu, układać jedne obok drugich i zostawić tak 24 godzin w spokojności. Na drugi dzień drewnianą szpilką przełożyć wszystkie te owoce na inny półmisek — na pierwszym zostanie dosyć syropu; na trzeci dzień powtórzyć to znowu na inny półmisek, zawsze układając jeden owoc obok drugiego — na trzeci dzień nie powinno już być mokrego syropu. Wtedy przełożyć znowu na suchy półmisek, posypać wszystkie pudrem cukrowym, czyli mączką z pod maszyny, przesianą przez gęste sito i potrząsać mocno półmiskiem, nie dotykając się ręką. Zostawić tak 24 godzin w suchej szafie lub szufladzie, nie przykrywając niczem — dobrze gdy jest przystęp powietrza. Można stawiać na szafie, w pokojowej temperaturze — jednak broniąc od kurzu, trzeba przykryć angielską bibułką tak, aby się takowa owocu nie dotykała, przetakiem lub sitem. Na drugi dzień znowu posypać takim pudrem, zawsze potrząsając silnie półmiskiem, a nie mieszając ręką; to posypywanie i suszenie przez potrząsanie powtarzać tak długo, aż uformuje się powłoka z cukru, nie dozwalająca przylegać konfiturom do ręki, można to działanie uskutecznić od razu, na drugi dzień po pierwszem posypaniu cukrem.

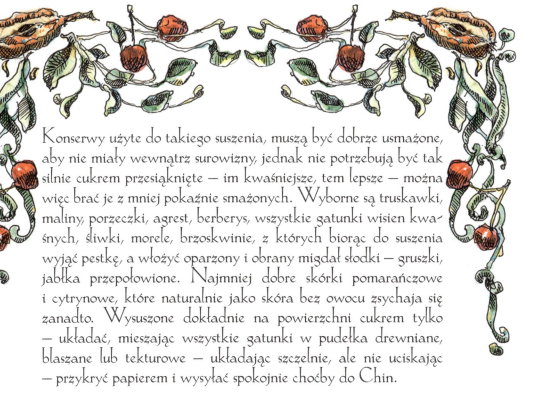

Konserwy użyte do takiego suszenia, muszą być dobrze usmażone, aby nie miały wewnątrz surowizny, jednak nie potrzebują być tak silnie cukrem przesiąknięte — im kwaśniejsze, tem lepsze — można więc brać je z mniej pokaźnie smażonych. Wyborne są truskawki, maliny, porzeczki, agrest, berberys, wszystkie gatunki wisien kwaśnych, śliwki, morele, brzoskwinie, z których biorąc do suszenia wyjąć pestkę, a włożyć oparzony i obrany migdał słodki — gruszki, jabłka przepołowione. Najmniej dobre skórki pomarańczowe i cytrynowe, które naturalnie jako skóra bez owocu zsychają się zanadto. Wysuszone dokładnie na powierzchni cukrem tylko — układać, mieszając wszystkie gatunki w pudełka drewniane, blaszane lub tekturowe — układając szczelnie, ale nie uciskając — przykryć papierem i wysyłać spokojnie choćby do Chin.

27. ŻURAWINY SUROWE W CUKRZE MIAŁKIM

Żurawiny są, najlepsze gdy przemarzną, bo wtedy kwas ich nie jest tak ostry, czy to na sok do kisielu używany, czy na konfiturę. Wybrać suche zupełnie jagody, ułożyć na przetak, aby zupełnie suche były, zrobić gęsty syrop, jak do skórek pomarańczowych, czyli do nitki, to jest: próbując widelcem jeżeli za dotknięciem nitki lecą, to cukier dobry; wrzucić żurawiny, których na funt cukru nie powinno być więcej, jak kwaterka na raz wrzucona i zaraz nie smażąc wcale wybierać łyżką durszlakową na półmisek, na którym powinien być przesiany przez gęste sito dobrze miałki cukier z pod maszyny; otarzać, czyli ruszając ciągle półmiskiem, jakby sitem, staczać ciągle jagody w tej mące cukrowej póty, póki zupełnie matowo-białe się nie zrobią. Można je wybrać na sito;

cukier zmienić i przesiać, a jagody jeżeli za parę godzin się zaczerwienią pod cukrem, jeszcze raz utarzać na półmisku, przez jakie pół godziny, póki zupełnie białe nie będą. Takie żurawiny robią tylko na żądanie w jednej cukierni Loursa; długo je trzymać nie można, bo wilgotnieją.

28. GRUSZKI SUSZONE

Do suszenia wybierać w ogóle owoce dojrzałe ale nie przestałe — szczególnie też gruszki brać dojrzałe i mniej soczyste. Układać obierane lub ze skórą na lasach plecionych z żerdzi — są to płaskie długie deski plecione z żerdzi zwane lasami — na nie więc układać gruszki ogonkami do góry, gdy powierzchnia się zmarszczy wyjąć z pieca i wysuszyć na powietrzu w przewiewnem miejscu, kładzone odrazu z pieca gorącego na powietrze będą miały śliczny połysk.

29. KONSERWOWANIE ŚLIWEK ŚWIEŻYCH

Zdjąć w pogodny dzień śliwki delikatnie z ogonkiem z gałęzi, nie dotykając się palcami samej śliwki, aby barwy nie zetrzeć; potem szpagat rozciągnąć na kształt sznura do wieszania bielizny, i po dwie razem niteczką związawszy jedną parę od drugiej opodal wieszać w miejscu nie wilgotnem, ani też zimnem, do samej wiosny tym sposobem tak jakby z drzewa świeżo zerwane dochować można. Można również ułożyć śliwki w baryłkę dobrze opatrzoną, aby woda nie doszła, przekładając śliwkowemi liśćmi szczególniej od drewna, na dnie i na górze, zaszpontować baryłkę i wpuścić do studni. Kiedy potrzeba wyjąć, a będą jak świeże.

GALARETY OWOCOWE

„Gdy się gość do domu zdarzy,
zje za czterech gospodarzy"

OGÓLNE UWAGI
CO DO SMAŻENIA GALARET

Bardzo jest trudno utrafić w smażeniu galaret: niedosmażone będą rzadkie, przesmażone ciągnące się i niesmaczne. Dwoma sposobami można próbować galaretę czy ma już dosyć: albo gdy jest na dosmażeniu, ostudzić na łyżce trochę i z tej łyżki wziąść kroplę jedną na łepek od szpilki; jeżeli nie spada, to znak że dobra, lub na zimny nóż, jeżeli kropla się nie rozleje, to galareta dobra. Drugi sposób jeszcze pewniejszy jest: wlawszy odmierzony sok w rondel mosiężny, zamoczyć w nim pałeczkę drewnianą i narznąć w tem miejscu dokąd sok dochodził; a włożywszy potem cukier porąbany drobno lub miałki, smażyć z początku na większym ogniu, a dosmażać na wolnym, uważając, aby się sok wysmażył do tej miary ile go było przed włożeniem cukru.

1. GALERETA AGRESTOWA

Wziąść garniec agrestu zielonego zupełnie twardego, w rondlu świeżo pobielanym lub miednicy miedzianej wstawić pół garnca wody czystej źródlanej, wrzucić w nią agrest i ugotować aż będzie miękki; wtedy odcedzić go przez durszlak, a w tę odlaną wodę wrzucić znowu garniec agrestu, zagotować i znowu odcedzić. Ten sok wlać w worek, niech powoli sam czysty ściecze nic nie wytłaczając. Do kwarty soku wziąść dwa funty cukru w kawałkach, nalać tym sokiem i gotować dopóty, dopóki na nożu kropla wzięta nie będzie się rozlewać lub dopóki łyżką lejąc, będzie się na łyżce coś zostawać. Galareta będzie czerwonego koloru; dopóki gorąca ponalewać w słoiki. Chcąc tę galaretę mieć jasną, należy ją smażyć przed 15 czerwca i brać 3 funty cukru na kwartę soku.

2. GALARETA MALINOWA

Dwie szklanki malin jakiegokolwiek gatunku byle dojrzałych i jedną szklankę porzeczek — wsypać w rondel mosiężny, przesypując tę ilość trzema szklankami cukru miałkiego, czyli na szklankę owocu brać szklankę cukru i nie mieszając ani się dotykając łyżką, wstawić na bardzo mocny ogień, nie potrząsać nawet rondlem, aby galareta nie była mętną. Gdy się raz zagotuje mocno, zestawić z ognia, zszumować, gdy się przestanie gotować, wstawić napowrót na ogień, a gdy się do góry wzniesie, znów odstawić i tak aż do trzeciego razu powtarzać zagotowanie. Mieć przygotowane bardzo gęste sito, przez które przelać galaretę i zaraz nalewać w słoiczki lampkami zwane, będzie czysta, smaczna, ślicznego koloru i mało wymaga ambarasu. Gąszcz pozostały przecisnąć rękami przez bardzo rzadkie sito póki ciepły, bo później ciężko przechodzi, dołożyć trochę cukru, próbując do smaku na słodycz i przesmażyć na marmoladę do mazurków wielkanocnych lub jakichkolwiek ciast.

3. GALARETA Z JABŁEK

Najlepszy gatunek jabłek na galaretę są papierówki, z których galareta będzie biała, renety, z których śliczny kolor złota dukatowego mieć będzie, i sztetyny. Ponieważ jednak te dwa zimowe gatunki jabłek są zwykle zbyt drogie, by je na galaretę używać, tem bardziej że surowe całą zimę przechowywać się dają, używa się więc na galaretę jakibądź gatunek kwaskowaty jabłek letnich lub zimowych.

Jeżeli jabłka są ładne, a miazgę czyli gąszcz chcemy użyć na marmoladę, lub ser jabłkowy, wtedy trzeba jabłka do gotowania czysto obrać z łupiny, wewnętrznej łuski i ziarnek, jeżeli zaś robi się galareta z brzydkich małych jabłek, wtedy nie warte są pracy obierania, i kraje się je tylko w kawałki, oczyszczając robaczywe lub nadpsute. Tak pokrajane w ćwiartki jabłka, obierane czy nie, pakuje się w garnek lub rondel duży głęboki, nalewa wodą i gotuje, dopóki się czwarta część wody nie wygotuje; nie mieszając wcale jabłek, uważać, aby się dobrze ugotowały; wtedy wlać wszystko w worek płócienny, powiesić nad jaką wazą lub salaterką dużą, niech sam sok powoli ściecze, nic a nic nie wytłaczając; do kwarty tego soku wziąść funt i pół cukru w kawałkach, nalać tym sokiem, jak się cukier rozpuści, wstawić na ogień niech się gotuje często szumując; gdy już na wpół ugotowana, to jest gdy nabierze pięknego różowego koloru, wtedy wcisnąć na każdą kwartę soku po jednej cytrynie, zagotować jeszcze kilka razy i łyżką srebrną próbować; jeżeli kawałkami siąknie i na łyżce zostaje, to ma dosyć; lub jak wyżej próbować. Z niedojrzałych kwaśnych jabłek smażona galareta będzie miała kolor morelowy, ale jabłka powinny być wszystkie z jednego drzewa. Chcąc galarecie z jabłek lub agrestu nadać zapach, należy w czasie gotowania wrzucić w nią kawałek wanilji obwiązany w płótno i ciągle razem gotować, gotując tak samo jak malinową. Można także ser jabłeczny z miazgi robić; i wtedy gdy jabłka nieobierane gotowały się na galaretę, ale natenczas należy miazgę z worka przełasować przez durszlak lub rzadkie sito. Do galarety z papierówek, chcąc ją mieć zupełnie białą, bierze się do kwarty soku najmniej 4 funty cukru i bardzo krótko się gotuje, żeby nie zczerwieniała, wziąwszy 3 funty cukru na kwartę soku a będzie morelowego koloru.

4. GALARETA PORZECZKOWA

Galaretę z porzeczek robi się zarówno z białych jak z czerwonych, z białych będzie także czerwona. Najłatwiejsza galareta porzeczkowa jest następująca: Porzeczki bez obcinania razem z gałązkami opłukać i włożyć w rondel, podlawszy kwaterkę wody na garniec porzeczek, zagotować, żeby porzeczki dobrze popękały i wylać na gęste sito. Na kwaterkę tego soku wziąść 2 funty cukru w kawałkach małych rozpuścić w rondlu, zagotować na mocnym ogniu pięć razy — za każdą razą szumując i zdejmując z ognia — od zagotowania dosyć 10 minut gotować i wtedy bez cedzenia, bo powinno być szumowane dobrze, ponalewać od razu w lampki. Galareta za trzy godziny stanie, będzie ładna pąsowa i smaczna. Na drugi dzień, z bibułki angielskiej wykrawać krążki, maczać w araku, nakrywać słoiki, a następnie obwiązać papierem. Gąszcz wycisnąć najlepiej rękami, bo to najprędzej, przetrzeć przez rzadkie sito i przesmażyć z szumowinami, dodając ile chcąc cukru w proporcji, zawsze miałkiego, a będzie z tego wyborna marmolada do mazurków.

SPOSÓB 2. Dwa funty porzeczek czerwonych czysto obranych i wypłukanych, funt i pół cukru miałkiego włóż razem w rondel przesypując porzeczki, gotuj, dopóki się piana dobrze nie okryje. Wtedy odstaw od ognia, a gdy przestanie się gotować wstaw znowu na ogień i to powtarzaj 3 razy za każdą razą, gdy się zagotuje, zdejmij z ognia na chwilę; następnie wylej na gęste sito, a skoro przecieknie, zaraz nalewaj słoiki. Galareta ma śliczny kolor i jest bardzo smaczna. Każda galareta porzeczkowa tak pierwszym jak i drugim sposobem robiona, będzie daleko smacz-

niejsza i aromatyczniejsza, gdy się do niej doda w stosunku na funt porzeczek ćwierć funta malin.

SPOSÓB 3. Na funt i pół obranych porzeczek, zrobić syrop z funta cukru, wrzucić porzeczki, zagotować razem 4 razy, za każdą razą zdejmując z ognia, i wylać na bardzo gęste sito lub rzadkie płótno, galareta gotowa.

5. GALARETA RÓŻANA

Bardzo ładną i smaczną jest galareta z róż, rzadko w domach prywatnych spotykana; a jednak tam gdzie jest dużo róż i agrestu, co zwykle w parze chodzi, łatwa do zrobienia. Oberwać liście z rozwiniętych róż cukrowych, odrzucając żółty proszek; liści powinno być dużo, sparzyć je na salaterce wodą z samowaru tak, aby dobrze objęła liście leżące, a jednak aby nie za dużo było wody. Niech tak postoi póki nie ostygnie, tymczasem wziąść agrestu niedojrzałego garniec, wrzucić go na kwartę gotującej się wody, zagotować, żeby sok puścił i przecedzić przez rzadkie sito. Wtedy wziąść trzy funty miałkiego cukru (mączki zwyczajnej), wsypać w miedniczkę, wlać na to trzy szklanki soku agrestowego i szklankę płynu z róż, wstawić to na ogień prędki, wymieszać, aby cukier do rondla nie przywarł i zagotować, szumując starannie trzy razy, za każdą razą zdejmując z ognia miedniczkę; następnie jeszcze z pięć minut na wolnym ogniu niech się dosmaży, galareta gotowa; przecedzić gorącą przez gęste płótno i ponalewać od razu w słoiki czyli lampki. Z garnca agrestu będzie więcej soku, ja tylko podaję tu proporcję, do której zastosować się należy w porównaniu.

6. GALARETA Z TRUSKAWEK ANANASOWYCH

Dwie szklanki truskawek białych i szklanka porzeczek białych obranych, 3 szklanki cukru; owoce sypać w rondel przesypując cukrem miałkim — postawić na mocnym ogniu nie mieszając wcale łyżką; gdy się zagotuje szumować, zdjąć z ognia, gdy się przestanie gotować znowu postawić na ogniu i t. d., działanie to trzy razy powtarzać. Za czwartym razem wylać na gęste sito i zaraz w słoiki zwane lampkami ponalewać, a na drugi dzień, gdy wystygnie pokryć bibułką angielską, maczaną w araku i obwiązać papierem. Wyborna galareta. Gąszcz można przecisnąć przez rzadkie sito, przesmażyć z szumowinami i używać za marmoladę.

7. GALARETA ŻURAWINOWA

Żurawiny zawierają w sobie tyle części galaretowych, że smażąc konfiturę trzeba bardzo uważać, aby się nie zgalareciła.

Wziąść funt żurawin opłukanych i funt miałkiego cukru, włożyć w rondel cukier na spód skropić go lekko wodą, na to wsypać żurawiny, postawić na ogniu, pilnować aby się cukier nie przypalił, a jednak nie mieszać żurawin aż się zaczną burzyć i pękać; zagotować trzy razy na mocnym ogniu, zdejmując za każdą razą rondel z ognia, zebrać szumowiny, następnie posmażyć na wolnym ogniu jeszcze ze 20 minut, aby wszystkie jagody były rozgotowane, wylać na gęste sito lub rzadki muślin i galareta gotowa. Dla słabych bardzo zdrowa. Chcąc mieć słodszą bierze się więcej cukru.

Całą zimę można przetrzymywać świeże przebrane żurawiny
w zimnej wodzie w chłodnem miejscu.

8. MARMOLADY

Z pozostałej miazgi owocu, z którego się robiła galareta lub
sok z malin lub porzeczek przedewszystkiem, jakoteż z agrestu robi
się doskonała marmolada, służąca później w gospodarstwie do legumin, ciast, pączków itd.

Wziąść owoc pozostały w worku po odcedzeniu soku, przefasować go przez rzadkie sito — aby pestki pozostały; do funta
tej marmolady wziąść pół funta cukru razem w rondel włożyć
i gotować ciągle mieszając, żeby się nie przypaliło. Próba jest taka:
wziąść na łyżkę i spuszczać z góry napowrót w rondel, jeżeli nie
tonie w tej massie to dobra. Zlać w garnek kamienny lub słój
i schować do użytku.

9. MARMOLADA Z MORELI

Dojrzałe morele rozrywać na połowy, odrzucając pestki; rozgotować nieco na wolnym ogniu bez wody, przetrzeć przez rzadkie druciane sito, aby tylko skórki zostały; wziąść na funt tak przetartej marmolady, funt cukru miałkiego, gotować nie długo, aby nie straciło żółtowatego koloru, ale jednak mieszając ciągle drewnianą kopystką, póki od niej odstawać będzie, wtedy wylać w garnek gliniany polewany, gdy ostygnie, papierem posmarowanym oliwą przykryć i zachować w suchem miejscu. Ową wyborną konfiturę, którą w pierwszorzędnych cukierniach przekładają torty, nie jest nic innego, tylko marmolada z moreli. Taką samą rnożna robić z brzoskwiń, biorąc jednak o tyle więcej cukru, o ile owoc jest kwaśniejszy czyli półtora funta na funt; przepis ten daje się tylko zastosować w miejscowościach gdzie jest dużo moreli, we Francji marmolada taka jest bardzo tania.

10. MARMOLADA ZE ŚLIWEK

Marmoladę zrobić można z każdego gatunku śliwek nawet niedojrzałych nalewa się je wtedy w kociołku do połowy wodą i gotuje dopóki miękkie nie będą; potem fasuje przez rzadkie sito, do każdej półkwarty marmolady licząc pół funta cukru wsypać razem, wstawić na wolny ogień, często mieszając żeby się nie przypaliła. Próbować jak wyżej; gdy już ma dosyć, w słój pakować, a na drugi dzień pokryć papierem umoczonym w araku i obwiązać. Gdy się robi z węgierek dojrzałych, trzeba je oparzyć, ze skórki obrać, pestki wyjąć, do 5 funtów śliwek 1 funt cukru biorąc, gdyż węgierki są słodkie. Śliwki w rondel układać przesypując je cukrem, i tak bez wody zupełnie, na ogień wolny wstawić, ciągle mieszając kopystką byle nie sosnową. Dla zapachu 10 goździków całych włożyć. Próbować, jeżeli do talerza nie przylega, to dobra.

11. POWIDŁA ZE ŚLIWEK

Powidła śliwkowe robią się w ostatnich dniach września lub w pierwszych października, gdy węgierki są nietylko dojrzałe ale zupełnie przestałe, wtedy bowiem mają już bardzo wiele słodyczy, która zastępuje zupełnie potrzebę dodania cukru. Z każdego gatunku ciemnych śliwek można smażyć powidła, najlepsze są jednak z prawdziwych węgierek. Przebrać śliwki, odrzucając robaczywe części, często bowiem jeden lub dwa robaki można odrzucić, a śliwka będzie jeszcze dobra do użycia, i rozrywając każdą śliwkę palcami bez użycia noża odrzucać pestki. Tak przebrane śliwki włożyć do kociołka odpowiedniej wielkości i smażyć na wolnym ogniu, mieszając dużą drewnianą warząchwią, aby nie dopuścić przypalenia. Śliwki w pół godziny puszczą tyle soku, że staną się jedną rzadką, jasną massą czyli płynem, który tak długo gotować trzeba przy ciągłem mieszaniu i pilnowaniu przypalenia, aż zmienią kolor na ciemny, co nastąpi w 5 do 6 godzin, chociaż jeszcze będą dość rzadkie, gdyż dopiero po przesmażeniu powtórnie i zastygnięciu gęstnieją. Wtedy mieć druciane gęste sita i przez nie, biorąc po trochu fasować, przecierając ciągle łyżką. Na sicie nie powinno nic zostawać. W braku sita drucianego, użyć można przetaków. Wiele osób smaży z pestkami, co jest zupełnie złe, gdyż powidła nabierają pestkowego smaku, przy fasowaniu przedzierają sita i wiele powideł zostaje na pestkach. Po przelaniu włożyć

powidła napowrót do rondla, dodając, jeżeli kto chce mieć bardzo wykwintne na każdy garniec funt cukru, smażyć póki kawałami z łyżki nie spadają — i zaraz włożyć w garnek koniecznie kamienny i wstawić na noc do ciepłego pieca.

12. POWIDŁA Z SUSZONYCH ŚLIWEK

Trzy funty śliwek węgierek wypłukać w ciepłej wodzie, a następnie w czystej namoczyć na godzinę, gdy zmiękną wybrać pestki, które odejdą z łatwością, nalać śliwki wodą, w której miękły i gotować w rondlu. Po ugotowaniu odlać sos, który z nich pozostanie, a śliwki przetrzeć przez rzadkie druciane sito. Z tej ilości będzie dwa funty doskonałych gęstych powideł, do których ani odrobiny cukru nie potrzeba.

13. POWIDŁA Z JABŁEK

Pokrajać bardzo dojrzałe jabłka na ćwiartki odrzucając starannie jądra wsypać w kociołek, podlawszy kwaterką wody, aby się nie przypaliły zanim jabłka sok puszczą — dalej gotować i fasować zupełnie jak śliwkowe; różnica w robocie jest tylko ta, iż w sitach zostają skórki, które są grubsze i twardsze od śliwkowych, i nie mogą się rozgotować. W czasie smażenia wsypać cynamonu i parę goździków.

SOKI I SYROPY OWOCOWE I KWIATOWE

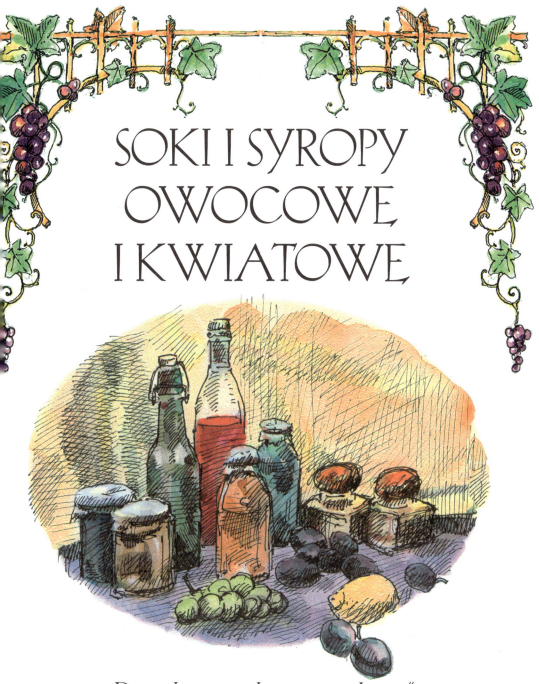

„Do siedzenia trzeba picia i jedzenia"

1. SYROP ANANASOWY

Robiąc konfiturę z ananasu odchodzi wiele łupinek i wierzchnich ząbków, które same przy krajaniu odpadają; te tedy trzeba nalać na 24 godzin lekkim syropem a na drugi dzień dodawszy jeszcze cukru w proporcyi, wstawić razem na ogień, zagotować mocno kilka razy do zwykłej gęstości syropu, potem przecedzić przez płótno lub flanelę; zlać w butelki małe od soku i używać do ponczu lub lemonjady.

2. SYROP CYTRYNOWY

W miejscach gdzie trudno mieć zawsze świeże cytryny, a ciągła jest konsumpcja lemonjady, można bardzo dobry urządzić syrop lemonjadowy, używając do niego letnich cytryn. Kiedy więc cytryny najtańsze na wiosnę, wybrać pół kopy pięknych soczystych, i każdą nieco na stole zgnieść, żeby sok się łatwo oddzielił. Wziąwszy zaś 5 funtów cukru pięknego, porąbać go na kawałki jak do herbaty, włożyć w duży szklanny słój, obwiązać ten słój z wierzchu rzadkim muślinem mocno, i na ten muślin wyciskać cytryny, jedne po drugiej, nie wyciskając muślinu ani go niczem nie tłocząc, tak, aby sam czysty sok z cytryn swobodnie ściekał. Pozostałą, na muślinie miazgę można zaraz użyć na lemonjadę, dodawszy cukru i przecedziwszy przez muślin. Tak zostawić słój w spokojnem miejscu w cieniu, codziennie łyżką srebrną mieszając aż do spodu przez dni 12. Jeżeli by się jeszcze cukier zupełnie nie rozpuścił, to można na wolnym ogniu rozpuścić samo gęste co na spodzie się osadza; w każdym razie cukier powinien być drobno rąbany, lub można nawet tarty z głowy. Gdy się więc rozpuści cukier zupełnie, zlać sok w suche butelki, zakorkować lekko lub obwiązać papierem i chować do użytku w bardzo suchem miejscu, w lecie w piecu, w zimie w spiżarni. Używając, wlać na spód szklanki parę łyżek syropu i dopiero rozprowadzić wodą, a gdy najtrudniej o cytryny ma się wyborną lemonjadę.

3. SOK BERBERYSOWY

Najlepiej sok berberysowy smażyć zrobiwszy syrop z 2 funtów cukru i pół kwarty wody, na funt berberysu opłukanego i obranego z gałązek, wrzucić berberys na syrop gdy się tylko zagotuje, kilka razy zagotować i przecedzić przez gęste sito; sok będzie gotowy.

4. SOK MALINOWY

Sok ten tak lubiony z powodu zapachu i wielorakiego użytku, robi się rozmaicie i mniej więcej każdy prawie sposób jest dobry, tyle sam sok zawiera w sobie aromatu.

SPOSÓB 1. Włożyć maliny w garnek polewany, upchaw-szy je mocno łyżką; ten garnek wstawić w kociołek lub rondel duży z wodą gorącą i tak razem wstawić na ogień, gdy woda gotować się mocno będzie, zdjąć z ognia i postawić w ciepłem miejscu na dwie godziny razem z rondlem; gdy woda wystygnie, to mali-ny już wszystek sok puszczą; odlać go przecedziwszy przez worek płócienny, wziąść na kwaterkę soku dwa funty cukru w małe kawałki porąbanego, nalać tym sokiem i gdy się cukier rozpuści, wstawić na ogień, gotować, dopóki się szumowiny robić będą, ciągle je zbierając łyżką durszlakową, i zdejmując rondel z ognia za każdą razą gdy zawrze na 2 minuty, od zagotowania 20 minut gotować; zdjąć z ognia, wlać w wazę do ostudzenia i zimny wlewać w butelki, zatkawszy korkiem. Równie dobrze jest zrobić syrop gęsty wprzódy i dopiero w ten syrop wlać sok, szumując go ile się pokaże potrzeba.

SPOSÓB 2. Bardzo oszczędny sposób jest następny: na funt malin wziąść funt cukru, zrobić syrop gęsty, biorąc pół szklanki wody na funt; wrzucić maliny, zagotować kilka razy na mocnym ogniu, dopóki syrop nie dojdzie do przyzwoitej gęstości; wtedy przelać przez gęsty płócienny worek do wazy, a na drugi dzień zlać do bardzo suchych czystych butelek. Gąszcz zaś przełasować, wysmażyć dobrze dodawszy cukru, ciągle na ogniu mieszając, aby się nie przypalił, i nżywać w miejsce marmolady, do naleśników lub mazurków.

SPOSÓB 3. Trzecim sposobem używanym zwykle w aptekach, otrzymuje się sok przez fermentacyę, traci jednak nadzwyczaj wiele aromatu i świeżości. Surowe maliny rozgnieść na misce łyżką i przecisnąć przez płócienny worek, ten sok wlać w duży szklanny słój lub gąsior, postawić na kilka dni na słońcu, póki przez fermentacyę nie sklaruje się zupełnie. Wtedy zlać sok, cedząc go ostrożnie; na kwartę soku wziąść dwa funty cukru, wlać ten sok na cukier, a gdy się rozpuści, wstawić na ogień, kilka razy przegotować, szumując starannie, a po wystudzeniu zlać w butelki, zatkać i schować do suchej piwnicy.

5. SOK MALINOWY AROMATYCZNY

Sypać maliny w słój szklanny przesypując cukrem miałkim, biorąc na kwartę malin dwa funty cukru. To postawić w piwnicy na 24 godzin. Po tym czasie wlać ostrożnie przez gęsty muślin lub sito sok uformowany, nie wciskając wcale malin, tylko co samo ściecze przez trzy godziny; wlać zaraz do suchych butelek, wstawić je w rondel lub kociołek z wodą, obłożyć sianem i zagotować wodę kilka razy; w czasie tego szyjkami od butelek będą się formować szumowiny; te trzeba zrzucać; a po ostudzeniu wody zakorkować szczelnie butelki i w piwnicy trzymać. Sposób ten jest przewyborny. Można także wstawiając w wodę butelkę obwiązać pęcherzem i gotować od zagotowania wody minut 20 co równie dobrze.

SPOSÓB 2. Zupełnie dojrzałe maliny przesypać w słoju lub porcelanowej wazie miałkim cukrem, biorąc szklankę cukru, na szklankę czubatą malin. Zostawić tak w spokojnern miejscu w cieniu na 24 godzin. Wtedy odlać w worek płócienny uformowany sok, nic nie wyciskając i tylko przez cztery godziny dozwalając ściekać; ponalewać sok w butelki, obwinąć pęcherzem i sznurkiem i gotować w kociołku z zimną wodą, pilnując od zagotowania minut 20. Pod blachą gotować tego nie można jak kompotjery, bo kolor traci. Po otworzeniu takiej butelki w zimie, cały pokój będzie napełniony aromatem malin.

6. SOK MALINOWY W OCCIE

Robi się także sok malinowy w occie; i wtedy zowie się ocet malinowy, do wody w lecie niezmiernie orzeźwiający i miły. Na cztery funty malin nalać dwie kwarty czystego, ale niezbyt

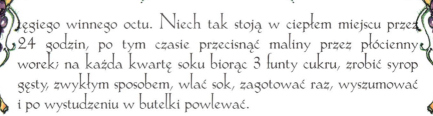

tęgiego winnego octu. Niech tak stoją w ciepłem miejscu przez 24 godzin, po tym czasie przecisnąć maliny przez płócienny worek; na każdą kwartę soku biorąc 3 funty cukru, zrobić syrop gęsty, zwykłym sposobem, wlać sok, zagotować raz, wyszumować i po wystudzeniu w butelki powlewać.

7. SOK POMARAŃCZOWY

Na wiosnę, kiedy pomarańcze są tak tanie, można sobie przygotować zapas soku pomarańczowego do użycia na miły i chłodzący napój w lecie z dodaniem kwasu cytrynowego lub cytryny. Pewną ilość zdrowych i zupełnie dojrzałych pomarańcz (warunek konieczny), obrać tak z żółtej skórki jak i włókien na samej już mięśni owocu będących białych, rozebrać na cząstki i przez woreczek płócienny wycisnąć, jak zwykle owoce na sok. Wtedy na jeden funt soku wziąść jeden i pół funta cukru w najlepszym gatunku, porąbać w duże kawały, w wodzie umaczać w sok włożyć, razem wlać w rondel i na wolnym ogniu szumując pilnować; aż się zagotuje. Wtedy zaraz zdjąć z ognia i tak gotujący się sok wylać na rozłożony przed salaterką muślin, na który samą żółtą, drobno posiekaną skórkę z kilku pomarańcz posypać trzeba. Gdy sok na skórkach ostygnie, muślin z niemi ostrożnie podnieść, a sok zlać w butelki. Wszelkie soki owocowe można tak przez skórki przepuszczać dla zapachu.

8. ORANŻADA SZTUCZNA

Podczas lata używając pomarańcz, skórki z takowych drobno siekać, w gąsiorek sypać i nalać dobrym spirytusem. Do tego dokładać skórek siekanych, ilekroć zdarzy się sposobność po zjedzeniu pomarańcz. Chcąc naprędce urządzić oranżadę, wsypać do szklanki wody trzy łyżeczki cukru tartego, nieco kwasu cytrynowego w proszku sprzedawanego w składach aptecznych, do tego dolać od 10 do 15 kropel owego spirytusu pomarańczowego, zamieszać dobrze łyżeczką i podać za doskonałą oranżadę. Bardzo dobry użytek także zrobić można ze skórek ocierając je mocno o cukier, tak, żeby cukier zupełnie zwilgotniał, a potem utłuc ten cukier i sypać w szklanny słój szczelnie przykryty pokrywą lub pęcherzem. Można taki cukier używać do oranżady sypiąc do lemonjady po pół łyżeczki, do ciasta, do legumin lub do lukru na ciasto.

9. SOK PORZECZKOWY

Jest to najtrudniejszy sok z przyczyny wielkiej ilości galaretowatych części, jakie porzeczki w sobie zawierają. Najpewniejszy jednak sposób, aby nigdy nie zgalareciał, jest sposób fermentowany. To jest: wziąść porzeczki, pognieść na misce, przez worek płócienny przecisnąć, wlać w słój szklanny, postawić na słońcu, a po kilku dniach gdy się dostatecznie sok sklaruje, zlać go ostrożnie nie mącąc, przez płótno lub flanelę; do kwarty soku wziąść najmniej dwa funty cukru, nalać go tym sokiem, a po rozpuszczeniu wstawić na ogień i bardzo szybko na dobrym ogniu parę razy zagotować, szumując starannie. Sposób ten jest pewny, jednak, jak to przy malinach wspominałam, odbiera aromat owocowy. Następny sposób jest pod względem smaku i zapachu daleko lepszy.

SPOSÓB 2. Garniec porzeczek obranych z gałązek, wrzucić w kwartę wody wrzącej w chwili, gdy najbardziej kipieć będzie na ogniu; po wrzuceniu przykryć natychmiast pokrywą i dopiero zdjąć z ognia i tak niech stoi godzin 12 w ciepłem miejscu. To działanie uskutecznić trzeba w szerokim garnku lub tyglu

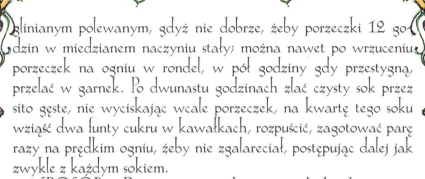

glinianym polewanym, gdyż nie dobrze, żeby porzeczki 12 godzin w miedzianem naczyniu stały; można nawet po wrzuceniu porzeczek na ogniu w rondel, w pół godziny gdy przestygną, przelać w garnek. Po dwunastu godzinach zlać czysty sok przez sito gęste, nie wyciskając wcale porzeczek, na kwartę tego soku wziąść dwa funty cukru w kawałkach, rozpuścić, zagotować parę razy na prędkim ogniu, żeby nie zgalareciał, postępując dalej jak zwykle z każdym sokiem.

SPOSÓB 3. Rozgnieść porzeczki na misce łyżką drewnianą, polewając troszką wody; wlać to w worek płócienny, niech ścieka przez całą noc. Nazajutrz zagotować ten czysty sok, który sam ściekał bez wyciskania, na mocnym ogniu parę razy wyszumować, przecedzić jeszcze raz, zrobić syrop z półtora funta cukru i szklanki wody na kwartę soku, we wrzący wlać sok, zagotować razem, ostudzić i na drugi dzień zlać w suche butelki. Sok będzie dobry i nie tak łatwo galarecieje. Każdy sok porzeczkowy smażony pomiędzy 1 a 10 lipca, nie zgalarecieje prawie nigdy.

10. SOK PORZECZKOWY NAJLEPSZY JAKI BYĆ MOŻE

Funt porzeczek na funt cukru. Wziąwszy naprzykład cztery funty porzeczek, rozgnieść je na misce wałkiem i wynieść do piwnicy na dni osiem. Po tym czasie wylać te porzeczki na płat cienkiego płótna, nie w worek, bo mało wyjdzie soku, przywiązać do cztеrech nóg stołka i niech tak ścieka 24 godzin. Zrobić syrop z cztеrech funtów cukru bardzo gęsty do kropli, to jest: aby się krople perliły jak perły w rondlu, wlać sok ściekły, zagotować na mocnym ogniu trzy razy wyszumować wylać w wazę do ostudzenia, zimny

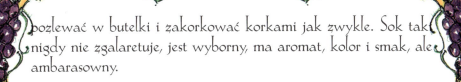

pozlewać w butelki i zakorkować korkami jak zwykle. Sok taki nigdy nie zgalaretuje, jest wyborny, ma aromat, kolor i smak, ale ambarasowny.

11. SOK POZIOMKOWY

Sok poziomkowy tak powszechnie lubiony, robić najlepiej przesypując jagody cukrem, biorąc na kwartę poziomek 2 funty miałkiego cukru, gdy tak postoi w szklannym słoju 10 godzin w cieniu (dłużej wydziela się goryczka) zlać przez gęsty muślin co samo zciecze przez 3 godziny, ponalewać w butelki suche małe, obwiązać pęcherzem i gotować w kociołku z wodą od zagotowania minut 15. Wiele osób po zlaniu soku ze słoja, który najlepiej mieć do tego działania ze szpontem u dołu, (dostać takich słojów można w składach szkła), wcale go w butelkach nie przegotowuje w wodzie; można go tak zostawić w lecz takim razie potrzeba niezmiernie szczelnie zakorkować butelki, pakiem lub lakiem oblać i w doskonałej piwnicy trzymać.

SPOSÓB 2. Rozgnieść poziomki łyżką, na misce i włożyć w rzadki płócienny woreczek, związać niech samo ścieka powoli. Co parę godzin w miarę ubywania soku można worek niżej związać, po 24 godzinach zlać czysty sok, gdyż na spodzie ustają się męty, do miedniczki mosiężnej, na funt soku wziąść półtora funta miałkiego cukru i mieszać go dopóki się cukier nie rozpuści. Wtedy wstawić na mocny ogień przykrywszy miedniczkę pokrywą lub półmiskiem, a gdy się zagotuje raz, zdjąć z ognia, pokrywę odkryć, obetrzeć z pary, sok wyszumować, znowu wstawić na ogień, zagotować i zdjąć. To działanie powtarzać trzy razy, wtedy sok będzie gotów i zachowa cały aromat oraz kolor. Zlawszy sok do wazy

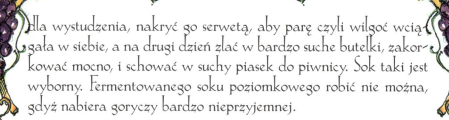

dla wystudzenia, nakryć go serwetą, aby parę czyli wilgoć wciąż gała w siebie, a na drugi dzień zlać w bardzo suche butelki, zakorkować mocno, i schować w suchy piasek do piwnicy. Sok taki jest wyborny. Fermentowanego soku poziomkowego robić nie można, gdyż nabiera goryczy bardzo nieprzyjemnej.

12. SOK POZIOMKOWY NA SPOSÓB FRANCUZKI

Przebrane czysto, dojrzałe zupełnie poziomki wsypać w porcelanową lub fajansową wazę, zważywszy je poprzednio. Na funt poziomek wziąść funt i pół cukru w kawałkach i zamoczywszy go zaledwie w wodzie, zrobić syrop bardzo gęsty, doprowadzony prawie do gęstości konserwy. Gdy cukier tak gęsty wrze na ogniu wlać go całym warem na poziomki i zostawić w chłodnem miejscu na 24 godzin. Po tym przeciągu czasu zlać go przez płótno w czyste suche butelki małe, zakorkować, zalakować i zanieść do piwnicy. Cały rok najpyszniej się utrzymuje aromat i świeżość poziomek.

13. SOK Z POZIOMEK I AGRESTU

Sok poziomkowy jest bardzo aromatyczny, ale za mało zawiera kwasu, jako sok użyty do wody. Otóż wziąść garniec niedojrzałego agrestu, który właśnie w czasie poziomek jest w tym stanie dojrzałości, utłuc go lub rozetrzeć wałkiem w donicy, przecisnąć przez rzadkie płótno i tym sokiem nalać surowe, bardzo dojrzałe poziomki, niech tak stoi w temperaturze pokojowej 24 godzin, wtedy zlać znowu przez woreczek płócienny lekko przyciskając,

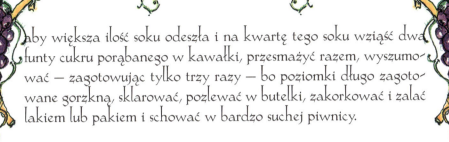

aby większa ilość soku odeszła i na kwartę tego soku wziąść dwa funty cukru porąbanego w kawałki, przesmażyć razem, wyszumować — zagotowując tylko trzy razy — bo poziomki długo zagotowane gorzkną, sklarować, pozlewać w butelki, zakorkować i zalać lakiem lub pakiem i schować w bardzo suchej piwnicy.

14. SOK WIŚNIOWY

Garniec dojrzałych wydrążonych wisien, wrzucić na kwartę wrzącej wody i mocno kilka razy zagotować, wlać w worek niech ściecze, a gdy się dobrze ustoi ze sześć godzin, wziąść dwa funty cukru, na kwartę soku rozpuścić, zagotować, wyszumować, pozlewać w butelki i z lekka zakorkowawszy schować w suche miejsce. Jest to najlepszy sposób na wiśniowy sok. Pozostałe od soku wiśnie można użyć na powidła, dodawszy cukru. Można także pognieść wałkiem w donicy wiśnie, zostawić tak 12 godzin, wycisnąć przez rzadkie płótno i dalej postąpić jak wyżej.

15. SOK ŻURAWINOWY

Najlepiej robić sok, gdy żurawiny przemarzną. Wsypać je w garnek, postawić w gorącym piecu po chlebie, żeby sok puściły, a wtedy zlać go przez sito nie wyciskając owocu, i pozlewać w butelki. W każdym razie sok żurawinowy można bez cukru przechowywać surowy jak najdłużej w piwnicy, zakorkowany szczelnie trzymać. Doskonały jest z tego soku kisielek, używa się także do zup owocowych w czasie zimy, lub do sosów zamiast cytryny.

16. SOK ŻURAWINOWY ZE ŚNIEGIEM

Żurawiny przemarznięte pomieszać ze śniegiem i utłuc drewnianym wałkiem, przetrzeć przez sito, a następnie przecedzić przez płótno rzadkie. Ugotować dosyć gęsty syrop, biorąc funt cukru na kwartę soku, wlać sok żurawinowy w gotujący się syrop; kilka razy zagotować, wyszumować, a gdy przestygnie, zlać w butelki.

17. SOK ŻURAWINOWY DO HERBATY

Kwartę całych żurawin nalać gorącą wodą tak, aby tylko je objęła, i wstawić na mocny ogień, aby się rozgotowały, odlać na sito i zostawić do sklarowania na kilka godzin. Wziąść dwa funty cukru porąbanego w kawałki, wrzucić w przecedzony sok, i gdy się rozpuści, zagotować parę razy na wolnym ogniu. Sok powinien mieć śliczny kolor i być zupełnie rzadki, a jest tak smaczny dolewając do herbaty, że zastępuje zupełnie berberysowy — a dla osób słabych, do wody jest nadzwyczaj zdrowym.

18. SOK FIJOŁKOWY

Ze wszystkich zapachów znanych, fijołki należą do najmilszych i najwięcej poszukiwanych, dla tego podajemy tu sposób robienia soku fijołkowego używanego do napojów, lemonjady, a głównie do robienia konserwy czyli lukru klarownego na torty, mazurki, i t. p. Cukiernicy używają go przy robieniu pomadek, można go także użyć przy komputach, wlewając łyżeczkę do gotowej salaterki komputu, lub nawet do galaret z wina, które żadnego aromatu same z siebie nie posiadają. Obrać samego czystego kwiatu świeżych fijołków funt jeden, włożyć w wazę porcelanową i nalać kwartą wrzącej wody, przykryć natychmiast biała serweta i zostawić w chłodnem miejscu przez dni 5. Po tym przeciągu czasu odcedzić przez czystą serwetę sok, zważyć go, wziąść tyle cukru ile sok zaważy, nalać cukier sokiem i gotować na wolnym ogniu w dobrze pobielanym rondlu do zwykłej gęstości soku. Po ostudzeniu wlać w butelki.

19. SYROP Z RÓŻ

Róże kwitną wtedy, gdy agrest jest zupełnie zielony. Wziąść więc garniec zielonego agrestu, utłuc w moździerzu drewnianym, lub rozetrzeć wałkiem w donicy, przecisnąć sok przez rzadkie płótno i tym sokiem nalać taką ilość obranych liści różanych, jaka się zdoła zamoczyć tą ilością soku. Niech tak stoi 24 godzin zlać, przecisnąć znowu przez płótno i na kwartę tego soku wziąść dwa i pół funta cukru, przesmażyć razem, wyszumować, sklarować a po wystudzeniu zlać w buteleczki, używając zamiast soku do wody, lub do robienia różowej galarety, na różowej żelatynie.

LODY I RÓŻNE INNE NAPOJE ORAZ PRZYSMAKI

„Kto często jada łakocie może się znaleźć w kłopocie"

OGÓLNE UWAGI O LODACH

Do robienia lodów trzeba mieć ceber ze szpontem u dołu, żeby rozpuszczoną, wodę wypuszczać. Puszka powinna być cynowa, a łopatka do rozbijania z twardego drzewa. Lód trzeba potłuc na drobne kawałki, wsypać na spód w ceber, mocno posolić, żeby się prędko nie rozpuszczał; dopiero wstawić puszkę, obsypać znowu lodem, żeby mocno stała, a lód znowu solą. Gotową, ostudzoną, massę na lody wlać w puszkę, przykryć pokrywką i kręcić. Za kwandrans ostrożnie otworzyć puszkę, żeby sól w nią, nie wpadła, zeskrobać łopatką, massę zastygającą, z boku i na dnie, wymieszać dobrze z resztą, massy, nakryć pokrywką, i znowu kręcić; za kwandrans znowu to powtórzyć, wybijając mocno łopatką całą massę, i to powtarzać kilka razy, dopóki massa równo zsiadać się nie zacznie, obsypując ciągle lód naokoło puszki solą; skoro żadnych grudek nie będzie, a massa będzie wszędzie równa, wtenczas pokręcić jeszcze puszką, osypać solą, i lodem, i tak zostawić w spokojności aż do chwili wydania. Im mocniej lody będą, wybijane łopatką, tem lepsze będą; należy tylko nie żałować soli, gdyż ta obniżając temperaturę massy, wpływa na tęgość lodów. Chcąc podać lody w słupach, należy, wyjąwszy puszkę z lodu, obetrzeć ją mocno serwetą, wyciśniętą z gorącej wody, otworzyć puszkę i przewrócić do góry dnem na półmisek, na którym leży serweta złożona. Robiąc dwoiste w jednej puszce, trzeba pierwej jedną, połowę zamrozie, a potem drugą.

1. LODY ŚMIETANKOWE

Do dwóch kwart słodkiej gęstej śmietanki bierze się 15 żółtek i półtora funta cukru przesianego przez gęste sito. Żółtka rozbić z cukrem, rozbierając je powoli pół garncem śmietanki i tak rozbitą massę postawić na ogniu nie gwałtownym, mieszając ciągle póki się nie podniesie pilnując, aby się nie zagotowało. Cała dobroć na tem pilnowaniu zależy, aby po rozgrzaniu i podniesieniu się massy, wystudzić ja zupełnie, mieszając w zimnem miejscu i dopiero wystudzone wlać w puszkę i kręcić zaraz aż stężeją. Co 15 minut podług zegarka otwierać puszkę, łopatką wymieszać zmrożoną z boków massę, znowu kręcić i znowu mieszać co 15 minut, aż zupełnie stężeje. Naturalnie puszka powinna być wstawiona w kubełek z lodem mocno solą, miałką, posypany. Jeżeli lody mają być waniljowe, wziąść laskę wanilji, połamać na kawałki, ugotować pierwej w kwaterce z tej samej śmietanki, a ostudziwszy ją, użyć następnie razem z resztą do robienia lodów. Nie łudzić się dodawaniem większej ilości cukru, jak półtora funta, bo zbytek cukru przeszkadza do stężenia lodów.

2. LODY WANILJOWE

Lody waniljowe robią się zupełnie jak poprzednie, z tą różnicą, że do waniljowych bierze się więcej wanilji.

3. LODY POZIOMKOWE I MALINOWE

Najlepsze są lody z surowego soku. Ugotować dwa funty cukru w kwarcie wody, wyciskając w czasie gotowania w syrop jedną cytrynę, lub sypiąc pół łyżeczki kwaśnej soli. Gdy ten syrop przestygnie, wlać w niego pół kwarty surowego soku, wyciśniętego przez płótno z malin lub poziomek, zmieszać razem i zamrażać dalej jak wyżej. W zimie, robiąc lody z soku gotowanego, należy zamiast funta brać tylko pół funta do tej samej ilości wody i pół kwarty soku. Najlepsze jednak są surowe bez cukru gotowane marmolady do lodów.

4. LODY CYTRYNOWE LUB POMARAŃCZOWE

Funt cukru rozpuścić w kwarcie wody, zagotować na syrop i ostudzić; w ten cukier wcisnąć sok z pięciu cytryn, z których o jedne cukier otarty, wymieszać razem i przecedzić przez gęste sito. Do pomarańczowych zaś bierze się trzy pomarańcze i dwie cytryny, do tej proporcji cukru, który obciera się o pomarańcze; zamrażać jak wyżej.

5. LODY ANANASOWE

Weź ananas mały, ale dostały, utrzyj go na tartce, włóż to w słój szklanny, nalej pół kwarty wody, postaw w ciepłem miej-scu na godzin 24 dobrze obwiązawszy papierem, dwa funty cukru

rozpuścić w dwóch kwartach wody, sok z ananasu przecedź przez płótno, dobrawszy sok z pięciu cytryn, wymieszaj razem i zamrażaj jak zwykle.

6. LODY Z MORELI LUB BRZOSKWIŃ

Każdy z tych owoców bardzo dojrzały obrać ze skórki i pestek, przetrzeć przez sito. Na funt takiej przetartej massy zrobić syrop z funta cukru, kwarty wody, wcisnąć sok z dwóch cytryn, zmieszać z massą owocową, przefasować jeszcze raz przez sito, włożyć do puszki i zamrażać jak wyżej.

7. LODY CZEKOLADOWE

Trzy ćwierci czekolady waniljowej utrzeć na tartce, zalać półgarncem gorącej śmietanki, i mieszać aż się roztopi. Rozbić 10 żółtek z funtem i ćwierć cukru miałkiego, wlać w to czekoladę, postawić na wolnym ogniu i mieszać ciągle łyżką dopóki nie zgęstnieje. Wtedy przecedzić, ostudzić dobre, wlać do puszki, i postępować dalej jak wyżej przy uwagach opisano.

8. LODY MELONOWE

Podaję tu sposób wspaniałego podania lodów melonowych. Dojrzały melon ananasowy, t. j. siatkowy z zapachem, wydrążyć ostrożnie z pestek i soku, skrajawszy z jednej strony tyle aby wygodnie można włożyć łyżkę stołową. Następnie obrać

go z wierzchniej skórki i bardzo starannie, a wtedy środek wypełnić lodami melonowemi.

Na lody przetrzeć przez rzadkie druciane sitko dojrzałego melona. Na funt tej massy zrobić syrop z funta cukru, kwarty wody i dwóch cytryn, gdy wystygnie zmieszać z massą melonową, przefasować przez sito, włożyć wszystko w puszkę od lodów; włożoną w ceber z drobnym lodem, mocno solą posypanym, soli żałować nie możem przy robocie lodów, bo ta tęgość ich utrzymuje, i postępować dalej jak wyżej. Chcąc spróbować czy lody będą dobre, trzeba przed pomieszaniem syropu z massą owocową, włożyć odrobinę tej mieszaniny w puszkę, zakręcić, a gdy zastygać zaczną, wziąść w palce, jeżeli się będzie rozcierać jak masło, to lody dobre, jeżeli zaś massa w palcach będzie śnieżkowata, to znaczy, że mało cukru, dołożyć go do syropu samego, rozgrzać aby się rozpuścił, ostudzić, wymieszać z sokiem owocowym, wlać w puszkę i postępować jak wyżej kręcąc puszką, póki massa zupełnie nie zastygnie.

9. LODY KAWOWE

Zagotować dwie kwarty śmietanki, wsypać w nią tylko co świeżo upaloną wprost z piecyka ćwierć funta kawy, przykryć to, żeby śmietanka nabrała zapachu. Skoro przestygnie, przecedzić przez sito, wsypać półtora funta cukru rozbitego z 10 żółtkami, postawić na ogniu, mieszając ciągle, a jak zgęstnieje, przecedzić, ostudzić i postąpić dalej jak wyżej przy uwagach opisano.

10. LODY BEZ MASZYNKI (PLOMBIER ZWANE)

Dziesięć żółtek rozbić do białości z pół funtem cukru, dodać do tego szklankę mleka, postawić na ogniu żeby się dobrze ogrzało, ale nie zagotowało, następnie ostudzić zupełnie w lodzie. Trzy kwaterki kremowej śmietanki ubić na pianę, wsypać pół funta cukru, pół laseczki wanilji tłuczonej, ćwierć funta pistacji i tyleż suchych konfitur drobno krajanych, zmieszać wszystko razem z ubitą, śmietanką i zimnemi jajami, rondel wyłożyć papierem, dno wyłożyć ładnie konfiturami suchemi, wlać to wszystko, przykryć pokrywą, wstawić w lód i dobrze rondelek nim obłożyć, kładąc go i z wierzchu, a następnie lód mocno solą śniegówką posypać. Gdy dobrze zziębnie, wyjdzie jak lody i doskonale takowe zastępuje.

11. PONCZ RZYMSKI

Zrobić zwykłym sposobem lody cytrynowe (patrz wyżej), biorąc za proporcje butelkę białego wina francuzkiego „Chablis", kwartę syropu z 2 funtów cukru i 8 cytryn. Wymieszać wszystko razem, przecedzić przez gęste sito i zamrozić jak zwykle lody. Gdy massa zetnie się już dobrze, dodać dwa białka ubite na pianę, a następnie dodawszy do nich dwie łyżek miałkiego przesianego cukru, ubić je powtórnie tak, jak to ma miejsce na marengi. Wymieszać massę czyli lody doskonale z temi białkami i przykrywszy, zostawić w spokoju do chwili podania, nie zamrażając je już więcej z białkami, zostawiwszy jednak w puszce, nie okładać lodem, lecz zmoczoną zimną płachtą. W chwili podania dodać

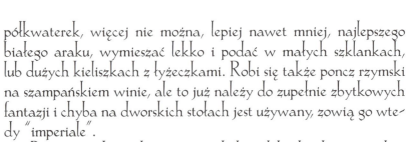

półkwaterek, więcej nie można, lepiej nawet mniej, najlepszego białego araku, wymieszać lekko i podać w małych szklankach, lub dużych kieliszkach z łyżeczkami. Robi się także poncz rzymski na szampańskiem winie, ale to już należy do zupełnie zbytkowych fantazji i chyba na dworskich stołach jest używany, zowią go wtedy "imperiale".

Poncz rzymski podaje się przy kolacji lub obiedzie, po rybie, roznosząc na tacy, a każdy stawia wziętą szklankę na talerzu przeznaczonym do dalszej potrawy. Takiż poncz roznosi się także podczas tańców.

12. KAWA NEAPOLITANSKA

Ugotować zwyczajnym sposobem mocną czarną kawę w dobrym gatunku, biorąc na kwartę wody ćwierć funta mielonej czystej kawy, gdy się zagotuje włożyć laskę połamaną wanilji i wymieszać dobrze. Gdy ostygnie i sklaruje się dobrze, zlać w wazę i wsypać funt miałkiego cukru. Osobno ubić na pianę kwartę kremowej śmietanki, a po wymieszaniu z kawą, wlać wszystko w puszkę od lodów i póty kręcić puszkę w kuble z lodem, póki kawa nie zacznie się zamrażać. Nie powinna być twarda, bo wtedy kawa nie dobra, lecz tylko gęstość kremu.

13. KAWA MROŻONA

Pół funta kawy mokka sparzyć czterema szklankami wrzącej wody — sypiąc kawę w woreczek płócienny, włożony w porcelanową wazę, parzyć po cztery łuty, każdą część oddzielnie jedną

szklanką, inaczej się źle sparzy; można nawet trochę więcej wody dolać, aby samego wyskoku kawy było cztery szklanki. Dwadzieścia cztery żółtek rozbić doskonale z dwoma funtami cukru miałkiego bardzo silnie, pół garnca zwyczajnej śmietanki zagotować, wrzuciwszy całą laskę połamaną wanilji, tą zagotowaną śmietanką zaparzać powoli ubite żółtka, które nigdy się nie zwarzą, wlawszy poprzednio łyżkę zimnej śmietanki w jaja. Gdy cała śmietanka dobrze z jajami wymieszana, wlać owe cztery szklanki wyskoku kawy, wymięszać i zostawić do wystudzenia. Czynność tę robi się przed południem w dzień przyjęcia na którem chcemy podać kawę. Wieczorem, około godziny 6 lub 7 wziąść kwartę kremowej śmietanki, ubić, wymieszać z przygotowaną massą kawową, włożyć w puszkę porcelanową umieszczoną w kuble z lodem, zakręcić z kwadrans tą puszką, zostawić na godzinę, znowu otworzyć, wymieszać łyżką osiadłą na ściankach puszki massę, znowu zakręcić z dziesięć minut, a powtórzywszy to działanie raz jeszcze, będziemy mieli wyborną kawę mrożoną na osób 50 najmniej, kawę przeparzoną, dosypawszy parę łyżek świeżej, zagotować raz na ogniu, a będziemy jeszcze mieli wyborną kawę do podania po kolacyi. Puszkę porcelanową z lodem dostarcza każda cukiernia, gdzie się robią zwykle obstalunki.

14. SZODO

Ćwierć funta cukru miałkiego, ubić z 6 żółtkami, wlać w to kwaterkę nie więcej, zimnego wina francuzkiego białego lub reńskiego, wszystko razem wlać w maszynkę blaszaną i na ogniu ciągle bić ubijaczką aż gęstnieć zacznie czyli w górę podchodzić, wtedy podać zaraz nie czekając żeby się zagotowało, bo opad-

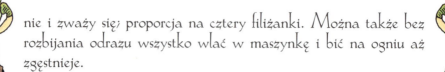

nie i zważy się; proporcja na cztery filiżanki. Można także bez rozbijania odrazu wszystko wlać w maszynkę i bić na ogniu aż zgęstnieje.

15. SORBETY Z MALIN NA SUROWO

Kto ma wielką obfitość malin, a oddalony od większych miast nie ma pewności korzystnego zbytu, może urządzać sorbety z lodów, które z łatwością zbyt w cukierniach znajdą. Dojrzałe zupełnie maliny, przebrane z listków i robaczków, przecierać przez gęste druciane sito łyżką lub ręką. Wziąść tej przetartej massy na szklankę, dwie szklanki miałkiego najlepszego z pod maszyny cukru, i w porcelanowej lub dobrze polewanej misce trzeć łyżką dużą czy też wał kiem godzin 12 w w jedną stronę. Tak utartą masse wlewać łyżką, bo będzie gęsta, w butelki, zakorkować i zalać lakiem. Używając do lodów lub cukrów w zimie zamiast soku, brać mniej cukru niżeli do surowych malin. Takie same sorbety robią się z poziomek, moreli, brzoskwiń i ananasu, z innych owoców nie używa się do lodów bo nie mają aromatu. Sposób ten jest wyborny.

16. CZEKOLADA

Dobroć napoju czekolady zależy głównie na dobrym gatunku samej czekolady. I tak: na trzy zwyczajne filiżanki, bierze się ćwierć funta dobrej waniljowej czekolady w tabliczkach, i łamie się ją w kawałki. Dwie filiżanki lekkiej śmietanki, mleka niezbieranego lub wody, postawić w rondelku lub maszynce na ogniu. Gdy płyn zawrze, wrzucić czekoladę i bić ubijaczką mosiężną od piany

tak długo, aż czekolada się rozpuści i zapieni mocno. Czekolada gotowa i wyborna bez maszynki i bez jaj a co najważniejsza, stokroć zdrowsza od tego zaprawionego jajami napoju, czekoladą, zwanego, który nasyca zbytecznie, a który prababki nasze robiły. Dobroć czekolady, powtarzamy, jest tu niezbędnym warunkiem, czekolada do której przymięszana jest mąka, nigdy się dobrze nie rozpuści, lecz zostawia na spodzie pewien gąszcz niesmaczny. Robiąc na wodzie bierze się ćwierć funta na dwie filiżanki.

17. MASSA ORSZADOWA

Najlepsza orszada jest w płynie, ale nie może się zbyt długo konserwować, chociaż w chłodnem miejscu zachowana, może być kilka tygodni. Funt migdałów słodkich, łut gorzkich oparzyć, obrać, utłuc w moździerzu i uwiercić w donicy; podzielić na 4 równe części, na każdą wlać kwaterkę gorącej wody i łyżką wyciskać przez sitko każdą część oddzielnie, następnie jeszcze raz przez rzadkie płótno wycisnąć, aż suche otrąbki zostaną, wtedy wlać w rondel, wsypać 3 funty cukru miałkiego i na wolnym ogniu mieszać dopóki się nie zagotuje; trzy minuty gotować się powinno, zdjąć z ognia, mieszać do ostudzenia i zupełnie zimne wlewać w butelki, a zakorkowawszy dobrze, zachować w piwnicy. Na otrąbki można jeszcze raz wlać nieco gorącej wody — wycisnąć, ostudzić i to użyć tego samego dnia.

SPOSÓB 2. Funt migdałów słodkich, 2 łuty gorzkich, oparzyć ze skórki, usiekać drobno, utłuc w moździerzu i utrzeć, dolewając po trochu kwaterkę wody; trzy funty cukru miałkiego wsypać do massy, a postawiwszy w rondlu na ogniu, mieszać ciągle dopóki dobrze nie zgęstnie, ciepłe zwijać trzeba w wałki w papier

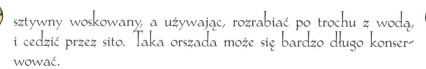

sztywny woskowany, a używając, rozrabiać po trochu z wodą, i cedzić przez sito. Taka orszada może się bardzo długo konserwować.

18. KARMELKI

Jeden funt cukru zamoczyć, ile przyjmie wody i postawić na mocnym ogniu, dla prędkiego zagotowauia, gdy się zagotuje, wlać dwie łyżki stołowe czystego mocnego octu i gotować, póki karmel nie będzie gęsty, próbując drewniana kopystką, umoczoną w syropie, a następnie w zimnej wodzie; jeżeli karmel tak ostudzony w ręku się kruszy i w ustach gryziony chrupie, to już ma dosyć. Wtedy wlać albo kropel miętowych albo olejku cytrynowego, różowego, waniljowego lub t. p., wymieszać i wylać na blat marmurowy posmarowany oliwą. Chcąc mieć karmelki malinowe lub czekoladowe, leje się przed zrobieniem próby, kieliszek bardzo mocnego soku, lub tabliczkę cztero-łutową czekolady, rozpuszczoną w pół kieliszku wody. Zanim karmelki przestygną, ponakrawać je w stosownej wielkości paski. Po wystudzeniu połamać i poobwijąc w papierki.

19. POMADKI ZWANE KREMOWE

Kremowej śmietanki kwartę, niezbyt gęstej, ale słodkiej zupełnie wlać w rondel, wsypać dwa funty miałkiego cukru, postawić na ogniu i mieszać kopystką drewnianą, wymieszawszy tak aby się cukier rozpuścił, włożyć pół laski wanilji połupanej wzdłuż; gdy się zagotuje, wlać łyżkę syropu kartoflanego, sprzedawanego w wielkich składach krochmalu, lub odrobinę na koniec noża kremotar-

tary, rozmieszanej z łyżką wody. Wlawszy to bić kopystką ciągle, dopóki gęstnieć nie zacznie, wtedy spróbować czy już dosyć w następny sposób: umoczyć duży i wskazujący palec w zimnej wodzie i natychmiast dwoma temi palcami wziąść odrobinę kremu, jeżeli w palcach twardnieje, to ma dosyć, jeżeli zostaje rzadki, to jeszcze bić na ogniu, póki nie będzie twardniał. Na marmurowy blat lub płaski półmisek posmarowany oliwą wylać gorący krem, gładząc nożem aby był równy. Z tego będą owe ciągnące się pomadki. Chcąc je mieć białe, po wylaniu, gdy trochę przestygną, wymieszać mocno kopystką i dopiero rozciągnąć nożem, co wszystko bardzo szybko iść powinno. Na kawowe, po zagotowaniu cukru ze śmietanką wlać kieliszek mocnej czarnej kawy; na czekoladowe kieliszek rozpuszczonej czekolady. Gdy wystygną krając nożem na podłużne kawałki i układać na papierki małe zawinięte z dwóch stron nożem.

RÓŻNE KONSERWY BEZ CUKRU, MARYNATY I T. P.

„Zła miłość w głodzie:
uprzykrzy się i samemu panu wojewodzie"

1. OCET DOMOWY

Do 10 garncy wody letniej, 1 garniec okowity, kwartę miodu praśnego, skórkę z pół bochenka chleba razowego świeżego, i funt kamienia winnego. To wszystko wlewa się w beczkę, której szpont przykrywa się płótnem, żeby powietrze dochodziło i stawia w miejscu ciepłem. Po zrobieniu octu, który nie wcześniej jak w tygodni ośm będzie dobry, gdy się zleje w gąsiory na to samo gniazdo, można wlać tę same ilość wody, okowity, miodu kwaterkę a chleba i weinsztajnu już nie trzeba, do tego rozczynu dodać jeszcze można chmielu kwaterkę. Taki proces odlewania octu i dolewania wody prowadzić można lat kilka od trzech do sześciu nawet — dopiero gdy już ocet zaczyna słabnąć całe użyciu do stołu, zakolorować go palonym karmelem, będzie złotawego koloru, lub zafarbować sokiem wiśniowym czy nawet malinowym, nie przesadzając jednakże, a nabierze ślicznego rubinowego koloru, słodyczy i aromatu.

2. OCET DOMOWY ŁATWIEJSZY

Wlać w baryłkę dębową 6 garncy wody miękiej i garniec okowity. Arkusz zwyczajny czystego papieru, posmarować z dwóch stron miodem, a zwinąwszy w trąbkę wpuścić w baryłkę, z lekka ją zatykając; postawić w ciepłym pokoju gdzie stać powinno najmniej sześć tygodni, po których ocet powinien być zdatny do użycia, zależy to jednak od temperatury i zewnętrznych okoliczności. Można tym sposobem urządzić dwie lub trzy baryłki, aby zawsze mieć ocet do użytku; gdy z jednej wychodzi, z drugiej

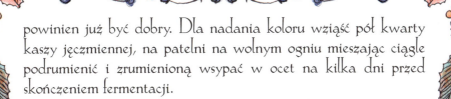

powinien już być dobry. Dla nadania koloru wziąść pół kwarty kaszy jęczmiennej, na patelni na wolnym ogniu mieszając ciągle podrumienić i zrumienioną wsypać w ocet na kilka dni przed skończeniem fermentacji.

3. RYDZE W MAŚLE JAK ŚWIEŻE

Świeże rydze wybrane, najlepiej średniej wielkości, to jest więcej mniejsze niżeli większe, zdrowe zupełnie, gdyż to jest bardzo ważne, obciera się ściereczką na sucho z piasku i ziemi. Włożyć w rondel masła niesolonego młodego, dobrego, żeby nie było gorzkie, rachując naprzykład na garniec rydzów bez czuba czyli strychowany garniec, kwartę tego masła, i na to masło wsypać rydze, dopiero postawić na wolnym ogniu i bez przykrycia dusić dopóty, dopóki masło nie zostanie zupełnie czyste, to jest klarowne, często ostrożnie łyżką lub rondlem potrząsając. Gdy już masło klarowne widać, zestawić z ognia rondel, mieć w pogotowiu słoiki, nie potrzeba kompotjerów, ale jeżeli są kompotjery szerokie w szyjce, to można w kompotjery łyżką nakładać rydze razem z masłem, w którym się smażyły, tak, aby na wierzchu zawsze masło było; gdy zastygnie masło, obwiązać słoiki pęcherzem, wstawić w rondel głęboki, obstawić sianem, zimną wodą nalać i gotować, od zagotowaniu wody 15 do 20 minut, potem do wystudzenia niech w wodzie zostaną. Gdy zaś się będzie brało do użytku w zimie, wstawić słoik w rondel z gorącą wodą, żeby się masło dobrze rozpuściło; odwiązać pęcherz, spróbować masło, jeżeli nie zgorzkło, to z tem samem można podać, wylać rydze w rondelek, posolić, zasypać troszkę bułeczką suchą tarta, pieprzu i tak odgrzać, uważając pilnie, żeby się już nie smażyły, tylko zagrzały, gdyż inaczej stwardnieją. Jeżeli zaś masło nie dobre, na durszlak ze słoika wylać rydze i włożyć w świeże masło, a będą jeszcze lepsze; kto tylko nie żałuje masła; to tak niech zrobi, gdyż świeże masło zawsze lepsze będzie, tamte zaś można użyć do pieczeni.

4. RYDZE MARYNOWANE

Sposób pierwszy i najlepszy. Rydze drobne i średnie, gdyż do marynowania nigdy dużych brać nic można, zdrowe, opłukać w zimnej wodzie i na przetaku dobrze osączyć z tej wody. Włożyć w rondel rydze przesypując warstwami krajaną w plasterki cebulą, przykryć rondel, niech się tak same rydze z cebula tylko duszą, potrząsając często rondlem, aby się nie przypaliły; gdy już dobrze podduszone, tak, że niewiele sosu już jest, dolać szklankę dobrego octu, niech się parę razy z tym octem zagotują, i gdy już nie wiele sosu zostanie, wylać rydze w słój i zimnym przygotowanym octem zalać to, co będzie brak sosu, uważając, aby ocet na wierzchu rydzów stał, pęcherzem zawiązać, gdy przestygną, i w suchej piw-nicy lub spiżarni trzymać. W zimie chcąc używać, posolić i jeżeli kto lubi podawać razem z cebulą i galaretą, która się uformuje z sosu. Jeżeli zaś kto chce podać bardzo elegancko, wybrać rydze z galarety, cebulę powybierać, posolić, polać oliwą i octem.

Rydze solone. Wiele osób najlepiej lubi rydze tylko solone, te się urządzają, następującym sposobem. Wybrane rydze ocierają się do czysta na sucho ściereczką, układają w kamienny słój lub garnek, przesypując solą i cebulą; gdy się naczynie napełni, przy-kryć je trzeba denkiem dobrze pasującem i przycisnąć kamieniem. Używając w zimie, wypłukać z soli w czystej wodzie, nalać oliwą, octem i posypać pieprzem. Rydze takie zowią się solone; można

je także gdy skwaśnieją wybrać z naczynia, w którem były, wypłukać w wodzie na wpół z octem, ułożyć w czysty słój i zalać
przegotowanym octem z cebulą, angielskiem zielem i pieprzem.

5. GRZYBY MARYNOWANE

Młode grzyby, dopóki jeszcze są białe wewnątrz, opłukać
dobrze, ułożyć w rondel lub lepiej w duży gliniany tygiel, przesypać krajaną w plasterki cebulą i dusić z początku pod pokrywką,
później bez pokrywy, dopóki się prawie zupełnie sos nie wygotuje,
często ostrożnie mieszać, żeby się nie przypaliły. Gdy się już sos
wygotuje dostatecznie, wybrać same grzyby, niech na półmisku
cokolwiek przestygną; poukładać w słój i zalać octem przegotowanym i ostudzonym; kto lubi, może w ocet włożyć korzeni,
nie wiele jednak. Ocet powinien być nad grzybami; pęcherzem
obwiązać i w suchem bardzo miejscu trzymać. Do grzybów trzeba
dobrego octu i starannego przechowania, gdyż takowe daleko
łatwiej zepsuciu podlegają niż rydze. Gdy pleśnieją, wybrać,
wypłukać w przegotowanym occie zimnym i nalać świeżym przegotowanym.

Drugim sposobem można jeszcze marynować grzyby, którego
zwykle używają kucharze. Opłukawszy grzyby, wstawić w rondlu
wody, mocno ją osoliwszy; gdy się już ma gotować, wrzucić grzyby, odgotować kilka razy, odcedzić z wody, ułożyć w stój i zalać
zimnym octem, przegotowanym z małą ilością korzeni. Tak samo
robią się i rydze, nie są jednak tak smaczne.

6. GRZYBY SUSZONE NA JARZYNĘ

W czasie największej obfitości grzybów wybierać jędrne, białe i jasno-żółtawe, krajać bez korzonków w paski i suszyć na lasach z korzeni (rodzaj desek do suszenia owoców używanych) na słońcu, starając się od wschodu do zachodu słońca poddawać je ciągle palącym promieniom nem w każdą puszkę wrzucić mały kawałek imbiru suchego, puszki kazać zalutować blacharzowi. Zalutowane poustawiać w kotle lub szerokim rondlu, zalać zimną wodą i zagotować „au bain marie", to jest: gdy się woda z 10 minut gotuje, odstawić ją, a gdy wystygnie powyjmować puszki i zachować w piwnicy, raz na tydzień przewracając puszki do góry dnem. Podając na stół jak świeże, rozgrzać puszkę w gorącej wodzie, odlutować, zlać smak, a gorącą puszkę owinąć w serwetę, podając do trufli młode masło i sól. Używając do sosów krajać w plasterki i używać smaku.

SPOSÓB 2. Po oczyszczeniu zupełnem trufli szczotka ostrą z ziemi i wszelkich nieczystości — nie obierając je ułożyć w kompotjery, na spód nalać kieliszek czerwonego wina, wrzucić jeden ząbek czosnku, co jest konieczne, bo inaczej nie będą miały aromatu; resztę dolać kseresem lub maderą krymską, które to wino o wiele taniej kosztuje; zawiązać pęcherzem, wstawić w kociołek z zimną wodą i gotować od zagotowania wody całą godzinę. Biorąc do użytku odmoczywszy pęcherz, wyjąć trufle, obrać je z cienkiej powłoki, pokrajać w paski i gotować w bulionie lub rosole. Sposób ten jest mniej ambarasowny ale nie do podania jak świeże.

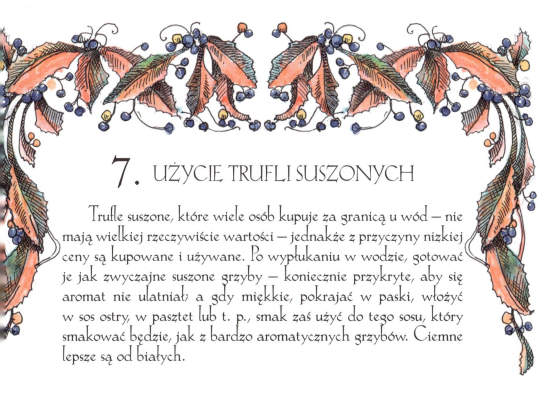

7. UŻYCIE TRUFLI SUSZONYCH

Trufle suszone, które wiele osób kupuje za granicą u wód – nie mają wielkiej rzeczywiście wartości – jednakże z przyczyny nizkiej ceny są kupowane i używane. Po wypłukaniu w wodzie, gotować je jak zwyczajne suszone grzyby — koniecznie przykryte, aby się aromat nie ulatniał; a gdy miękkie, pokrajać w paski, włożyć w sos ostry, w pasztet lub t. p., smak zaś użyć do tego sosu, który smakować będzie, jak z bardzo aromatycznych grzybów. Ciemne lepsze są od białych.

8. MASŁO RAKOWE

Opłukane w zimnej wodzie raki jakiejkolwiek wielkości, wrzucić w rondel z gotującą się wodą dobrze osoloną z koprem, gdy się parę razy zagotują odstawić, na chwilkę przykryć, następnie zlać wodę, raki wyrzucić na półmisek, ażeby obeschły, poobierać szyjki i nóżki, a same skorupki pozostawić na sicie na słońcu lub na godzinę na blasze kuchni angielskiej — aby dobrze obeschły. Wtedy same skorupki tłuc w moździerzu, przesiać przez sito rzadkie i na funt tego proszku biorąc funt najmniej najlepszego masła młodego niesolonego, przetłuc go jeszcze raz z proszkiem w moździerzu i włożyć w rondel, postawiwszy na małym ogniu lecz nie na płomieniu, ciągle mieszać, a gdy się zacznie dobrze smażyć i nabierze masło koloru rakowego, przecedzić go, wycisnąć przez płótno i wlać w kamienny słoik, mieszając łyżką aż póki stygnąć nie zacznie, gdyż inaczej warstwa wierzchnia będzie odmienna czyli tłuściejsza od spodniej, położyć na wierzch papierek umaczany w oliwie, zawiązać pęcherzem i trzymać w zimnej a nie wilgotnej piwnicy.

9. SZYJKI I NÓŻKI RAKOWE NA ZIMĘ

Ugotowane jak zwykle raki z solą i koprem, wystudzić dobrze, obrać starannie, aby nie porozrywać szyjek i łapek, ułożyć na sita lub przetaki i postawić na kilka godzin na słońcu, żeby dobrze obeschły, wtedy układać je w kompotjery, zalać zimną gotowaną osoloną wodą, obwiązać pęcherzem, wstawić w rondel z zimną wodą i gotować od zagotowania minut 20. Schować w chłodnej spiżarni, lepiej niżeli w piwnicy. W zimie wyjmować od razu do wazy.

10. ESSENCJA DO OSTRYCH SOSÓW

Wziąść pół kwarty wina zwanego porte-wein, i kieliszek bardzo tęgiego estragonowego octu, włożyć w to 12 serdeli obranych, trochę pieprzu, pół gałeczki muszkatołowej utartej, trochę kwiatu muszkatołowego, kilka goździków całych, kawałek chrzanu, kawałek skórki cytrynowej, kilka pietruszek, trochę tymianu, wszystko razem postawić w rondelku na bardzo wolnym ogniu aż serdele zupełnie się rozgotują; wtedy przecedzić wszystko przez sitko, a gdy ostygnie zlać w butelkę i mocno zakorkować. Essencja taka używa się do wszelkich ostrych sosów, mianowicie do kotletów, dodając jej tylko do rumianego masła z mąką zarobionego lub do potrawki z kaczek, z kapłona, szczególniej zaś ze zwierzyny, do cynadrów wieprzowych, a nawet do pieczeni baraniej. Utrzymać się daje przez cały rok w chłodnem miejscu.

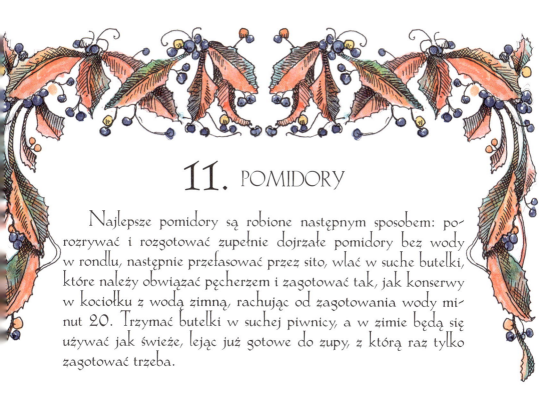

11. POMIDORY

Najlepsze pomidory są robione następnym sposobem: po-rozrywać i rozgotować zupełnie dojrzałe pomidory bez wody w rondlu, następnie przefasować przez sito, wlać w suche butelki, które należy obwiązać pęcherzem i zagotować tak, jak konserwy w kociołku z wodą zimną, rachując od zagotowania wody minut 20. Trzymać butelki w suchej piwnicy, a w zimie będą się używać jak świeże, lejąc już gotowe do zupy, z którą raz tylko zagotować trzeba.

12. ZAPRAWA POMIDOROWA DO SOSÓW NA ZIMĘ

Pięć funtów dojrzałych i czysto obtartych pomidorów, oraz jeden funt obranej i w talarki pokrajanej cebuli upiec pod blachą i przefasować; poczem na mocnym ogniu gotować godzinę pilnując, żeby się nie przypaliły. Wziąść utłuczonych i przesianych: jeden łut soli, ćwierć łuta gwoździków, ćwierć łuta pieprzu zwyczajnego, tyleż angielskiego, ćwierć łuta muszkatołowej gałki, ćwierć łuta kajenny, ćwierć funta cukru, dolać pół kwarty winnego octu, wrzucić jeden ząbek utartego czosnku, trzy listki bobkowe; to wszystko dobrze wymieszać z pomidorami i smażyć na wolnym ogniu godzin trzy. Zlać w słoiki po ostudzeniu, zawiązać pęcherzem. Smażenie to powinno się odbywać w naczyniu glinianem. Do wszystkich ostrych sosów i do każdej pieczeni wołowej lub baraniej, włożyć łyżkę tej zaprawy.

13. GALARETA Z POMIDORÓW

Dojrzałe pomidory pokrajać w plastry i nastawiwszy w glinianem naczyniu, gotować na wolnym ogniu, dolewając tyle tylko wody, aby się nie przypaliły. Gdy się rozgotują na massę, odcedzić sok przez gęste sito lub flanelowy worek, dodać na kwartę soku jeden funt cukru miałkiego, a gdy się zupełnie rozpuści, zagotować na mocnym ogniu raptownie. Podawać do baraniny z rożna, zająca, kaczek pieczonych i t. p.

14. SUSZONE POMIDORY

Małe, nie bardzo dojrzałe, twardawe ale czerwone jednak owoce, umyć, obetrzeć, rozdzielić na cztery części, i albo na słońcu, lub też na wygasłem ognisku wysuszyć, starannie je przytem przewracając. Lepiej jest suszyć je na ognisku, gdyż od zbyt silnego słońca owoce nabierają nieprzyjemnego smaku, następnie tak przygotowane pomidory biorąc do użycia, ugotować w rosole i przefasować, a będą smakowały jak świeże. Do takiego użycia nie należy nigdy kupować ani hodować wielkich pomidorów, gdyż te oprócz cierpkości, zawierają znaczną ilość wody, a w porównaniu bardzo mało mięsa.

15. FASOLA ZIELONA NA ZIMĘ

Wszelkie gatunki fasoli i groszku szparagowego można zachować na zimę, dla podawania jak świeże na jarzynę. Młodą fasolę zieloną obrać z włókien, jakie są z boku i sypułek, układać w baryłkę lub garnek szeroki kamienny, czy też polewany, za każdą war-

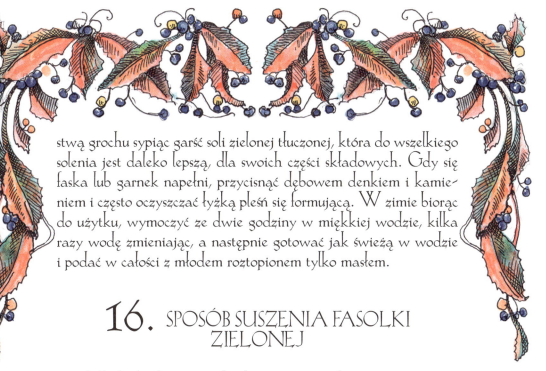

stwą grochu sypiąc garść soli zielonej tłuczonej, która do wszelkiego solenia jest daleko lepszą, dla swoich części składowych. Gdy się faska lub garnek napełni, przycisnąć dębowem denkiem i kamieniem i często oczyszczać łyżką pleśń się formującą. W zimie biorąc do użytku, wymoczyć ze dwie godziny w miękkiej wodzie, kilka razy wodę zmieniając, a następnie gotować jak świeżą w wodzie i podać w całości z młodem roztopionem tylko masłem.

16. SPOSÓB SUSZENIA FASOLKI ZIELONEJ

Młodą fasolę w strączkach wrzucić w całości w gotujący się, dobrze osolony ukrop i raz zagotować. Natychmiast po zagotowaniu wyjmować łyżką durszlakową i kłaść do zimnej wody, nie można odlewać na durszlak, bo leżąc grubą warstwą zanadto miękną, a gdy zupełnie wystygną, wybierać na stary obrus, żeby reszta wody wsiąkła i krajać na ukośne kawałki, większe lub mniejsze. Dalej suszyć jak najrzadziej rozrzucone, na słońcu lub pod strychem w przewiewnem miejscu na deskach lub przetakach. Na dobrem wysuszeniu zależy dobroć fasoli; ususzone chować w pudełkach. Biorąc do użycia, wrzucić w gorącą wodę na 5 minut, wyjąć i gotować dalej jak świeżą.

17. GROSZEK ZIELONY W KONSERWIE

Wybrać dojrzały, ale nie przestały, cukrowy groszek równej wielkości, a po wyłuskaniu starannem sypać w butelki czyste, suche, zawiązać pęcherzem lub zakorkować i zalać pakiem, wstawić w kociołek z zimną wodą, przełożyć sianem, aby jedna butelka nie trącała drugiej i gotować, rachując od zagotowania wody w kociołku minut 25. Zdjąć z ognia i zostawić flaszki w wodzie aż ostygną. Zachować w suchej spiżarni, bo w piwnicy zawsze pleśnieją. Grochu sypać pełno, jednak flaszką nie utrząsać, po zagotowaniu sam opadnie. W zimie biorąc do używania, wysypać z butelki, posolić i ugotować na ukropie, w czasie gotowania pocukrzyć, polewając po odcedzeniu młodem roztopionem masłem lub gotować w małej ilości wody i zaprawić młodem masłem z mąką i cukrem. Smakuje jak świeży.

18. SZPARAGI W KONSERWIE

Szparagi, ta najszlachetniejsza i najdroższa jarzyna, tak trudna do przechowania w stanie surowym, doskonale się utrzymuje w konserwie. W maju lub początkach czerwca, gdy największa obfitość szparagów, zebrać równej wielkości z białemi główkami, oczyścić jak zwykle bardzo starannie z wierzchniego naskórka, związać po 10 sztuk razem rogóżką, wiążąc je dwa razy, w górze raz, w dole drugi raz, urównać, aby główki zupełnie równą powierzchnię utworzyły, w dole skroić równo brzegi i w dużym rondlu, na bardzo obfitej wodzie gotować, kładąc w gorącą wodę osoloną i ocukrzoną, nie więcej jak pięć do dziesięciu minut. Wtedy wyjąć ostrożnie na sito do ostudzenia, przelewając je zaraz wodą następnie osączyć doskonale. Mieć słoiki z szerokimi otworami w górze, ale zawsze formą, kompotjery, włożyć ostrożnie jeden lub dwa związane pęki szparagów w słój, nalać zimną osoloną wodą, przykryć pęcherzem, obwiązać mocno i ugotować

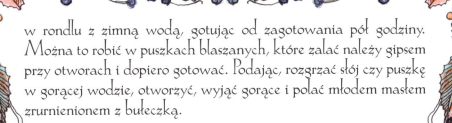

w rondlu z zimną wodą, gotując od zagotowania pół godziny. Można to robić w puszkach blaszanych, które zalać należy gipsem przy otworach i dopiero gotować. Podając, rozgrzać słój czy puszkę w gorącej wodzie, otworzyć, wyjąć gorące i polać młodem masłem zrurnienionem z bułeczką.

19. KALAFIORY W KONSERWIE

Konserwa z kalafiorów urządza się najlepiej w sierpniu lub wrześniu. Duże okazy bardzo dojrzałych białych kalafiorów połupać ręką na kawałki czyli gałęzie jak je natura podzieliła, wypłukać, lejąc do wody parę kropel octu, aby robaki, jakie są, wyszły. Następnie w dużym rondlu wstawić wody, posolić dobrze, wrzucić kilka kawałków cukru, włożyć kalafiory i gotować z pół godziny, to jest tyle ile wymaga ilość i objętość kalafiorów, próbując widelcem drewnianym czy są już prawie miękkie, powtarzam prawie, to jest pilnując aby się nie przegotowały, odlać wodę, kalafiory na sicie przelać zimną wodą, a gdy ostygną, układać w słoje z szerokimi otworami, nalać czystą świeżą przegotowaną wodą, tak, aby przykryła, obwiązać pęcherzem lub pasującym mocno szklannym korkiem, zalać gipsem, wstawić w rondel z wodą i gotować od zagotowania wody w rondlu 30 minut, odstawić do wystudzenia i wtedy dopiero wyjąć słoje z wody. Trzymać w suchej zimnej spiżarni, w piwnicy choćby najlepszej pleśnieją. Biorąc do użycia otworzyć słój, rozgrzać go stawiając razem z wodą w gorącą wodę w rondlu, odlać wodę gdy się dostatecznie rozgrzeją i polać masłem z rumianą bułeczką, podając oddzielnie masło młode w sosierce.

20. SZCZAW SOLONY NA ZIMĘ

Najlepszy i najłatwiejszy sposób zachowania szczawiu na zimę jest następujący: świeże wybrane bez korzonków liście szczawiowe, bez płukania posiekać jak najdrobniej i na misce lub na stolnicy gdzie były posiekane posolić, pilnując bacznie, aby nie przesolić; proporcyi dać na solenie niepodobna, gdyż liści szczawiowych trudno jest ważyć lub mierzyć. Posolone liście wymieszać starannie, nakładać niemi czyste suche butelki, o ile można z szerokiemi szyjkami, zakorkować dobrze i zalać albo pakiem, albo lakiem. Zachować w suchej piwnicy, a biorąc do użytku, zawsze po odkorkowaniu na świeżo zalać lakiem. Używając, dusić w maśle, przełasować rosołem i zaprawić śmietaną.

21. OGÓRKI

Ogórki kwasić należy w sierpniu. Dobroć ogórków na zimę, zależy głównie od piwnicy i ogórków samych. Trzeba uważać, żeby ogórki mające się kwasić na zimę, nie były przestałe, ani zbyt wysuszone przez słońce; lecz jędrne, zielone, zbierane w suchy dzień i jak można najprędzej po zerwaniu urządzane. Wypłukać je w wodzie bez obrzynania korzonków, w przygotowaną baryłkę czy beczkę dębową lub olszową położyć na spód liści dębowych i wiśniowych, układać ogórki, ciągle warstwami przesypując koprem suchym jak kapustę i liśćmi, gdzieniegdzie kładąc strączek pieprzu tureckiego i ząbek czosnku; to jest na beczkę ogórków, w której będzie dziesięć kóp, wystarczy jedna główka czosnku na ząbki połupana i 3 najwyżej strączki pieprzu tureckiego, który nadając ostrość, utrzymuje jędrność ogórków. Zaszpontować baryłkę napowrót wyjętem denkiem i szpontem nalać wody wrzącej, posolonej; na drugi dzień dolać zimnej przegotowanej wody bo woda opadnie, i zaraz zaszpontować, wstawić do piwnicy, postawić ją leżącą i co parę dni przewracać, żeby wszędzie równo się kwasiły ogórki. Na każde 4 garnce wody bierze się jeden funt soli i łut saletry. Zalewać ogórki wolno z przestankami, aby powietrze miało czas wyjść z beczki. W zimie najlepiej jeżeli szpont jest dość duży, tym otworem wyjmować ogórki starannie zawsze napowrót szpont zakładając.

22. OGÓRKI NA ZIMĘ W ZIMNEJ WODZIE

Zawsze pierwszym warunkiem jest dobroć ogórków, kwasić w końcu sierpnia, brać ogórki zielone, podłużne, świeże, układać bez obcinania w baryłkę, sypiąc na kopę pół funta soli, liści wiśniowych, winogronowych, dębowych kilka, kopru, kawałki chrzanu. Tak ułożone zalać zimną, dobra, twardą surową wodą, przykryć denkiem i gałgankiem jak kapustę, z lekka tylko małym kamyczkiem przykładając, aby sos stał na wierzchu i postawić w piwnicy, często denko obmywać aby się pleśń nie formowała. Będą jak świeże.

23. OGÓRKI KWASZONE Z OCTEM

Trzy garnce wody, szklankę winnego octu, szklankę wódki francuzkiej, półtora funta soli, zagotować razem. Opłukane ogórki bez okrawania końców ułożyć w baryłkę, przekładając liśćmi wiśniowemi, winogronowemi, gdzieniegdzie dębowemi, tych ostatnich bardzo nie wiele, kawałkami chrzanu, posypać koprem i jeżeli kto lubi, czosnku kilka ząbków na całą baryłkę. Z wierz chu pokryć grubą warstwą liści, aby ogórków nie było widać i otworem na szpont zrobionym zalać gotującym odwarem do pełna, zaraz zaszpontować z lekka. Na drugi dzień otworzyć, dolać pełno pozostawionym jeszcze sosem, gdyż zawsze opadnie; gdy ostygnie, zaszpontować i zalać pakiem. Ogórków powinno być tylko tyle, aby sos je z łatwością dobrze pokrywał i aby ogórków nie upychać. Postawione w dobrej nie wilgotnej piwnicy, do świeżych wiosennych dotrwają, smakując najwyborniej.

24. OGÓRKI KWASZONE WE 24 GODZIN

Chcąc mieć prędko zakwaszone ogórki do natychmiastowego użycia, trzeba po opłukaniu oberżnąć końce z dwóch stron, włożyć w słój kamienny lub szklanny, przesypać solą, przełożyć koprem świeżym i nalać wolną wodą, do której wlać jedna czwartą część białego żytniego barszczu, lub w braku takowego, włożyć kawałek razowego chleba, a postawione w ciepłem miejscu, literalnie we 24 godzin ogórki są do użycia. Naturalnie, że na kilka godzin pierwiej trzeba wynieść do piwnicy aby zziębły.

25. KORNISZONY

SPOSÓB 1. Korniszony bez płukania przesypywać dobrze solą w garnku lub na misce; niech tak stoją godzin 12, często mieszając. Po tym czasie obetrzeć każdy do sucha ściereczką i na misce sparzyć gorącym lekkim octem. Niech tak stoją 24 godzin;

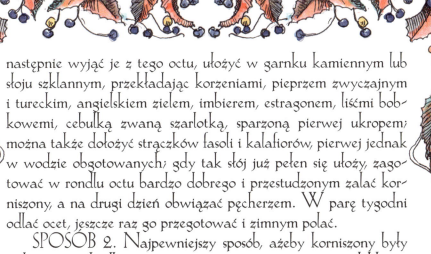

następnie wyjąć je z tego octu, ułożyć w garnku kamiennym lub słoju szklannym, przekładając korzeniami, pieprzem zwyczajnym i tureckim, angielskiem zielem, imbierem, estragonem, liśćmi bobkowemi, cebulką zwaną szarlotką, sparzoną pierwej ukropem; można także dołożyć strączków fasoli i kalafiorów, pierwej jednak w wodzie obgotowanych; gdy tak słój już pełen się ułoży, zagotować w rondlu octu bardzo dobrego i przestudzonym zalać korniszony, a na drugi dzień obwiązać pęcherzem. W parę tygodni odlać ocet, jeszcze raz go przegotować i zimnym polać.

SPOSÓB 2. Najpewniejszy sposób, ażeby korniszony były zielone a nieszkodliwe, jest następujący: zagotować garniec lekkiego octu z funtem dobrej wagi soli i 8 gramami ałunu, wrzucić w gotujący ocet wytarte ściereczką korniszony i zaraz zdjąć z ognia. Gdy ostygną, schować w garnku lub słoju w piwnicy. W 10 lub 15 dni zlać ten ocet precz, wysypać korniszony na przetaki, niech trochę obeschną, słój wytrzeć do sucha, układać korniszony przekładając korzeniami jak w 1 sposobie i polać je octem bardzo mocnym po zupełnem wystudzeniu, i obwiązać koniecznie pęcherzem.

26. PIKLE

Piklami zowią się rozmaite młode jarzynki, urządzone na sposób korniszonów, to jest: młoda marchew, kalafiory, szparagi, zielona fasola, nasturcja; łodygi od młodej sałaty, kukurydza pokrajana, szarlotki, ogóreczki i t. p.; te urządzają się w następujący sposób: każda jarzynka odparza się kładąc ją w zimną, wodę, trzymając na ogniu póki się woda nie zagotuje, odlewa, następnie soli i nalewa ciepłym lekkim octem; a po dwóch tygodniach zlawszy ten ocet, dopiero nalewa się bardzo mocnym, z różnemi korzeniami przegotowanym, ostudzonym, i obwiązuje pęcherzem.

27. SZARLOTKI MARYNOWANE

Szarlotki lub inne drobne cebulki obrać i posolić na 24 godzin. Obetrzeć z wilgoci, zagotować bardzo mocnego octu z korzeniami, wrzucić cebulki, zagotować dwie minuty, a gdy ostygną, wlać w słój i obwiązać pęcherzem.

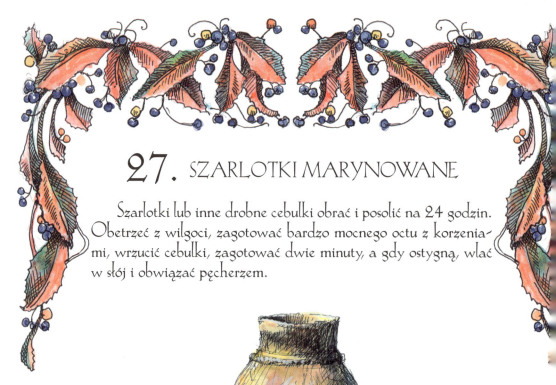

28. OGÓRKI Z GORCZYCĄ

Wybiera się ogórki zielone, żeby miały dużo mięsa, obiera, przekrawa na wpół; wyrzuca jądra ze środka, kraje każdy ogórek na cztery części czyli ćwiartki podługowate, soli, niech tak stoją 24 godziny potem wyciska się z soli, obciera serwetą i parzy lekkim octem; przez trzy dni trzeba ten ocet zlewać, zagotowywać i parzyć nim ogórki. Na czwarty dzień ułożyć ogórki w słój, przesypując przetłuczoną gorczycą, chrzanem w kostkę krajanym i nalać zaraz zimnym mocnym octem przegotowanym z cukrem, biorąc na kwartę octu pół funta cukru. Obwiązać pęcherzem i schować w suche miejsce.

29. KAPUSTA KWASZONA

Dziś już nikt zapewne nie każe heblować kapusty do kwaszenia, gdyż tylko krajaną nożem, można używać na sałatę. Otóż krając nożem, nie rozrzynać główek na pół przez głąb, lecz przekroić wypukłością główki na dwie połowy, z których górna będzie mniejsza i dopiero krajać, zaczynając od środka, przeprowadzając nóż na wszystkie strony, aby cienko się szadkowała. Wybierać same białe główki — z zielonych kapusta będzie szarawa; krajać tak aby nie dochodzić do głąbów, lecz same białe liście szadkować — grubszą przy głąbach użyć na kwaszenie kapusty dla służby. Beczka czy baryłka, najlepiej dębowa od wina, powinna być wyparzona i wyszorowana w wilią roboty. W suchą tedy beczkę, położyć na spód czystych liści z obranej kapusty, następnie sypać uszadkowaną przetakiem, za każdem usypaniem posolić garścią soli, pomię szać i sparzyć ukropem wody, która powinna się cięgle warem gotować, podczas układania kapusty. Biorąc soli funt na kopę drobnej kapusty, dwa funty na średniej wielkości a 3 jeżeli kapusta bardzo duża. Nie trzeba niczem innem, tylko rękoma upychać mocno, bo sama kapusta ustępuje pod sparzeniem wodą gorąca. Woda powinna być koniecznie źródlana i dobra — używana do picia. Usypawszy, parząc ciągle po jednym przetaku, cała beczkę, ucisnać jeszcze mocno rękoma i zostawić w kuchni lub w pokoju, w temperaturze od 12 do 14 Reaumura. Gdy się zacznie podnosić, czyli fermentować, przetykać, aby gorycz wychodziła, długim drewnianym kijem. Po dziesięciu dniach, nie dłużej — można i po ośmiu, jeżeli w miejscu gdzie stała, było ciepło; wynieść do piwnicy, gdzie, jeżeli już nie czuć goryczy, zrzuciwszy jedną warstwę z wierzchu, przykryć czystem płótnem, przyłożyć denkiem i kamieniem, a w tydzień już kapusta wyborna, bez żadnej goryczy będzie do użycia. Kapusta taka jest hygieniczna i zalecana przez doktorów.

30. SAŁATA ZIMOWA Z KAPUSTY NA CZERWONO

Daleko smaczniejsza i zdrowsza od czerwonej parzonej, a równie ładną z powierzchowności jest biała, urządzona na czerwono w następujący sposób: piękną białą kapustę, wybierając same ścisłe główki, poszadkować cienko. Osobno obrać na dwie kopy kapusty, pół ćwierci ćwikłowych buraków i pokrajać je w cienkie plastry. W czystą beczkę dębową, najlepiej po winie, sypać grubą warstwą kapustę soląc ją lekko i upychając tylko rękoma, na to położyć cienką warstwę buraków, na to znów kapustę grubą warstwą i znowu buraki, ciągle przesypując solą i upychając mocno ale tylko rękoma. W ciągu tego, gdy już 1/4 beczki napełniona, wlać wody wrzącej tyle, aby ledwie pokryła kapustę i tak postępować ciągle soląc, parząc i upychając rękoma. Po wypełnieniu beczki zostawić ją dni 8 do 10 w spokoju, przetykając tylko kijem, dla wydostania się goryczy. Gdy zacznie fermentować, zrzucić z wierzchu trochę obśliżłej, przykryć gałganikiem i przycisnąć kamieniem. Kapusta taka ma tę wielką zaletę, iż oprócz ślicznego różowego pozoru, nabiera słodyczy od buraków. Im więcej buraków, tem czerwieńsza. Biorąc kapustę buraki odrzucić, gotując je dla służby. Można również upiec ćwikłowe buraki, obrać i pokrajane w plastry używać jak wyżej, wtedy można buraczki, biorąc kapustę, poszadkować drobno i razem z nią zaprawić jako sałatę, będzie tak słodką, iż przy użyciu mało się dodaje cukru, tylko oliwę.

31. KAWIOR

Drogość kawioru, a ogromna pokupność takowego, była powodem, iż z pomocą innych doszłam do wybornych rezultatów, w wyrabianiu tego doskonałego delikatesu, tak powszechnie lubionego.

Otóż pierwszym warunkiem jest, aby robiony był w temperaturze zera, tak jak go uprawiają w Cesarstwie. W początku maja, jak tylko pokażą się jesiotry, rano przed wschodem słońca, brać ikrę całą w ogromnych kawałach i moczyć w roztworze soli 5 funtów na garniec źródlanej wody, — moczyć godzin 3 do 4. Następnie mieć ramki drewniane wielkości 16 cali w kwadrat, ramki powleczone być muszą siatką z grubych szarych nici, na siatkę kładzie się wyjęta z soli ikra, nad podstawionym sitem nad wanienką, czy miską dużą z lodem ustawiona i rękami przeciera się ziarnka, które odłączone z błony śluzowej spadają czyste i niekaleczone, jak to miewa miejsce przy robocie widelcem — ciągle jednak robota ta powinna mieć miejsce w temperaturze zera, a więc nad ramką i pod sitem, gdzie spada czysty kawior, powinien się znajdować lód. Po przetarciu wszystkiej ikry, rozłożyć ją płasko na sicie, jeszcze trochę miałką przesiana zieloną solą posolić, próbując, aby nie była za słona, zawsze nad lodem, a gdy zbyteczna wilgoć odpłynie, układać w garnki kamienne lub baryłki dębowe; z wierzchu, jeżeli w garnku ułożony kawior, przykryć papierem albuminowym, mocno oliwą nicejska posmarowanym — jeżeli w baryłce, zaszpontować i wstawić do lodowni, tak jednak, aby nie koniecznie stała baryłka na lodzie, a jednak w lodowni. Z doświadczenia wiem, iż taki kawior utrzymać można do Nowego Roku, biorąc z baryłki w miarę potrzeby, zabijając napowrót i trzymając zawsze

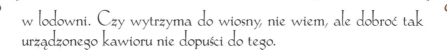

w lodowni. Czy wytrzyma do wiosny, nie wiem, ale dobroć tak urządzonego kawioru nie dopuści do tego.

32. WĘDZENIE WĘGORZY

Podaję tu sposób wędzenia węgorzy sprowadzanych z zagranicy, które przepłacamy w handlach delikatesów. Węgorza żywego uderza się między oczy tłuczkiem moździerza, żeby przestał żyć; wyciera się zimnym popiołem lub piaskiem, dla obtarcia szluzu, rozpara się brzuch i soli do proporcyi, po nasłonieniu rozpina tak, jak śledzie łososiowe, na drewienkach, obwija dobrze w papier i przywiązuje do kija lub rożna, przez całą długość węgorza. Zakłada się na najwyższe haki wilków żelaznych w kominie i wędzi nad drobnem wiórzyskiem lub, co lepiej, nad jałowcem. Gdy po jednej stronie uwędzony, przewraca się na drugą, a skoro węgorze będą koloru pomarańczowego, wtenczas są już uwędzone.

33. MUSZTARDA ANGIELSKA

Pół funta suchej angielskiej musztardy wsypać w donicę, polać trzema łyżkami dobrej oliwy, niech tak stoi 12 godzin, wtedy sparzyć kwaterką, mocnego estragonowego octu, lejąc go po trochu, nie razem i ciągle wałkiem lub łyżką, drewnianą, mieszając, aż do wystudzenia. Wsypać dwie łyżki stołowe cukru lub więcej, a będzie daleko przyjemniejsza bo nie tak ostra, i 3 łyżeczki palonego karmelu dla koloru, wymieszać dobrze a musztarda gotowa.

SPOSÓB 2. Cztery funty cukru, dwie kwarty prawdziwego winnego octu i jeden funt sklepowej miałkiej gorczycy. Dzieli się na połowę cukier i ocet i rozgotowuje się syrop w dwóch naczyniach glinianych. Do jednego syropu z octem sypie się gorczycę miałko przesianą i miesza aby żadnej nie było grudeczki, gotując zwolna na ogniu, póki dobrze nie zgęstnieje, wtedy odstawić, a drugą połowę cukru zrumienić na bronzowo, rozebrać drugą połową octu, pomieszać, dolewając powoli gęstą musztardę, nie dodając nic więcej, prócz dwóch łutów soli, a będzie wyborna. Jeżeli by była za gęsta, można dolać octu przegotowanego winnego — trzyma się dobrze i bardzo długo.

34. MUSZTARDA FRANCUZKA

Funt gorczycy utłuc miałko i przesiać przez gęsty muślin; przesianą zagnieść na ciasto z octem i rozcierać wałkiem w donicy; dolewając po trochu octu winnego. Trzeć tak bardzo długo, najmniej dwie godziny; potem wziąść jednego śledzia dobrego, zwanego ulikami, obrać z kości i pokrajać, kilka korniszonów także pokrajać i utłuc w moździerzu na massę, tę massę wymieszać z utartą gorczycą, a zmieszawszy utrzeć jeszcze razem, po trochu ciągle octu dobrego winnego lub estragonowanego dolewając. Gdy już wszystko w jednolitą massę roztarte przefasować przez sitko; zrobić karmelu rumianego z ćwierć funta cukru, zmieszać razem z musztardą i raz jeden wszystko razem w rondlu na wolnym ogniu zagotować, mieszając, aby się nie przypaliło. Powinno mieć gęstość zwykłej francuzkiej musztardy. Gdy wystygnie ułożyć w słoiki i zakorkować.

SERY, MASŁO, KROCHMALE, KASZE I T. P.

„Dobry i owsiany placek, gdy nie ma kołacza"

1. SER LIMBURGSKI ZE SŁODKIEGO MLEKA

Słodkie sery zowią się dla tego, iż mleko ścina się za pomocą podpuszczki. Podpuszczka jest to żołądek ze świeżo zabitego cielęcia, które tylko matkę ssało; wymoczony, wymyty i wydęty, który po wysuszeniu schowany, używa się w miarę potrzeby, biorąc czwartą jego część, kraje się drobno i moczy w kwarcie zupełnie wolnej serwatki, postawionej w ciepłem miejscu. Po 24 godzinach cedzi się płyn i używa do mleka słodkiego, lejąc jedną łyżkę stołowa do kwarty mleka, przez co mleko natychmiast się ścina. Mleko powinno być ogrzane do 28 stopni Reamura, gdy będzie zimniejsze, ser będzie za miękki, gdy za gorące, ser będzie się rozsypywać. Po ścięciu się twarogu, co przy ciągłem powolnem mieszaniu następuje w przeciągu dwóch godzin najdalej, zlewa się wszystko na rzadkie płótno, aby serwatka odciekła, twaróg zaś przeciera się dużą drewnianą warząchwią, aby serwatka wszystka się oddzieliła, poczem kładzie się w drewniane dziurkowate formy, w których rozciera się jeszcze łyżką, aby się wydobyła reszta serwatki. W parę godzin gdy ser stężeje, przewraca się formy dnem do góry na deskę dziurkowatą, gdzie zostaje do drugiego dnia, wtedy ostrożnie zdejmują się formy, a sery przewracają znowu jak najostrożniej na drugą stronę, zostawiając dni kilka na tych dziurkowatych deseczkach, przewracając je kilkakrotnie w ciągu tych kilku dni, lecz tak ostrożnie, aby je nie uskodzić. Gdy stwardnieje dobrze naciera się przez trzy dni, dzień po dzień, miałką tłuczoną solą zieloną ze wszystkich stron i stawia na innych już nie dziurkowatych deskach w ciepłem miejscu, to jest w pokoju, na dni 10 do 14, obracając dwa razy na dzień, aby obsychał równo ze wszystkich stron. Następnie wynosi się do piwnicy suchej i widnej koniecznie, ustawia na półkach na cztery miesiące najmniej, często go winem białem smarując i obmywając, gdy się jaka pleśń pokaże. Przez ten czas skóra wierzchnia zrobi się ciemno-czerwona, a w środku będzie żółtawy słodki i delikatny. Amatorzy trzymają, go w piwnicy po roku, przy staraniem pielęgnowaniu. Ser taki jest dobry, jednak nie dorównywa zagranicznym, jak żadne nasze najlepsze krajowe; zagraniczne bowiem, a mianowicie szwajcarskie, robione są, z mleka krów i kóz paszonych paszą kwiatów i ziół gór alpejskich — ztad pochodzi ich słodycz z ostrym aromatem. Wszelkie sery owcze robione są ze słodkiego mleka, za pomocą podpuszczki. Sery takie robią się w czasie obfitości mleka, najlepiej na wiosnę.

2. SER OSTRY ZE ZBIERANEGO MLEKA, NA SPOSÓB WŁOSKIEGO PARMEZANU

Mleko świeże ma zastosowanie bardzo rozliczne, poczynając od natychmiastowego użycia, aż do wytworzenia masła, a w końcu najwykwintniejszych serów szwajcarskich; słodkie wiec mleko daje znakomite produkta. Zostaje jednak nadzwyczaj wiele mleka w gospodarstwie mlecznem, po zebraniu śmietanki lub śmietany na masło, które albo zużywa czeladź i trzoda, lub robią, z nich owe nasze polskie twarogi, których przechowanie dłuższe jest niemożliwe, a zużytkowanie natychmiastowe małe. Otóż włosi wynaleźli na zużytkowanie takiego mleka ser gorzkawy, znany u nas pod nazwą „parmezanu". Jedna z młodych postępowych gospodyń mieszkająca na Ukrainie, doszedłszy sposobu produktowania ta-

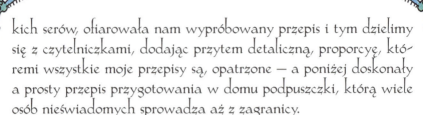

kich serów, ofiarowała nam wypróbowany przepis i tym dzielimy
się z czytelniczkami, dodając przytem detaliczną, proporcyę, któ-
remi wszystkie moje przepisy są, opatrzone — a poniżej doskonały
a prosty przepis przygotowania w domu podpuszczki, którą wiele
osób nieświadomych sprowadza aż z zagranicy.

Wziąść cztery garnce mleka zbieranego — kto chce i ma,
może jedną czwartą dodać nie zbieranego; mleko może być troszkę
kwaskowate, jednak o tyle tylko, aby się nie ścinało przy ogrzewaniu. Zagrzać to mleko w kociołku lub garnkach do 24 stopni
Reaumura, wtedy dolać tyle podpuszczki, aby mleko w godzinę
się ścięło. Czwartą, część wysuszonego żołądka cielęcego, podług
przepisu niżej podanego, namoczyć w pół szklance serwatki na 24
godzin i taka ilość podpuszczki powinna być dostateczną, do ścięcia
tej ilości mleka. Gdy to nastąpi, rozdzielić twaróg łyżką — warząchwią, i rękoma kruszyć, póki wszystko się nie rozdzieli na krupki,
mniej więcej wielkości grochu, przyczem wydzielającą się obficie
serwatkę z twarogu, należy czerpakiem zbierać i odlewać. Wtedy
wlać odwaru szafranu zaparzonego wodą, tyle, aby twaróg nabrał
żółtowatego koloru, jaki zwykle miewa parmezan, do czego można, je żeli ma być gorzki, dolać łyżkę odwaru tysiącznika, który
podnosi goryczkę sera. Tak zafarbowany twaróg, mieszając ciągle
warząchwią, na ogniu, rozgrzać znowu do 44 stopni Reamura,
następnie przelać na płótno, aby serwatka odciekła i włożyć ser
w formy, w których lekko go przycisnąć, aby reszta serwatki
odeszła. Po 24 godzinach wyjąć sery i położyć w przewiewnem
miejscu, gdzie przez 20 dni codziennie przewracać i natrzeć solą,
a przez drugie 20 dni, co drugi dzień to działanie powtarzać.
Po tym przeciągu czasu obmyć sery z wierzchu, polewając gorącą,
serwatką, następnie natrzeć olejem lnianym i wynieść do suchej
piwnicy, układając na drewnianych dziurkowatych półkach, żeby

miały przewiew powietrza. Zawsze jednak co parę tygodni należy obetrzeć suchem płótnem tworzącą się wilgoć. Ser taki do zupełnej dojrzałości potrzebuje czasu od jednego najmniej, a do dwóch lat najwięcej.

3. SER GAMBRYNO

Kwartę doskonałej śmietany kwaśnej świeżej aby żadnego gruzołka twarogu nie było, nie sypiąc nic, nawet soli, włożyć w rzadki nowy płócienny biały worek i zakopać na 24 godzin w ziemi świeżej czystej ogrodowej. Po tym czasie ziemia wyciągnie wszelką, zbyteczną wilgoć, a ser będzie gładki tłusty smarujący się jak masło. Wyjęty z worka układać w okrągłe grube wałki, zawijać w papier ołowiany i chować w chłodne miejsce do użycia. Można układać w puszki kamienne lub fajansowe dosypując trochę kminku. Łatwo zrozumieć że ser taki nie będąc solony, ulega dość prędko zgorzknieniu.

4. SER POLSKI Z GOTOWANEGO MLEKA

Garniec mleka świeżego prosto od krowy przegotować i wystudzić, w ostudzone wlać pół kwarty śmietany kwaśnej bardzo gęstej i zostawić to 24 godzin w pokoju. Następnie ogrzać, jak się zwyczajnie ogrzewa mleko kwaśne na twaróg, to jest wstawiając je w bardzo wolny piec na noc. Gdy się z serwatki oddzieli, wylać twaróg w worek płócienny kańczasty, zwykle do sera używany, a gdy wodniste części serwatki odciekną, przycisnąć ser kamieniem na dwanaście godzin. Po wyjęciu z woreczka posypać bardzo miałką solą, po obu stronach, a powtarzając to solenie przez kilka dni, położyć na słońcu lub w przewiewnem miejscu do osuszenia. Należy jednak pilnować aby na zbyt gorącem południowem słońcu nie leżało bo popęka zanadto.

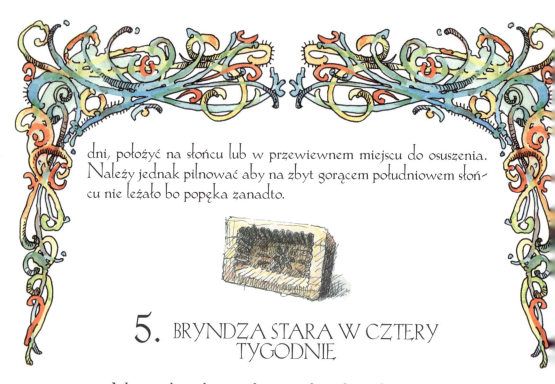

5. BRYNDZA STARA W CZTERY TYGODNIE

Najprzód trzeba wiedzieć, że bryndza robi się z twarogu owczego. W mleko owcze, świeżo wydojone wlewa się, na garniec mleka kieliszek podpuszczki, którą się otrzymuje z wymoczonego oczyszczonego żołądka cielęcego, — zostawia mleko na godzin 24 w którym to przeciągu czasu twaróg oddzielony od serwatki zlewa się w worki, wyciska i natychmiast wyrzuca na niecki, rękami rozkrusza i stawia na słońcu. Po trzech dniach, podczas których należy ciągle rękami rozkruszać formujące się gałki twarogu, takowy nabierze żółtego koloru, wtedy zebrać go w donicę, wsypać do smaku soli i kminku i rozcierać wałkiem, aż się uformuje jednolita równa massa. Złożyć ją w faskę lub kamienny słój i zostawić w suchej piwnicy na na cztery lub sześć tygodni. Wtedy wyrzucić znowu na nieckę, wlać na każdą kwartę bryndzy mały kieliszek wina madery lub kseresu, lejąc nie od razu ale po łyżce, bo się inaczej dobrze wymieszać nie da, na czem wiele zależy, zostawić w donicy lub niecce na 6 godzin, aby się wymacerowało i znowu złożyć w słoje kamienne. Bryndza tak urządzona ma smak starej węgierskiej, już w cztery tygodnie.

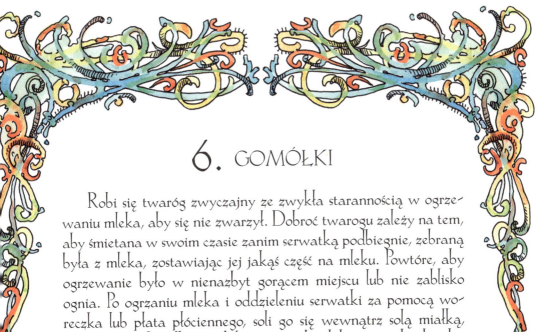

6. GOMÓŁKI

Robi się twaróg zwyczajny ze zwykłą starannością w ogrzewaniu mleka, aby się nie zwarzył. Dobroć twarogu zależy na tem, aby śmietana w swoim czasie zanim serwatką podbiegnie, zebraną była z mleka, zostawiając jej jakąś część na mleku. Powtóre, aby ogrzewanie było w nienazbyt gorącem miejscu lub nie zablisko ognia. Po ogrzaniu mleka i oddzieleniu serwatki za pomocą woreczka lub płata płóciennego, soli go się wewnątrz solą miałką, zmieszaną z karolkiem. Można wtedy dołożyć trochę bardzo gęstej śmietany, rachując na dzieżkę dwugarncową ogrzanego mleka dwie łyżki śmietany, zrobić z tego twarogu gomółki i obsuszać na powietrzu. Po dwóch lub trzech dniach po wierzchu posolić i znowu obsuszać. Po tygodniu takiego obsuszania, układa się gomółki w suchą faskę lub baryłkę dębową następującym sposobem: na spód gałganek zmoczony piwem, warstwa gomółek, znowu gałganek, gomółki i t. d. Po 7 dniach gomółki się wyjmuje, oskrobuje i znowu to samo się powtarza, używając świeżych gałganków lub tych samych wypranych lub wysuszonych. Takie gomółki robią się niezbyt małe, naprzykład pół funtowe, dla tego, że przez ciągłe obskrobywanie i gnojenie zmniejszają się bardzo. Im więcej gnojone tem ostrzejszy będą miały smak.

7. GOMÓŁKI SZWAJCARSKIE

Często zostają kawały sera szwajcarskiego, które schną i przepadają, a które jednak można zużytkować wyrobiwszy gomółki następującym sposobem. Utrzeć w donicy funt twarogu wyborowego jak najlepszego, niezwarzonego, do tego dodać, pół funta sera szwajcarskiego utartego na tarce, ćwierć funta młodego masła, lub bardzo gęstej śmietany, posolić, wsypać kminku lub karolku i utrzeć dobrze wałkiem. Z tej massy robić w ręku podłużne gomółki, przy czem należy ręce umaczać w wodzie lub masłem smarować, zrobione gomółki układać na deseczkach dla obsuszenia w przewiewnem miejscu a po kilku dniach można je używać.

8. SOLENIE MASŁA NA ZIMĘ

Nieumiejętne urządzanie masła jest jedynym powodem jełczenia i psucia się takowego. Otóż dla uniknienia tego, podaję tu najdetaliczniejszy opis, w jaki sposób zachować wszelkie warunki potrzebne, aby masło zostało jak najdłużej w stanie świeżości. Najprzód używać śmietanę z dwóch a najwięcej z trzech udojów razem zbierając ją z garnków, wierzchnią błonkę czyli cieniutki kożuszek, formujący się na powierzchni, zrzucić czyli zebrać oddzielnie na zaprawkę barszczu, lub t. p. Robić masło na zimowe zachowanie w maju — do 15 czerwca lub we wrześniu, w gorące bowiem dni lata robione masło, nigdy się dobrze nie przechowa — chyba gdyby wyjątkowo czas był chłodny. Robić masło w chłodnem miejscu, lub w piwnicy — po zrobieniu póty go jeszcze przerabiać w dzieżce, póki się nie połączy w jedną bryłę, wtedy wyrzucić w zimną wodę, wypłukać go w niej raz, włożyć w drugą i zanieść do lodowni lub piwnicy. Na drugi dzień masło stwardnieje, wtedy dopiero ostatecznie kilka razy płukać, póki wszystkie części maślanki się nie oddzielą i osolić, biorąc 4 łuty soli i ćwierć łuta saletry na funt masła. We dwie godziny lub trzy po nasoleniu

przerobić masło znowu, aby roztwór soli zawartej w maśle oddzielić zupełnie. W Ameryce gdzie są sławne zakłady mleczne,
używają do oddzielania wodnych części umyślnie na ten cel przeznaczonych gąbek, za pomocą których wszelką wilgoć z masła da
się wyciągnąć. Mając tak przyrządzone masło z trzech urobów,
to jest trzykrotnie robione, wziąść duży kamienny polewany słój
lub garnek, bo zawsze lepiej się masło konserwuje w glinie niżeli
w drzewie — wysypać go solą śniegówką i postawić na gorącym
trzonie, aby ta sól przejęła niejako garnek, włożyć ostatniej roboty
masło na dno, przesypując, oprócz już użytej pierwot nie miałkiej
soli w ilości 4 łutów — do czego używa się śniegówka, gdzieniegdzie gruzołkami drobnemi soli kamiennej białej, posypywanie
takie ma miejsce, mniej więcej pomiędzy każdemi dwoma funtami masła. Następnie idzie drugi urób masła. Układać należy
szczelnie, aby nigdzie nie zostawić ani linii kwadratowej wolnego
powietrza, a po napełnieniu zupełnem garnka, wziąść tego samego masła, sklarować go i polać nim całą, powierzchnie. W kilka dni zajrzeć do masła, gdyby się pokazało, że gdzie odstąpi
od garnka i jest szczelina, zaraz zalać tem samem klarowanem
masłem, gdyż jeden taki otwór, przez który się dostaje powietrze
a następnie pleśń, jest powodem psucia i zjełczenia masła, przykryć płatkiem i posypać jeszcze solą. Kto już ostatecznie chce, aby
zapach i słodycz masła pozostały w stanie świeżości; niech jeszcze
użyje jednego środka, obwiązując słój oczyszczonym pęcherzem
lub papierem albuminowym. W zimie dostając takiego masła,
wypłukać w słodkiem mleku i podać do chleba za świeże. Masło
przechowywać w bardzo suchej, widnej piwnicy lub w chłodnej
spiżarni, a nawet kto na wsi mieszka i ma budynek kryty słomą,
lub gontami, może go pod strych wynieść a masło się wybornie
konserwuje rok cały.

9. KROCHMAL Z PSZENICY

Bierze się ośm garncy pszenicy czysto wymłynkowanej i pod-
sianej, wymywa się ją do czystej wody i nalewa naprzód letnią,
później zimną, wodą, rzeczną, i tak się moczy przez dziewięć dni,
codzień jednak odmieniając wodę. Gdyby dnie były chłodne,
trzeba dłużej moczyć, gdyż dopóty musi moknąć, dopóki woda nie
zacznie bielić od pszenicy, która pękać zaczyna. Wtedy bierze się
worek z płótna nowego i nakłada w niego pszenica dosyć luźno,
kładzie w koryto czyste i depcze nogami. Kiedy się kilka razy
przedepcze pszenica, należy ją przelać wodą, odwiązawszy worek
i wymieszawszy ręką, drugi raz przelać, a wodę z koryta przelać
do wanienki. Ten pierwszy krochmal jest najbrudniejszy. Pozostałą
pszenicę w worku znów się depcze; tym samym sposobem, przelewając wodę jak pierwej i znowu się zlewa do drugiego naczynia.
Po każdem takiem przelewaniu, koryto powinno być czysto wymyte. Kiedy już na trzeci i ostatni raz wydeptuje się pszenica, trzeba
to robić nieco dłużej, gdyż przez to otrzymuje się więcej krochmalu
najładniejszego. Tę ostatnią, wodę zlewa się także do osobnego
naczynia. Trzeba jeszcze zachować tę ostrożność przy zlewaniu
każdej wody krochmalowej z koryta, ażeby ją cedzić przez sito,
na którem powinien być jeszcze położony muślin, żeby plewka
i cienkie włókno z pszenicy nie przeszły. Kiedy się to wszystko
uskuteczni, zostawia się w każdem naczyniu woda krochmalowa
w spokojności przez 24 godzin, potem zlewa się bardzo ostrożnie
z wierzchu wodą żółtą, poczem nalewa się czystą wodę i miesza,
aby tym sposobem wymyć krochmal i znowu przez 24 godzin
niech stoi spokojnie. To powtarzać przez pięć dni, dopóki nie będzie na krochmalu zupełnie czysta woda, wtenczas po zlaniu wody

wybiera się krochmal na prześcieradła i na stołach na dworze lub w ciepłym pokoju suszy. Gdy ciepło i słońce przygrzewa dosyć jest suszyć przez pięć dni. Z ośmiu garncy pszenicy otrzymuje się krochmalu cztery do czterech i pół garnca. Można tę proporcyę powiększyć ile się komu podoba.

10. KROCHMAL Z KASZTANÓW

Świeże a dojrzałe kasztany obrane z łupiny, trzeba albo trzeć na tarkach żelaznych, albo w wielkich moździerzach czy stępach utłuc, aby doskonale zmiażdżone były. Wtedy nalewa się massę miękką wodą i wygniótłszy, przerobiwszy dobrze rękami zostawia się w spokojności na czas pewien, naprzykład na noc całą. Rano trzeba mieszaninę brać w worki płócienne mocne, ale rzadkie i wygniatając ją, mieszając, przelewając wodą, wszystką mąkę zawartą w miazdze kasztanów oddzielić i ze spływającą wodą do postawionego poniżej drewnianego statku sprowadzić. Gdy woda przelewana okaże się nareszcie czystą zupełnie i mimo wytłaczań nie zabieli się zgoła, jest oznaką, że nic mąki w wytłoczonych kasztanach już nie ma. Za to woda, która przez nic przechodziła, ustawszy się, ukaże na dnie osiadłą mąkę, z której wody nie należy zlewać wcześniej, jak po 24 godzinach. Dokonawszy tego ostrożnie i jak najmniej mącąc, trzeba znów świeżej wody nalać i jak poprzednio po 24 godzinach spokojnego zupełnie stania, zlać ostrożnie. Wtedy ukaże się na dnie masa ściśliwa, która jest już krochmalem, a którą po osiąknięciu z wody trzeba na czyste deski układać i na wolnem powietrzu na słońcu, lub w ciepłej izbie suszyć. Pilnować tylko trzeba, aby krochmal schnąc nie zakurzył się, bo wiele na dobroci swej traci.

11. MĄKA KARTOFLANA

Mąka kartoflana używa się nie tylko do kuchni, ale i za krochmal, a wyrabia się ją albo na wiosnę z pozostałych od sadzenia kartofli, albo na jesieni, przy zbytniej obfitości, przed zachowaniem do dołów na zimę. Sposób postępowania przy tem następujący:

Opłukane dobrze kartofle oskrobać i trzeć na tarce; włożyć je potem na przetaki, przelewać wodą, nad szeroką, wanienką, mieszając i wyżymając póki tylko woda biała odchodzi. Gdy już zacznie iść czysta i klarowna, wyrzuca się tę pozostałość dla wieprzy, krochmal zaś, który spływał razem z wodą do naczynia pod nią podstawionego, osiada na dnie, odłączywszy się zupełnie od wody. Ta się wtenczas zlewa, obróciwszy ostrożnie wanienkę na bok, a zsiadłą i gęstą skupioną mąkę, nalewa się najprzód małą ilością wody i łyżka lub ręką rozbija, mieszając tak długo, aż się zupełnie z wodą połączy i tę całkowicie zabieli; wtenczas się dolewa wody, zawsze mieszając, a nakoniec przecedziwszy ją przez rzadkie sito, zostawia w spokojności, aż do opadnięcia znowu zupełnego mąki na dno i sklarowania się nad nią wody. Wtenczas znowu z wierzchu zlać wodę, a czystą nalać krochmal i to powtarzać, aż póki odlana woda nie będzie zupełnie czysta, którą zlewając raz ostatni, trzeba lekko usunąć ręką wierzchnią warstwę nieco szarawą krochmalu, który się nad czystem osadem utworzy, a który by mógł zepsuć i zabrudzić całą mąkę. Taką więc czystą mąkę, oswobodzoną z wody, na płótno wyłożyć, wyciskać w niem i wykręcać póty, aż pierwsza wilgoć z mąki weń wsiąknie, a następnie przełożywszy ją na inne suche czyste płótno, suszyć w cieniu na powietrzu, przewracając i rozcierając krupki. Prze-

chowywać w suchem miejscu w szkle lub kamiennych garnkach,
a biorąc do użytku, przesiewać jak każdą mąkę.

12. SAGO KARTOFLANE

Zwyczajna kasza białkowa z mąki kartoflanej, nigdy tak
piękna być nie może, jak sago kartoflane robione następującym
sposobem:

Funt suchej mąki kartoflanej rozrobić na misce, jak zwykle
na krochmal; zagotować wody w rondlu i ugotować na niej jak
zwyczajnie krochmal gęsty, nie dając się jednak zagotować zupełnie. Gdy ten krochmal wylany na miskę przestygnie zupełnie,
wziąść szklankę krochmalu i szklankę białek, zagnieść jak zwykle
na ciasto i pokrajać w plastry; te plastry następnie w paseczki
w drobniutką kostkę, można nawet przesiekać, jeżeli się da. Wtedy zaraz póki miękkie i świeże, taczać na przetaku, a zrobi się
okrągłe, przezroczyste sago. Zbierać zwierzchnie większe ziarnka
i jeszcze raz przesiekać, a resztę także na dwa gatunki rozdzielić,
na grubszą z wierzchu i na drobniutką ze spodu. Rozsypać ją cienką, warstwą na prześcieradło i wysuszyć dobrze, przewracając
ciągle, aby nie zżółkła zanim uschnie. Prześliczne to sago używa
się zupełnie w warunkach zwykłego sago czy to do rosołu, czy
podając na winie, czy na leguminę.

13. KASZA BIAŁKOWA

Piekąc ciasto drożdżowe, zostaje bardzo wiele białek, zagnieść
niemi piękną pszenna mąkę twardo i utrzeć na tartce, a następnie
przesiewać przez rzadkie sito, a będzie drobna kaszka, do rosołu
używana, lub mleka, długo się jednak gotuje, gdyż będąc sucha,

nie tak łatwo się rozpuszcza w płynie jak gryczana, grubsza zaś używa się na jarzynę do zrazów lub pieczeni, krasząc je zwykle masłem lub słonina.

14. ŻELATYNA (SPOSÓB WYRABIANIA JEJ W DOMU)

Skórkę z świeżo zabitego cielaka i nóżki oczyścić z sierści, wymyć starannie ciepłą wodą, następnie płukać w zimnej i namoczyć na godzin sześć, odmieniając często wodę. Po upływie sześciu godzin pokrajać całą skórkę i nóżki w kawały, odrzucając z nich środkową kość, nalać zimną wodą, a gdy się zagotuje, odlać jeszcze raz wodę, skórkę wymyć i starannie odjąć żółtawą blonkę, która po zagotowaniu gdzieniegdzie się jeszcze okaże, a wtenczas nalawszy świeżą wodą gotować, szumując zwolna i podlewając zimną wodą, w miarę wygotowania. Lepiej jest używać wody miękkiej. Gdy się pokaże, że skórka jest miękką, ale nie rozgotowaną, gdyż będzie nieklarowną, przelać płyn parę razy przez czyste gęste płótno, a jeżeli tylko skórka starannie była oczyszczona, gotowana i szumowana, żelatyna będzie czysta jak łza i taką bez żadnego klarowania wylewa się na talerze, dnem do góry przewrócone, nalewając na każde dno zwyczajnego porcelanowego talerza pełną łyżkę stołowa. Tak rozstawione równo talerze zostawia się na parę godzin w spokoju, aż żelatyna stężeje dobrze, wtedy podjąwszy ostrożnie nożem w jednym końcu, łatwo się zdejmuje i zaraz kładzie na siatki sztywne w ramkach rozpięte, nie poruszając wcale, aż do zupełnego wyschnięcia żelatyny. Podczas lata suszy się ją w miejscu przewiewnem; jeżeli zaś robi się w zimie, co rzadko ma miejsce, w pokoju wyżej od 14 do 15 stopni ciepła mającym. Można powtórnie jeszcze raz gotować skórkę

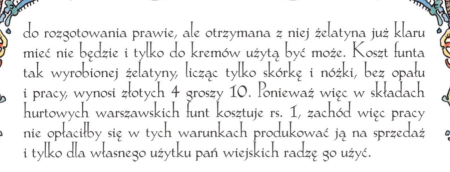

do rozgotowania prawie, ale otrzymana z niej żelatyna już klaru mieć nie będzie i tylko do kremów użytą być może. Koszt funta tak wyrobionej żelatyny, licząc tylko skórkę i nóżki, bez opału i pracy, wynosi złotych 4 groszy 10. Ponieważ więc w składach hurtowych warszawskich funt kosztuje rs. 1, zachód więc pracy nie opłaciłby się w tych warunkach produkować ją na sprzedaż i tylko dla własnego użytku pań wiejskich radzę go użyć.

15. PODPUSZCZKA

Podpuszczka, jest to żołądek cielęcy wysuszony, a następnie moczony — a płyn wynikły z moczenia zowie się podpuszczką.

Wziąść żołądki cielęce od cieląt, które dotąd tylko ssały, a opłukawszy dobrze, włożyć na trzy lub cztery dni w roztwór soli. Po wyjęciu, rozciągnąć jak można najlepiej i powiesić w przewiewnem miejscu, aby uschły aż do stwardnienia zupełnego. Tak wysuszone żołądki można lat parę przechować. Biorąc do użytku, namoczyć jedną trzecią część takiego żołądka, pokrajanego drobno, w pół szklance serwatki na 24 godzin. Płyn ten wystarcza do ścięcia czterech garncy świeżego słodkiego mleka, — do zbieranego dosyć jest czwartą część namoczyć. Gdy się mleko świeże szybko nie zsiada, można go ogrzać na wolnym ogniu, lecz wtedy trzeba pilnować, aby się nie zanadto rozgrzało, bo by się zwarzyło, co innego zaś jest gdy się zsiądzie, a co innego gdy się zwarzy. Wlawszy serwatkę do mleka, w której moczyła się podpuszczka, trzeba je należycie wymieszać, a potem przykryć, zostawiając w spokoju. W dziesięć minut powierzchnia okaże się ścisłą, wtedy ją łyżką nakrawać, a przez szpary pokaże się serwatka, co jest znakiem, że można w płótno lub w formy wylać.

Część II

„Spanie, picie i jedzenie daje trosk zapomnienie"

WĘDLINY I W OGÓLE MIĘSNE KONSERWY

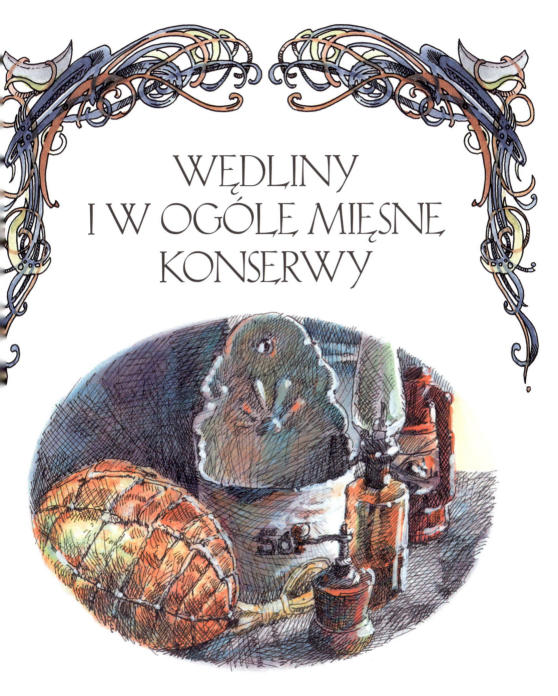

„Gdzie się kraje i leje, tam się dobrze dzieje"

1. O URZĄDZENIU WIEPRZY KARMNYCH

Skoro już karmnik przeznaczony jest do zabicia, to w wigilję tego dnia nic mu już jeść dawać nie trzeba, tylko kilka razy poić, a to dla tego, żeby nie było dłuższej pracy przy szlamowaniu kiszek. Wiele osób każe karmniki zakałać, t. j. dużym ostrym nożem w serce zakłóć; lepiej jednak zarzynać pod gardłem, a to dla tego, że zakłuwając, zakrwawia się bardzo jedna przednia szynka, czyli kumpia. Kiedy już został zabity, kładzie się go w duże koryto i polewa wrzącą wodą, skrobie ostrym nożem, aby szczecina oblazła, a w końcu bierze się po garści słomy, zapala się ją i opala resztę pozostałej szczeciny. Gdy już jest należycie oczyszczony, wiesza się go za dwie zadnie nogi na haku u pułapu i przerzyna brzuch, aby wyjąć wszystkie kiszki, które zaraz na gorąco trzeba oczyszczać, t. j. wyprowadzić z nich wszystkie pozostałe nieczystości, potem każdą z osobna wywrócić i tylcem od noża wyszlamować do ostatniej błonki, wytrzeć solą i śniegiem (jeżeli się to robi w zimie), należycie wymyć i namoczyć w winie, aby wszelki przykry odór z nich wyciągnąć. Następnie wyjmuje się letkie, serce i wątrobę, przy której trzeba uważać, aby nie zgnieść żółci, ostrożnie ją odjąć i wyrzucić, a powyższe trzy przedmioty używa się do kiszek. Dalej obdziera się z obydwóch boków wieprza kawały tłustości, które, jeżeli mają być użyte na sadło, to je trzeba dobrze nasolić i obydwie połowy złożyć, nie nadwerężając zwierzchniej błonki, i razem zeszyć; jeżeli zaś kto chce mieć z tej tłustości szmalec do pączków lub tym podobnych rzeczy, to nie trzeba wcale solić, tylko pokrajać w kawałki, przetopić i przecedzić do dzieżek; tłuszcz zaś odjęty od kiszek użyć można na okrasę dla czeladzi, przesmażywszy z cebulą. Nerki odjęte od szmalcu, używają się do salcesonu. Gdy już tym sposobem wnętrze wieprza jest wypróżnione, odcina się głowizna, wyrzyna się z niej podgarle i ozór, i takowe używa do salcesonu, mięso zaś z głowy wraz z uszami odejmuje się od kości, dobrze soli, saletruje i zwija jak najmocniej, związując szpagatem, i wraz z szynkami marynuje, którą po uwędzeniu, zagotowaniu i przyciśnięciu pod kamieniem, kraje się do jedzenia w cienkie plasterki. Odcina się później nogi, dobrze je oczyszcza z sierści, opalając na ogniu i zanurzając we wrzącej wodzie, i takowe używa do salcesonu. Skoro to jest ukończone, karmnik odejmuje się od pułapu, kładzie na stole i rozbiera w następujący sposób: odcina się zadnie i przednie szynki, zostawiając przy zadnich słoninę, gdyż są daleko lepsze, przednie zaś mogą się bez niej obejść, albowiem mogą być użyte na kiełbasy, albo gorsze szynki czyli kumple; potem się przerzyna przez środek słonina, od której odejmują się schaby, polędwice i pochrzept. Od słoniny trzeba wszelkie mięso odjąć i użyć na kiełbasy. Oczyszczoną tak słoninę trzeba dobrze nasolić, ręką sól wcierając, pokrajać w pasy i szczelnie układać w beczułkę, ostatni rząd skórą do góry i przycisnąć kamieniem.

2. SOLENIE SZYNEK, PEKEFLEJSZU, GŁOWIZNY ITD.

W ogóle w trzech pierwszych miesiącach roku, najkorzystniej jest bić bydło i świnie dla zaopatrzenia się w solone mięsiwa aż do jesieni. Sól jest głównym warunkiem zachowania mięsa od zepsucia. W Anglji używają do solenia soli prażonej, w Westfalji, gdzie doprowadzono uprawianie szynek do doskonałości, także dowodzą, że sól prażona jest lepsza. Prażenie jej jest bardzo łatwe;

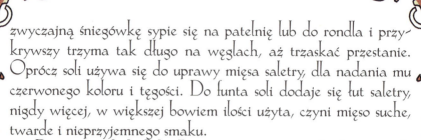

zwyczajną śniegówkę sypie się na patelnię lub do rondla i przykrywszy trzyma tak długo na węglach, aż trzaskać przestanie. Oprócz soli używa się do uprawy mięsa saletry, dla nadania mu czerwonego koloru i tęgości. Do funta soli dodaje się łut saletry, nigdy więcej, w większej bowiem ilości użyta, czyni mięso suche, twarde i nieprzyjemnego smaku.

Do mięsa młodych bydląt używa się mniej soli, do starszych więcej, ale mięso pierwszych nigdy tak długo się przechowywać nie da jak drugich. Mięso chude bywa twarde, jak znowu zbytecznie tłuste, prędko gorzknieje i nieprzyjemnego nabiera smaku. Dla tego do solenia należy wybierać mięso soczyste i obrać je ze zbytniej tłustości. Świeżego mięsa nie należy zaraz po zabiciu solić, ale przez 24 godzin najmniej zostawić na powietrzu. Posypawszy mięso solą, naciera się ręką, aby sól wszystkie wypełniła pory. Nacieranie to powinno trwać tak długo, dopóki mięso sól w siebie bierze; poczem przesypuje się powtórnie solą, zostawiwszy tak przez 24 godzin. Po tym czasie wyjmuje się mięso z sosu utworzonego z soli, wyciska mocno, posypuje jeszcze solą, układa w naczynie przeznaczone do solenia, które powinno być koniecznie dębowe, wyparzone i dobrze wysuszone, i polewa tym samym sokiem czyli rosołem, który bardzo dobrze jest przegotować i wystudzonym zupełnie dopiero nalać. Główne warunki dobrego przechowania solonego mięsiwa są: 1) Aby stało w miejscu chłodnem. 2) Aby powietrze nie miało do niego przystępu, i dla tego wszystkie otwory między mięsem zapełnić mniejszemi kawałkami i mocno upchać należy. Przykryć dobrze pasującym denkiem i przyłożyć kamieniem, aby sos zawsze stał na wierzchu, lub lepiej zabić faskę denkiem i przewrócić co kilka dni — tak robią, na Litwie gdzie wyborna jest wędlina. 3) Aby sos słony całe mięso na powierzchni pokrywał.

Szynki najsmaczniejsze są z rocznych wieprzów podkarmia-
nych dobrze; wykrawając łopatki z wieprza tak przednie jak
tylne, skóra powinna na nich koniecznie pozostać, gdyż inaczej
żadnej soczystości mieć nie będą. Dla tego też szynki robione
z karmnych na słoninę wieprzy, są niesmaczne i suche, gdyż robiąc
je, obierają łopatki ze słoniny zbyt grubej na szynki.

Na piętnaście funtów mięsa bierze się funt soli i łut saletry,
czyli na jeden funt soli łut saletry. Tak sól jak saletra powinny być
miałko potłuczone i pomieszane. Najlepiej jest solić tak szynki jak
pekeflejsz wołowy, póki mięso jest świeże, układać razem szynki,
pekeflejsz i ozory, przesypując jeszcze pozostałą od wagi solą, list-
kami bobkowemi, kolendrem, zielem angielskiem i gdzieniegdzie,
jeżeli kto lubi, wrzucić ząbek czosnku, ale bardzo mało. Soląc same
szynki, na każde dwa funty soli wsypać ćwierć funta miałkiego cukru, przez co nadzwyczaj kruszeją szynki. Ułożone szczelnie mięso,
przykrywa się denkiem, przyciska kamieniami i stawia na jeden
lub dwa dni w niezbyt chłodnem miejscu tak, aby się sól rozpuścić
mogła; następnie wynosi do piwnicy lub w lecie do lodowni, jeżeli
kto ją posiada; co tydzień najmniej raz należy zajrzeć, przewrócić
i przekonać się, czy sos słony dostatecznie pod mięso podchodzi,
w przeciwnym razie należy sztuki z wierzchu włożyć na spód,
a ze spodu na wierzch i tak często zmieniać. Ozory są dobre
do użycia w dni 10, mogą jednak leżeć do czterech tygodni. Pekeflejsz jest do użycia we trzy tygodnie, najlepszy jednak we cztery;
leżeć może w sosie w lodowni kilka miesięcy, w piwnicy dwa
do trzech miesięcy, tylko później robi się łykowaty i niesmaczny.
Szynki od czterech do sześciu tygodni mogą leżeć w soli stosownie
do ich wielkości, wyjąć je wtedy z soli, osuszyć na powietrzu przez
24 godzin, a potem powiesić w wędzarni na tydzień. Uwędzo-

ne szynki powiesić w miejscu suchem, przewiewnem, w cieniu. Szynka na świeżo podana bez wędzenia, dobrą jest we trzy tygodnie, należy ją gotować z włoszczyzną, z początku na dużym ogniu, a w końcu dogotowywać na małym, próbując widelcem czy miękka i dolewając wody, żeby ciągle cała nią była okryta. Wędzoną szynkę należy do gotowania na noc namoczyć w zimnej wodzie, obmyć ciepłą i gotować z włoszczyzną, gdyby się zdawała za słona, odlać połowę wody i dolać świeżej, jeżeli ma być jedzona na zimno, to dopiero po zupełnem wystudzeniu wyjmuje się z sosu, a będzie daleko soczystsza. W mieście, gdzie potrzeba miejsca i ambaras w soleniu większy, można jeden lub dwa kawały pekeflejszu i parę ozorów nasolić w dużej misce, postępując jak wyżej, a będą również wyborne, należy tylko wtedy codzień przewracać w soli, bo przez brak soku może stracić na smaku. Na Litwie, gdzie są wyborne wędliny, biorą saletry 2 łuty na funt soli i oprócz innych korzeni tłuczone goździki szczególniej do ozorów, co ozorom nadaje ostry i aromatyczny smak — do szynek koniecznie brać cukier, na funt soli ćwierć funta ale saletry dosyć łut 1.

3. PEKEFLEJSZ W TRZY DNI W MAŁYM KAWAŁKU

Sześć do dziesięciu funtów dobrego mięsa wołowego natrzeć solą, biorąc w proporcyi na osiem funtów mięsa pół funta soli i łut saletry tłuczonej, łyżeczkę kolendru i kilka listków bobkowych, tem wszystkiem natrzeć mocno mięso, póki się zupełnie sól i saletra nie rozpuści; jest to warunek konieczny — zawinąć w grube płótno lub rogożę nową bez żadnego odoru i zakopać w ziemię na kilka cali głęboko, w mieście w piwnicy, na wsi gdzie w ogrodzie, w niedostępnem dla psów miejscu. We trzy dni pekeflejsz jest wyborny do użycia, a można go jeść i w 48 godzin, ale nie będzie jeszcze dość czerwony. Można go trzymać w ziemi nawet dni sześć do ośmiu, zakopując jednak drugi raz, trzeba koniecznie w inne miejsce, bo zakopany w to samo miejsce, zepsuje się.

4. SOLENIE WSZELKIEGO MIĘSIWA PRĘDSZYM SPOSOBEM

Bierze się jeden funt soli kuchennej, ćwierć funta cukru, 1 łut saletry, dwie kwart czystej miękkiej wody i razem gotuje się przy umiarkowanym ogniu, szumując podczas gotowania. Po przestaniu szumowania odstawiony roztwór na mięso, tak, aby ten przykrył je zupełnie. Mniejsze kawałki mięsa w ciągu sześciu dni będą, nasolone — szynki, zwłaszcza większe, potrzebują 2 do 3 tygodni. Proporcyą taka soli pokrywa się mniej więcej od 15 do 16 funtów mięsa. Roztwór taki może być dwa razy użytym do innego mięsa, dodając nieco powyższych ingrendencyj w stosunku takimże przy gotowaniu powtórnem. Sposób takiego solenia jest wyborny a szczególniej przy małych ilościach lepszy jak solenie na sucho.

5. SZYNKA W PĘCHERZU BEZ KOŚCI

Bijąc karmniki na słoninę, zostają zwykle szynki bez skóry, które solone i wędzone, stają się suche i niesmaczne, na co zwykle w moich przepisach zwracałam uwagę gospodyń. Dla zapobieżenia temu podaję tu sposób nowy i wyśmienity. Szynki okrojone ze słoniny, rozkroić wzdłuż w tem miejscu, gdzie przechodzi kość

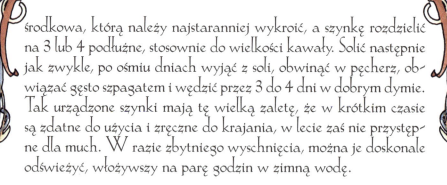

środkowa, którą należy najstaranniej wykroić, a szynkę rozdzielić na 3 lub 4 podłużne, stosownie do wielkości kawały. Solić następnie jak zwykle, po ośmiu dniach wyjąć z soli, obwinąć w pęcherz, obwiązać gęsto szpagatem i wędzić przez 3 do 4 dni w dobrym dymie. Tak urządzone szynki mają tę wielką zaletę, że w krótkim czasie są zdatne do użycia i zręczne do krajania, w lecie zaś nie przystępne dla much. W razie zbytniego wyschnięcia, można je doskonale odświeżyć, włożywszy na parę godzin w zimną wodę.

6. SZYNKA Z DZIKA

Dzik będąc niczem innem jak dzikim wieprzem, urządza się tak samo jak ten ostatni, z tą różnicą, że oprócz szynek i polędwicy inne części nie używają się jak wieprzowina, lecz tylko oddaje się dla służby do gotowania z grochem, barszczem lub kapustą. Szynka z dzika dobrze urządzona jest wyborna, ponieważ jednak mięso dzika jest suchsze od wieprzowego, trzeba je solić przez polewanie roztworem solnym jak to podałam wyżej (Nr. 4) solenie szynek prędszym sposobem, używając większej ilości korzeni. W soli leżeć musi 6 tygodni koniecznie, a w dymie wisieć 2 tygodnie. Jeżeli jest z młodego dzika może być w soli tylko 4 do 5 tygodni a będzie wyborna; jada się ją tak na surowo jak i gotowaną.

7. OZORY

Ozory wołowe solą się jak pekeflejsz, nacierając dobrze miałką solą z saletrą i tłuczonemi goździkami, biorąc 10 goździków na jeden ozór. Można także natrzeć ozór ząbkiem czosnku, co mu nadaje ostrzejszy smak. Ułożone mocno przyciskają się denkiem i kamieniem, a w kilka dni przewracają, polewając własnym sosem. Tak leżeć powinny dni 10 do dwóch tygodni, wtedy wyjąwszy z soli obsuszyć dzień na wietrze; włożyć w pęcherz, i wędzić w dobrym dymie trzy dni, można je także bez wędzenia wprost z soli ugotować i podać na zimno.

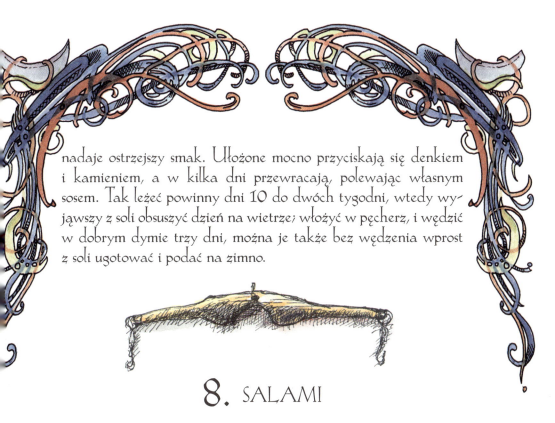

8. SALAMI

Na trzy funty mięsa wieprzowego bierze się jeden funt zrazowej pieczeni wołowej i jeden funt słoniny. Wszystko to skrobie się nożem, i dopiero po zeskrobaniu waży bardzo dokładnie; słoninę zamiast skrobać, można usiekać na massę. Potem wygniata się rękami z solą, której na tę proporcyę powinno być łutów 10 miałko utłuczonej, saletry łut, pieprzu łut miałko potłuczonego. Tak wymieszane mięso zostawia się przez 12 godzin. Na drugi dzień napełnia się tem mięsem kiszki gładkie, dobrze szmalcowane, wołowe, wybierając nie bardzo cienkie. Kiszki te po wyszmalcowaniu moczą się 24 godzin. Napychać te kiszki bardzo mocno, żeby nigdzie powietrza nie zostało, a dla zrównania mięsa, napchane salami wałkują się na stole w czystym obrusie. Niech tak dzień poleżą, żeby nasłoniały, upchać jeszcze mocniej, związać dobrze, wywiesić na dzień w miejsce przewiewne do osuszenia, dopiero w wędzarni powiesić na dwa tygodnie. Przechowywać w chłodnem miejscu. Takie salami najlepiej robić w marcu.

9. PÓŁGĘSKI

Po zabiciu gęsi, przeznaczonych na półgęski i oczyszczeniu ich z pierza, zostawić je do drugiego dnia, aby sadło dobrze zastygło i zapach świeżości przeszedł. Na drugi dzień wykroić piersi od gęsi jak można największe, t. j. ile się tylko mięsa da zająć; wziąść na 10 półgąsek funt soli z łutem tłuczonej saletry i tem nacierać dobrze półgęski z obu stron. Niektóre osoby wyłamują kość z piersi gęsiej do solenia, a po nasoleniu zwijają w kształcie rulonu, na co skroiwszy skórę wierzchnią, zostawić samą tylko tłustość, inaczej bowiem dzielą się w krajaniu; półgęski okręcają sznurem, obwijają papierem i tak wędzą. Gdy się wiec nacieranie półgęsek skończy, złożyć je do naczynia olszowego lub dębowego, naprzykład baryłki, byleby nie sosnowej, w którem to drzewie żadne mięso solone być nie może; ułożyć je szczelnie, pokryć denkiem i przycisnąć kamieniem. Tak przyrządzone, leżeć powinny dni osiem; przez ten czas sól zupełnie się roztopi i obejmie je, a gdyby dłużej w soli leżały, stwardnieją i przesoleją. Po wyjęciu z soli, jest dwojaki sposób wędzenia. Pierwszy: wyjęte z sosu słonego maczają się na mokro w otrębach pszennych, tak, aby otręby oblepiły zupełnie półgęski i na powierzchni zupełnie były suche, następnie zawieszają się w dymie niezbyt gorącym, gdyżby się ugotowały, tak są delikatne. W dymie wisieć powinny 2 do 3 dni. Po wyjęciu z dymu, otręby obcierają się grubem płótnem, a półgęski wieszają w przewiewnem miejscu, aby dym wyszedł. Drugi sposób taki sam, z tą tylko różnicą, że zamiast otrąb, obwija się półgęski w papier. Robiąc półgęski, zostają się uda gęsie, które wiele osób soli i wędzi razem. Można je także użyć, urządzając w galarecie na kształt marynaty. Oderżnąwszy nóżki, należy je wraz z udami najstaranniej ciepłą wodą oczyścić, następnie razem w rondlu dołożywszy kilka nóżek cielęcych, nalawszy 3 części wody, a czwartą część octu, jak najwolniej gotować, dodawszy włoszczyzny, listków bobkowych, muszkatołowego kwiatu, imbiru, trochę ziela angielskiego i cebuli. Gdy są już dostatecznie miękkie, po należytem wyszumowaniu, podlać trochą zimnego octu, aby tłustość na wierzch wyszła; gdy to skończone, wyjąć uda z rosołu, ponakładać w każde po kilka goździków i ułożyć w naczynie polewane lub porcelanowe. Płyn zaś niech się sklaruje i ostygnie, tłustość z niego zebrać, zagotować go raz jeszcze z kilkoma białkami dla sklarowania lepszego; pomiędzy udka włożyć gdzieniegdzie kilka skórek cytrynowych cienko krajanych i tym sosem przez serwetę nalać, a na wierzch szmalcem; lepiej się konserwują pod tłuszczem. Używając je, podać do tego oliwę i ocet, ma się rozumieć, odgarnąwszy szmalec.

10. PÓŁGĘSKI PARZONE, GOTOWE W 24 GODZIN

Gdy gęsi zabite oskubane, dopóki jeszcze ciepłe wyrżnąć piersi, włożyć w ukrop z wody na ogniu stojący i gotować w nim minut 5 nie więcej. Po wyjęciu z wody, jak tylko ręką dotknąć można półgęsek, nacierać je silnie solą zmieszaną z saletrą, na 12 funtów soli łut saletry; nacieranie to trwać powinno bez ustanku pół godziny i to bardzo mocno, aby sól pod ręką rozpuszczona weszła w półgęski. Natenczas obwinąć je papierem lub umoczyć w otrębach i zawiesić w ciepłym dymie; po 24 godzinach są dobre do użycia.

11. KIEŁBASA WĘDZONA Z PIERSI I PAŁEK GĘSICH

Kiełbasa ta jada się na surowo, jest wyborną i przechodzi w smaku półgęski. Do jednej piersi i dwóch obdartych ze skórek, pałek z gęsi dobrze utuczonej, bierze się soli łyżkę stołową, saletry kawałek wielkości małego laskowego orzecha, czosnku tyle co ziarnko grochu, pieprzu dwanaście ziarn, angielskiego ziela dziesięć, z tem wszystkiem utłuc na miałko, mięso z piersi i pałek wyżyłowanych pokrajać, dołożyć usiekanego trochę tłuszczu z pod skór gęsich i umięszawszy razem, nadziać zwykłą kiełbaśnicę i wędzić przez 24 godzin, z tej ilości jest więcej jak łokieć kiełbasy.

12. SPOSÓB WĘDZENIA SZYNEK I WSZELKIEGO MIĘSIWA BEZ DYMU.

Do garnca miękkiej wody sypie się funt sadzy drzewnej i gotuje pod pokrywa tak długo, żeby tylko połowa została. Płyn ten zostawia się tak całą noc, aby się dobrze sklarował, poczem ostrożnie, aby nie zmącić, cedzi się przez sito; powinien być koloru kawy mocnej czarnej. Do tej proporcyi sypie się garść soli białej, a po rozpuszczeniu i wymieszaniu, kładzie się mięso urządzone jak zwykle do wędzenia, uważając, aby równo było zamoczone. Szynka potrzebuje miękąć od 20 do 24 godzin, słonina od 4 do 6, kiełbasa, ozór, półgęski od 4 do 5. Po wyjęciu wiesza się w miejscu przewiewnem, aby dobrze obeschło, a trzymać w miejscu suchem doskonale się konserwuje i nie starzeje, kolor powinno mieć jasno-żółty. Bierze się garniec żużli na jedna 20 funtową szynkę.

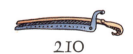

13. O URZĄDZENIU KIEŁBAS

Przystępując do roboty kiełbas, należy zabrać do niej trzy osoby, a dawszy im przeznaczone na kiełbasy mięso, kazać jednej krajać je na cienkie plastry, drugiej na paseczki wąziutkie, a trzeciej dopiero na kostkę, czyli tak zwane perełki. Tym sposobem robione kiełbasy będą równe i wyborne, bo nie tracąc nic na soczystości będą jednak łatwe do gryzienia. Dodając następnie soli, pieprzu, angielskiego ziela, a zamiast zwykle używanej wody, tłustego smaku z gotującego się mięsa na salcesony i innych odpadków wieprzowych, otrzymamy wyborne kiełbasy, które czy na świeżo gotowane, czy wędzone i suszone, będą doskonałe. Na kiełbasy używa się mięso z przednich łopatek wieprza, z karku, schabu i wszelkie kawałki nie używane do wędzenia; szynki, polędwice, głowizny, ani nawet boczku, który od młodych wieprzy wędzi się razem ze skórą, szkoda jest używać. Trzy funty wieprzowiny a jeden funt słoniny lub bardzo tłustej przerastałej wieprzowiny pokrajać w drobne kostki. Na 8 a nawet do 10-ciu funtów mięsa wsypać ćwierć funta soli, łut majeranku przesianego, 2 łuty pieprzu i wlać dobre pół kwarty smaku wygotowanego z kości wieprzowych. Zamiast tego smaku można użyć wolnej wody, chociaż z buljonem smaczniejsze, z wodą trwalsze. Masę tę wymieszać rękami doskonale, gdyby nie była dość pulchna, można dolać kwaterkę wody. Wtedy napychać nią oczyszczone, wymoczone i wydęte kiełbaśnice przez formę blaszaną, a w braku tejże przez ucho od klucza, nie upychając zbytecznie, aby w gotowaniu nie pękały. Gdzie tylko pokaże się w kiełbasie zaskórne zebranie powietrza, przekłóć szpilką, a nawet gdzie niegdzie całą kiełbasę ponakłówać. Tak zrobione kiełbasy wrzucić na kwandrans

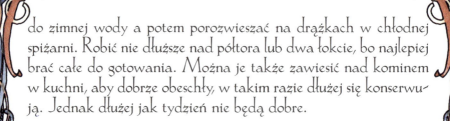

do zimnej wody a potem porozwieszać na drążkach w chłodnej spiżarni. Robić nie dłuższe nad półtora lub dwa łokcie, bo najlepiej brać całe do gotowania. Można je także zawiesić nad kominem w kuchni, aby dobrze obeschły, w takim razie dłużej się konserwują. Jednak dłużej jak tydzień nie będą dobre.

14. KIEŁBASY WĘDZONE

Funtów 9 tłustej i bardzo kruchej wieprzowiny i 3 funty zrazowej pieczeni wołowej pokrajać jak najdrobniej, stosując się do przepisu przy kiełbasach, wsypać pół funta soli, łut saletry, łut pieprzu tłuczonego, ćwierć angielskiego ziela i dwa ząbki utarte z solą czosnku. Wszystko to wymieszać doskonale, napychać kiełbaśnice o ile można cienkie przez formę lub klucz, przekręcając w odstępach łokciowych, aby się nie duże kiełbasy formowały. Powiązawszy sznurkami powiesić na wietrze na kilka dni, a następnie w wolnym dymie wędzić 3 do 4 dni. Najlepiej te kiełbasy urządzić w lutym lub marcu, gdyż na marcowym wietrze najlepiej dosuszają się i kruszeją wędliny.

15. SALCESON Z KRWIĄ

Podbrzusze od całego wieprza, głowiznę i lekkie gotować w wodzie przez półtory godziny, dołożyć potem do tego wątrobę i lekkie, posiekać jak najdrobniej, podbrzusze i głowiznę zaś pokrajać w dość duże kostki. Wszystko razem na misce osolić kubkiem miałko utłuczonej soli, dodać łut pieprzu, ćwierć łuta angielskiego ziela i wlać roztartej krwi wieprzowej mniej więcej kwartę, i wszystko to razem wymieszać dobrze, tak ażeby massa była rzadkawa, gdyby po wymieszaniu okazała się za gęsta to dodać krwi. Tą massą napychają się kiszki wołowe lub grube wieprzowe, w braku których można użyć wieprzowego żołądka oczyściwszy go starannie poprzednio. Napychać należy tylko dwie trzecie części kiszek lub żołądka, resztę zostawiając pustą, żeby massa miała miejsce rozejść się. Tak napchane salcesony rękami wyrównać i ugotować w wodzie gorącej, gotując pół godziny, — jeżeli za przekłóciem kiszki z salcesonu sączyć się będzie tłuszcz nie krew, salceson już jest ugotowany. Po wyjęciu takowych obmyć je zimną wodą i położyć na stole przycisnąwszy deską i kamieniem, zostawić na parę godzin, żeby salcesony były płaskie. Następnie zachować w zimnem miejscu.

Tym samym sposobem robią się rozmaite salcesony jedne z samej głowizny, połowę takowej usiekać należy jak najdrobniej a drugą pokrajać w podłużne kostki, inne znowu z samych wątrób, podbrzusza, lekkich bez głowizny ale z krwią.

16. KISZKA PASZTETOWA

Bijąc wieprza czy to są karmniki na słoninę, czy też na szynki młode roczniaki, ma się wątrobę, z której zwykle robią kiszki zwyczajne z krwią na prędki użytek. Lepszem przecie spożytkowaniem wątroby jest, zrobić kiszkę pasztetową w następujący sposób. Na funt wątroby surowej, wziąść trzy czwarte funta młodej niesolonej słoniny, zeskrobać tak wątrobę jak słoninę nożem na maść, następnie przetłuc w moździerzu i przefasować przez rzadkie druciane z mosiężnego drutu sito, pół funta gotowanej, w drobną kostkę krajanej słoniny, trochę soli, pieprzu tłuczonego i pięć ziarnek utłuczonych angielskiego ziela, włożyć w przygotowaną massę i wymieszać dobrze. W końcu ćwierć ząbka a nawet mniej, utartego z solą czosnku włożyć także i rozcierać, aby nie został w jednem miejscu, kto ma, może jeszcze dołożyć trochę trufli gotowanych i drobno pokrajanych. Tą massą nakładać kiszki niezbyt grube, zawiązać i gotować we wrzącej wodzie na wielkim ogniu, pół godziny, przewracając, aby się wszędzie równo gotowały. Wyjąć na długi półmisek i wynieść w tej chwili w chłodne miejsce, aby prędko zastygały. Kiszka taka ponieważ jest bez krwi, trwać może parę miesięcy trzymana w zimnem a suchem miejscu.

17. KISZKI CZARNE

Do półtory kwarty słodkiego gorącego mleka dodać po trochu i ciągle mieszając tyle bułki tartej, żeby w takową wszystko mleko wsiąkło. Gdy bułka już dobrze rozmoknie, rozebrać ją w rondlu jak najstaranniej i zmieszać dobrze z 2-ma kwartami krwi, dodawszy pieprzu 1/4 łuta, angielskiego ziela 1/8 łuta, słoniny drobno usiekanej funtów 2 i majeranku 1/8 łuta, i w tym samym rondlu postawiwszy takowy na żarzących węglach, przyczem należy ciągle mieszać, żeby się nie przypaliła i nie podrumieniła. Gdy już massa dobrze gorąca, zdjąć z ognia i napychać nią kiszki tłuste wieprzowe, ciągle mieszając, ażeby niedopuścić wydzielenia się z krwi części gęstych. Napchane kiszki zaszyć po końcach i przez kwandrans we wrzącej wodzie gotować; po wyjęciu obmyć i powiesić w chłodnem miejscu. Do użycia krajać ukośnie w plasterki i na tłustości na patelni przysmażyć.

18. KISZKI CZARNE Z KASZĄ GRYCZANĄ

Garniec kaszy gryczanej zmieszać w dużem naczyniu polewanem z kwartą krwi wieprzowej świeżej przez sito przetartej, potem dodać kwartę wytopionej, gorącej tłustości wieprzowej i mieszając zwrócić należy baczną uwagę, żeby massa nie była zbyt rzadką. W końcu wsypać trochę soli, trochę pieprzu i angielskiego ziela drobno utłuczonych, i majeranku podług upodobania, nie więcej jednak jak łyżkę stołową. Wymieszać raz jeszcze dokładnie spiesząc się, żeby massa nie ostygła i nalewać do kiszek dość przestronne. Tak zrobione kiszki wyrównać w ręku, włożyć do zimnej wody w obszernem naczyniu i gotować na dużym ogniu przez trzy kwandranse, ciągle przewracając kiszki, uważając, żeby się kasza ugotowała. Naczynie nie należy przykrywać, żeby kiszki nie popękały. Gdy kiszki już ugotowane, wybrać je na niecki i wynieść na zimno.

19. PRZECHOWANIE SŁONINY

Na wsi, gdzie nie można mieć zawsze świeżej słoniny, a w dodatku wieszanie połciów jest niedogodne, bo słonina taka prędko starzeje przyjmując kurz i odory; najlepiej jest świeżą słoninę pokrajać w pasy, skroić w nich skórę, następnie słoninę pokrajać w kawałki półłokciowe, posolić na stolnicy i układać jak najszczelniej w faski dębowe, przesypać każdą warstwę trochą soli i gdzieniegdzie rzucając liście bobkowe. Tak upakowaną słoninę przykryć płótnem i denkiem; wybornie będzie się przechowywać

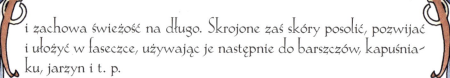

i zachowa świeżość na długo. Skrojone zaś skóry posolić, pozwijać i ułożyć w faseczce, używając je następnie do barszczów, kapuśniaku, jarzyn i t. p.

20. BULJON DOMOWY

Wziąść pręgę żebra pasowego z wołu całego, porąbać i nastawić w garnki, gotować zbierając szumowiny i tłustość do oczka, z początku dolewać wodą, a gdy mięso dobrze się przegotuje, z garnka do garnka przekładać i rosołem dolewać. Gotować póty, póki mięso na massę się nie rozgotuje a gdy się rozgotuje zupełnie zcedzić go czysto, wynieść na noc na zimno, aby się wyklarowało; to rozgotowane zaś mięso nalać czysta wodą i gotować powtórnie. Wziąść potem naprzykład kur 12, dwa przodki od cielęciny, nóżek cielęcych 16, dwie główki cielęce ze skórą, wyjąwszy z nich mózg, to wszystko nalać rosołem z wygotowanego drugi raz mięsiwa, gotować dopóty, dopóki się znowu na miazgę nie rozgotuje, zcedzić i zmieszać z rosołem wołowiny. Otrzymawszy już wszystkie rosoły i pomieszawszy je razem, wstawić na ogień, aby się ciągle gotowały. Garnek garnkiem dolewać, a gdy się z tego wszystkiego urobi połowa rosołu, włożyć wszelkiej włoszczyzny ile się podoba, wsypać muszkatołowego kwiatu pół łuta, to wszystko wlać w jeden garnek i gotować dopóki nie zmięknie, zcedzić z tego garnka i przygotowaną już włoszczyznę nalać dopiero owym rosołem z drobiu i cielęciny; powtórnie przegotować i niech to służy na dolewanie garnków. Rosół zaś w którym była włoszczyzna, pomieszać między inne garnki i dopóty gotować dopóki nie wygotuje się jeden garnek, czyli raczej dopóki buljon gęsty nie będzie tak, jak potrzeba do wylania na formy, albo na talerze.

Przy gotowaniu buljonu należy uważać, aby najpierw szumować jak najmocniej, tłustość co do oczka zebrać, gotować nieustająco dzień i noc, włoszczyznę już kłaść ku końcowi, aby buljon nie kwaśniał, mięsiwo dobrze wygotować, wybornie sklarować wszelkiemi znanemi sposobami i dać baczność wielką przy dogotowywaniu się, aby przypalenie nie nastąpiło; najlepiej dogotowywać buljon w garnkach kamiennych.

STOSUNEK MIĘSA DO BULJONU.

1) Cztery indyki ważące f. 24; 2) Kur starych ważących f. 24; 3) Wołowego mięsa f. 150; 4) Cielęciny f. 80; 5) Nóg cielęcych i główek f. 20; 6) Marchwi, cebuli, pietruszki, selerów, porów po kopie. Można także dodać zwierzyny, im więcej tem buljon będzie lepszy, ale za to droższy. Gdy kto zechce może zmniejszyć lub powiększyć tę proporcje o połowę, ale gdy kto się na tę pracę poświęci, lepiej się opłaci robiąc więcej niż mniej.

Część III

„Jak gościa przywita,
zaraz na stole piwo, okowita"

WÓDKI I LIKIERY

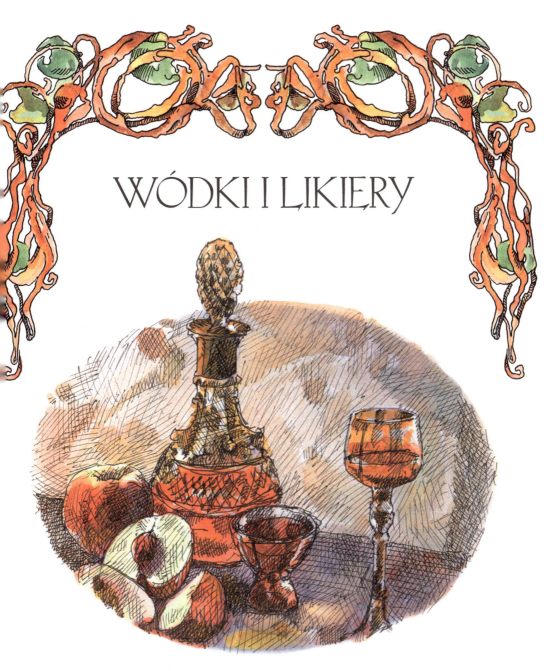

„Kto nie pije i nie łyka,
czysty obraz nieboszczyka"

OGÓLNE UWAGI CO DO LIKIERÓW, WÓDEK I NALEWEK

Staranna gospodyni z małym zachodem może sobie przygotować w domu nawet w mieście doskonałe wódki nalewki i likiery, których koszt będzie mniejszy od kupnych zagranicznych, a smakiem, przewyższają, w zupełności krajowe, dziś tak wygórowanych cen.

I tak: pierwszym warunkiem tej pracy jest używanie spirytusu najczystszego i najwyższej próby jaki dostać można, cukru rafinowego, biorąc do rozpuszczenia go pół kwarty wody na funt cukru — za gęsty syrop sprowadza zcukrzenie się wódki i odbiera jej klarowność.

Drugim warunkiem jest aby owoce czy też skórki owocowe, lub korzenie nie zadługo leżały w spirytusie gdyż przez długie moczenie wydziela się z owocu kwasu zawiele, zatracając właściwy aromat owocowy. Ze skórek pomarańczowych wydziela się za wiele olejku który zatraca prawdziwy aromat pomarańczy.

Trzecim i ostatnim warunkiem, a najtrudniejszym do wykonania jest zrobioną wódkę, nalewkę lub likier po przefiltrowaniu zapieczętować w butelkach i zostawić w spokojności na 6 miesięcy najmniej, przez co się skoncentruje i będzie dopiero rzeczywiście doskonałym.

We Francji używają od pewnego czasu zamiast cukru gliceryny do wódek co nadaje im słodycz i klarowność — u nas jednak taniej wypada cukier nie mamy bowiem krajowej gliceryny.

222

1. ZWYCZAJNE SŁODKIE KORZENNE WÓDKI

Na garniec wódki zwyczajnej rozpuścić 30 do 40 kropel olejku jakiego kto lubi miętowego, anyżowego, kminkowego, tatarakowego lub tym podobnie w kwaterce spirytusu Nr. 4. Dwa funty cukru nalać kwartą i pół wody, zagotować na syrop lekki, wlać w wazę i w ten gorący syrop lać owe pół garnca spirytusu wymieszanego z essencją korzenną, mieszać póki się dobrze nie wymiesza i przefiltrować przez szwedzką bibułę. Będzie z tej proporcyi cały garniec wódki.

2. NAJLEPSZĄ WÓDKA POMARAŃCZOWA

Obrać z czterech grubych pomarańcz zwierzchnią, żółtą, skórę, wziąść pół garnca najlepszego spirytusu, dobrać go syropem z 2 funtów cukru w kawałkach, na który wlać tylko kwartę wody i raz zagotować. Tak dobraną, wódkę wlać w garncowy gąsiorek, wrzucić obrać skórki postawić na 4 dni w cieniu. Po tym czasie zlać w butelki, filtrując przez szwedzką bibułę, sprzedawaną w składach papieru. Bibułę należy wkładać do lejka, składając w kilkanaście założeń i lejąc wódkę po trochu. Wódka będzie wyborna i czysta jak łza, gdyż zabierze w siebie tylko aromat pomarańcz nie wytwarzając gorzkawego olejku, jak to bywa, gdy w sam spirytus kładzie się skórki i stawia na słońcu na dłuższy czas.

3. WÓDKA POMARAŃCZOWA SŁODKA

Cztery pomarańcze z grubą, świeżą skórą, obrać z żółtej skórki włożyć w gąsiorek i nalać pół garnca spirytusu Nr. 4, – postawić w cieniu na dni 6 najwyżej. Po sześciu dniach zrobić syrop z 2 funtów cukru i kwarty wody, raz zagotować i w gorący syrop wylany w wazę lać powoli mieszając spirytus ze skórek przecedzony przez muślin. Gdy ostygnie wlać w butelki a po kilku dniach będzie tak czysta jak łza bez filtrowania przez bibułę.

4. GORZKA POMARAŃCZOWA WÓDKA

Wlać w gąsiorek kwartę spirytusu najlepszego, dolać do tego pół kwarty lub trzy kwaterki, jeżeli ma być zwykłej tęgości, czystej miękkiej wody przegotowanej, i w ten gąsiorek wrzucić z 2 pomarańcz skrojone żółte skórki. Gąsiorek stać powinien w cieniu bez światła dni 4 lub 6 nie dłużej, wtedy zlać płyn, cedząc go od razu przez cienki muślin do butelek. Gdyby się okazało, że za wiele ma goryczy, dolać jeszcze pół kwarty spirytusu zmieszanego z kwaterką wody przegotowanej, butelki zakorkować i po 4 tygodniach używać.

Uwaga. Nigdy nie należy skórek na gorzką wódkę moczyć w czystym spirytusie, gdyż z powodu wydzielonego olejku z pomarańcz, dobierając go później wodą, zbieleje jak mleko i zaledwie po roku stania powraca mu się klarowność, czego uniknąć można, dobierając wprzódy spirytus wodą.

5. WÓDKA CYTRYNOWA

Garniec spirytusu oczyszczonego Nr 4 nalać w gąsior; obrać 10 cytryn cieniuteńko z żółtej skórki i włożyć w spirytus na 24 godzin. Na cztery funty cukru w kawałkach nalać dwie kwarty wody miękkiej i zagotować na syrop, szumując starannie. Gdy się parę razy zagotuje, wlać go w wazę i w ten gorący sy-rop zlać wszystek spirytus bez skórek, od razu go cedząc, mieszać kilka minut, aby się dobrze spirytus z cukrem połączył, a potem zostawić w spokojności. Z tej proporcji jest 6 kwart doskonałej, mocnej wódki, trzeba jednak zachować następujący porządek: lać spirytus koniecznie do syropu, (gdyż inaczej wódka będzie mętna), a filtrować nawet nie potrzeba i tylko zlać w butelki; po dwóch dniach będzie jak kryształ. Cytryny powinny być świeże nie obe-schnięte.

6. WÓDKA GORZKA CZERWONA

Z dwóch świeżych pomarańcz skórki, nalać kwartą spirytusu 14 próby, niech tak stoją w cieniu dwa tygodnie; oprócz tego wrzucić w gąsiorek dwa, wyraźnie dwa gwoździki na kwartę spirytusu, po dwóch tygodniach zlać spirytus, dobrać go pół kwartą soku wiśniowego. Gdyby była za mocna można wziąść więcej soku, wymieszać dobrze, przefiltrować przez szwedzką bibułę i zakorkowawszy schować najmniej na pół roku. Będzie to wódka tak wyborna, że zrozumieć i poznać nie można z czego zrobiona, smakuje jakby zagraniczny likier, szczególniej gdy sok gęsty i dobry.

7. WÓDKA Z GORZKICH, POMARAŃCZEK

Kwartę spirytusu 14 próby, wymieszać z pół kwartą wody, którą rozprowadzić funtem cukru palonego (karmelu) póki gorący, w tak zrobioną wódkę wsypać ćwierć funta suchych gorzkich pomarańczek, niech poleżą w wódce z 6 dni, następnie przefiltrować przez bibułę. Wódka będzie bardzo mocna, chcąc ją mieć lżejszą wziąść więcej wody.

8. WYBORNA ŚLIWOWICA

W gąsior z szerokim otworem nakłaść pełno dojrzałych zupełnie węgierek, nalać je spirytusem najlepszym Nr 4, zatkać korkiem i zostawić w cieniu przez 4 do 6 tygodni, po tym przeciągu czasu zlać spirytus ze śliwek wysączając długo i starannie gąsior, a w miejsce spirytusu wsypać na śliwki cukru miałkiego tyle ile się tylko zmieści. Cukier będzie wyciągać ze śliwek spirytus w miarę rozpuszczania się, po 2 tygodniach najwyżej powinien się cukier zupełnie rozpuścić, wtedy zlać płyn i wymieszać z poprzednio zlanym spirytusem, przefiltrować przez szwedzką bibułę, zlać w butelki, zakorkować i zostawić przynajmniej na pół roku a będzie wyborna i wystała śliwowica.

9. WÓDKA HOLENDERKA

Zrobić dobrej śliwowicy — nalewając pełen gąsior dojrzałych węgierek spirytusem i zostawiając je tak przez dwa miesiące.

Wtedy zlać spirytus — śliwki nalać zimnym lekkim syropem, biorąc w proporcji jednego funta cukru na kwartę wody — kto chce słodsze, może brać więcej cukru. Gdy syrop postoi ze dwa tygodnie na śliwkach, wyciągnie z nich wszystek spirytus — pomieszać go ze zlanym ze śliwek poprzednio spirytusem i wlawszy go pod miarę do garncowego gąsiora, wlać 10 wyraźnie „dziesięć" kropel laurowych, skłócić dobrze i postawić aby się sklarowało. Oddzielnie wziąść kwaterkę tej samej śliwowicy we flaszeczkę, wlać trzy (3) krople eteru ananasowego mieszać bardzo długo aby się wybornie połączyło — co jest dość trudne — gdy jest tak wymieszane że nieznać tłuszczu eterowego, wlać tak wymieszany spirytus do owego garnca śliwowicy, dolać małą łyżeczkę wody kwiatu pomarańczowego, wymieszać razem, przefiltrować przez szwedzką bibułę — pozlewać w butelki i zostawić tak biorąc do użytku dopiero w pół roku. Wódka ta równa się najlepszej zagranicznej i poznać nie można z czego się składają aromaty.

10. WÓDKA ZE ŚLIWEK RENEKLODÓW

Dojrzałe zupełnie reneklody, to jest już popękane, nalać mocnym spirytusem tak, aby reneklody wypełniały gąsior do trzech czwartych, a spirytusu było pełno, zawsze pomnąc na to, aby spirytus dochodził tylko do szyjki, gdyż mógłby gąsior pęknąć. Postawić go w ciemnem miejscu w spiżarni lub szafie na 4 tygodnie najwyżej — po tym przeciągu czasu zlać spirytus, na kwartę dolać pół kwarty syropu z pół funta cukru zrobionego, a będzie najwytworniejsza wódka. Na pozostałe reneklody ułożone w słoju nalać bardzo gęstego zimnego syropu, a po trzech dniach podawać je po wódce lub po obiedzie, jako owoce spirytusowane.

11. WÓDKA SŁODKA BAKALJOWA (PAPIERÓWKA)

Pół garnca najlepszego spirytusu dobrać kwartą przegotowanej wody. Wziąć pół funta świeżych najlepszych fig, pokrajać w drobniutkie paseczki, pół funta rodzenków malaga i pół funta chleba świętojańskiego, także drobno pokrajanego, włożyć w gąsior, dołożyć cztery listki bobkowe i nalać dobranym spirytusem; zakorkować i postawić w cieniu na dwa tygodnie — można zostawić do trzech. Poczem przefiltrować przez szwedzką bibułę, pozlewać w butelki i dopiero po pół roku używać, — będzie to wyborna mocna wódka.

12. PRAWDZIWA LITEWSKA MOCNA WIŚNIOWA NALEWKA

Gąsior czysty i suchy napełnić do trzech czwartych dojrzałemi wiśniami czarnemi, zostawiając w jednej trzeciej części pestki. Nalać to najlepszym spirytusem do pełna i postawić w piwnicy na kilka tygodni od 4 do 6 nigdy dłużej. Po tym przeciągu czasu zlać spirytus, wiśnie włożyć w czysty płócienny worek dość gęsty i wycisnąć z nich wszystkie płynne części, czy to rękoma, czy też kładąc w prasę, co daleko jest lepiej. Powstały płyn zostawić w słoju na 24 godzin do zupełnego sklarowania się, na drugi dzień wymieszać z odlanym spirytusem i pozlewać w czyste suche butelki, a zakorkowawszy dobrze, zalać lakiem, wstawić w suchą piwnicę na rok najmniej. Po roku zacząć używać, będzie wyborna.

228

13. LIKIER WIŚNIOWY WŁASNEGO DOŚWIADCZENIA

Włożyć w gąsiorek garncowy, pełno bardzo dojrzałych, czarnych kwaśnych wisien, zostawiając pestki. Nalać je do pełna najlepszym spirytusem, zakorkować i postawić w cieniu na tygodni cztery najwyżej. Po czterech tygodniach zlać spirytus w inny czysty gąsiorek, a chcąc mieć tę nalewkę słodką, aby zastępowała w zupełności likier, należy wziąść na każdą kwartę odlanego z wisien spirytusu, dwa funty cukru umoczyć go w wodzie, zrobić syrop i przestudzonym nalać wiśnie w gąsiorze a po 2 tygodniach zlawszy go z wisien wymieszać ze spirytusem odlanym poprzednio, dobierając po trochu spirytusem syrop. Gdy wszystek dobrze wymieszany wlewać w suche butelki na jakie 3 miesiące najmniej. Po tym przeciągu czasu likier będzie zdatny do użycia, jednak czem dłużej stać będzie tem jest lepszy.

14. WIŚNIÓWKA PRĘDZEJ DO UŻYCIA

W garncowy gąsiorek wlać najlepszego spirytusu pół garnca, zrobić syrop z dwóch funtów cukru, maczając tylko cukier tak, aby tego syropu nie było więcej jak dobre pół kwarty, włożyć 10 goździków, wymieszać doskonale i napełnić do pełna cały gąsiorek wiśniami czarnemi zupełnie dojrzałemi nieco potłuczonemi tak, aby pestki niektóre były pęknięte. Może stać ze dwa tygodnie na słońcu, a będzie wyborna do użycia.

15. RATAFIA NAPRĘDCE

Pół garnca spirytusu najwyższej próby, kwartę soku wiśniowego, wymieszać dobrze w gąsiorku — wsypać 50 goździków i 50 pestek wybranych z dobrych suszonych śliwek potłuczonych, z których same jądro czyli ziarnko się używa. Postawić w cieptem miejscu, a za tydzień można używać.

16. LIKIER POMARAŃCZOWY HOLENDERSKI

Z czterech pomarańcz świeżych skórki skroiwszy same żółte z wierzchu, nalać w gąsiorku arakiem za 10 złotych kwarta, tańszym nie można, bo by był za słaby, im lepszy arak tem lepszy będzie likier, biorąc więc dobry zagraniczny arak będziemy mieli likier prawdziwy holenderski. Gdy te skórki nalane stać będą najdłużej dwa tygodnie w cieniu zupełnym w pokojowej temperaturze, zrobić syropu gęstego, można go zrobić podług upodobania słodszym lub mniej słodkim, biorąc 2 i pół funta cukru na kwartę araku. Cukier na syrop należy tylko maczać w wodzie, ile sam wsiąknie to dosyć, zagotować i wyszumować, wlać arak w gorący syrop, a gdy się wygryzie i ostygnie, nitrować, włożywszy w lejek kawałek bibuły znanej w aptekach pod nazwą szwedzkiej nakarbowaną w gęste składy, aby po nich ściekał likier równo nalewając na to w miarę ubywania, likier będzie czysty jak łza. Chcąc go jeszcze lepszym zrobić, dolać na kwartę kwaterkę ananasowego syropu, dolawszy jeszcze na tę miarę kwaterkę lub mniej araku. Arak powinien być bardzo dobry, a likier będzie przepyszny.

17. SŁAWNY LIKIER ZWANY „SCOUBACQUE"

Wziąść duży szklanny słój, włożyć w niego 8 malinowych pomarańcz, każdą nakłówszy 2 goździkami, 6 dojrzałych cytryn, każdą nakłóć jednym goździkiem, dalej włożyć laskę wanilji i kawałek cynamonu 6 cali długi. Nalać to garncem spirytusu najwyższej próby, najczystszym jaki można dostać, tak aby spirytusu było na wysokość drugie tyle co pomarańcz i cytryn i postawić w średniej pokojowej temperaturze na dni 20, obwiązawszy słój pęcherzem. Po dwudziestu dniach przekroić pomarańcze na połowę i wycisnąć w spirytus, w którym leżały, cytryny wyjąć i wyrzucić, cały spirytus przecedzić przez gęsty muślin i na każdą kwartę dolać syropu zrobionego z dwóch funtów najlepszego cukru, maczając tylko cukier w wodzie ile w siebie przyjmie. Syrop należy rozbierać spirytusem powoli, aby się klarował sam przez się a likier będzie gotowy, potrzeba go tylko przefiltrować, a zlawszy w suche butelki zostawić na trzy miesiące w spokojności. Likier taki nie ustępuje w niczem najsławniejszym zagranicznym.

18. LIKIER KAWOWY ZWYCZAJNY

Jednym z najaromatyczniejszych likierów jest likier kawowy, do wykonania którego potrzeba użyć alembiku. Alembik jest to przyrząd, za pomocą którego przez parowanie otrzymuje się sam aromat i wyskok poddanego jego działaniu produktu. Otóż można mieć likier nie tak jasny, ale również bardzo dobry, robiąc go w następujący sposób: upalić niezbyt mocno ćwierć funta najlepszej kawy

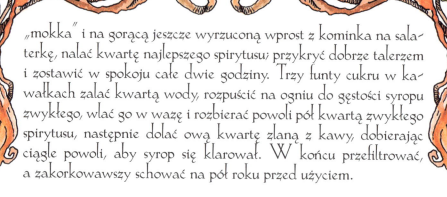

„mokka" i na gorącą jeszcze wyrzuconą wprost z kominka na salaterkę, nalać kwartę najlepszego spirytusu; przykryć dobrze talerzem
i zostawić w spokoju całe dwie godziny. Trzy funty cukru w kawałkach zalać kwartą wody, rozpuścić na ogniu do gęstości syropu
zwykłego, wlać go w wazę i rozbierać powoli pół kwartą zwykłego
spirytusu, następnie dolać ową kwartę zlaną z kawy, dobierając
ciągle powoli, aby syrop się klarował. W końcu przefiltrować,
a zakorkowawszy schować na pół roku przed użyciem.

19. LIKIER KAWOWY LUB KAKAOWY

Wziąść małą retortę szklanną, ochładzacz Lebiga i porcelanowy słój zwany „rezerwoarem". Kawę mokka upaloną i utłuczo-
ną, lub kakao przygotowane bez tłuszczu i sproszkowane, włożyć
w retortę, nalać czystym koniakiem, rachując funt na pół garnca
koniaku i włożywszy retortę w rondel z ciepłą wodą, ogrzewać
ją powoli, aż póki para iść nie zacznie z retorty, pilnując, aby się nie
zagotowało. Odstawić do wystudzenia, na drugi dzień powtórzyć
ogrzewanie doprowadzając do gorętszej temperatury. Na trzeci
dzień zlać koniak z kawy i znowu powtórzyć ogrzewanie, doprowadzając do zagotowania się, a wtedy podstawić pod szklanna
rurkę retorty porcelanowy rezerwoar, a skraplająca się para,
spadająca w słój, będzie czystym kakaowym lub kawowym aromatem, którą trzeba zaraz oziębiaczem Liebiga zamienić na płyn
chłodny. Wanilję należy całą laskę połamaną w kawałki od razu
włożyć w preparat kawy, żeby aromat jednocześnie wyciągnąć.
Do otrzymanego wyciągu można dolać, jeżeliby był za silny jeszcze, lub lepiej także koniaku, a następnie wymieszać z syropem,
biorąc dwa i pół funta cukru, zamoczonego tylko w wodzie, ile

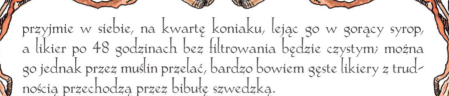

przyjmie w siebie, na kwartę koniaku, lejąc go w gorący syrop, a likier po 48 godzinach bez filtrowania będzie czystym; można go jednak przez muślin przelać, bardzo bowiem gęste likiery z trudnością przechodzą przez bibułę szwedzką.

20. LIKIER WANILJOWY

Jednym z najulubieńszych powszechnie likierów jest waniljowy. Łagodna aromatyczność wanilji stawia ją wyżej nad inne korzenne zapachy, chociaż ukryty w niej narkotyk silnie działa na słabsze nerwowe organizmy. Pół łuta wanilji pokrajanej na kawałki długości 1 centimetra zalać kwaterką spirytusu i postawić w ciepłem dobrze miejscu na 8 dni. Wziąść cztery lub pięć funtów cukru najpiękniejszego, porąbanego w kawałki, nalać półtory kwarty wody, a gdy się tylko cukier zaczyna gotować, rozbierać go pół garncem spirytusu powoli, aby się klarował, dolać zaraz ów spirytus, w którym mokła wanilja i wszystko razem wymieszawszy filtrować przez szwedzka bibułę, a następnie flaszki zakorkować i zostawić na pół roku najmniej nietknięte.

21. LIKIER MALINOWY

W gąsiorek garncowy wsypać zupełnie dojrzałych malin tyle, aby było trzy czwarte gąsiorka, czyli mniej więcej trzy kwarty, nalać je spirytusem 14 próby i zostawić w cieniu w pokojowej temperaturze na godzin 24. Po tym czasie zlać spirytus, maliny wyrzucić, wsypać świeżych malin do połowy gąsiorka i nalać je tym samym odlewanym spirytusem, zostawiając znowu w cieniu na 24 godzin,

nigdy więcej, gdyż maliny zawierają w sobie dużo kwasu; im więc krócej spirytus na nich stoi, tem mniej kwasu wydzielą z siebie, a spirytus wszelki aromat zaabsorbuje. Po powtórnem zlaniu spirytusu, który można od razu przelać przez bibułę, czyli filtrować, bo z syropem trudniej, wziąść 3 funty najpiękniejszego cukru, maczając go tylko w wodzie ile przyjmie sam w siebie, zrobić syrop gęsty, wlać go w wazę zalewając powoli filtrowanym malinowym spirytusem, wymieszać dobrze, powinien być czysty zupełnie, pozlewać w butelki — zakorkować i zostawić w spokoju na pół roku.

22. LIKIER MALINOWY FRANCUZKI

Wybrane oczyszczone z ogonków i robaczków, najlepsze jak można dojrzałe maliny, w ilości naprzykład sześciu funtów, rozetrzeć w dużej polewanej misce, gdy zupełnie utarte wsypać 12 funtów miałkiego cukru przesianego, wymieszać to doskonale i zostawić do zmacerowania się przez dwa dni. Po tym czasie wlać trzy, a kto chce mieć mocniejszy, a mniej słodki likier, cztery kwarty najlepszego spirytusu 14-ej próby. Wymieszać znów dobrze, przecedzić przez gęste sito włosiane (nie druciane) i zostawić aby się płyn klarował parę dni. Gdy męty na spód opadną, filtrować przez szwedzką bibułę do zupełnej czystości i zlewać w butelki, używając nie prędzej jak w pół roku.

23. LIKIER BENEDYKTYNKA

Pół ćwierci łuta szafranu namoczyć w kwaterce spirytusu, łut świeżego jeżeli można korzenia dzięglu, u nas jednak rzadko gdzie

rośnie, brać więc trzeba suszony; łut jałowcu, na połowę tylko prze-
tłuczonego i kawałeczek wielkości ziarnka grochu (gentianna lu-
tea) namoczyć w drugiej kwaterce spirytusu, niech to stoi dni trzy
w cieniu. W gąsiorek półgarncowy wlać półtory kwarty spirytusu
Nr. 4, zlać w niego przez bibułę szwedzką, owe pół kwarty z namoczonych korzeni i wymieszać dobrze. Zrobić syrop z czterech
do pięciu funtów cukru, maczając tylko cukier w wodzie ile sam
w siebie przyjmie, wyszumowany, gotujący wlać w wazę i rozbierać owym półgarncem spirytusu z aromatami. Gdy się wygryzie
i dobrze wymiesza, zlać w suche butelki, zakorkować i za pół roku
dopiero używać. Jeżeli jest starannie zrobiony nie trzeba go nawet
filtrować, co przy gęstości likieru bardzo jest trudne, a po wystaniu
się będzie i tak klarowny.

24. LIKIER RÓŻANY

Pół garnca spirytusu najlepszego Nr. 4 wlać w gąsior, wpuścić
w niego trzy krople olejku różanego, sprzedawanego w aptekach
lub składach aptecznych, zostawić butle w spokoju 24 godzin
w zwyczajnej pokojowej temperaturze. Zrobić syropu z 6 funtów
najpiękniejszego cukru, biorąc kwaterkę wody na każdy funt cukru — do gorącego jeszcze lać spirytus powoli, aby się klarował sam.
We 24 godzin wlać w gąsior nieco alkiernasu — płyn czerwony
wytwarzający się z robaczków czerwonych zwanych koszenillą,
które wydają śliczny karminowy kolor, używany do zabarwiania
likierów, cukrów i t. p. Po wlaniu w gąsior, dla przekonania się
czy dosyć zakolorowany, wlać w kieliszek, gdzie w mniejszej ilości
lepiej poznać można kolor, i zastosować do tego. Po trzech dniach
likier się ustoi jest klarowny bez filtrowania.

WINA OWOCOWE, ROZMAITE NAPOJE, MIODY I PIWA

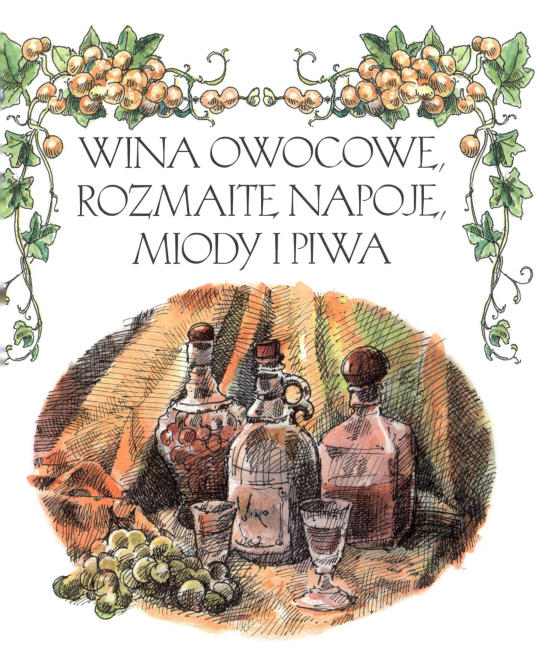

„Dobre wino i piękna kobieta
są przemiłymi truciznami"

1. WINA OWOCOWE

Z każdego owocu można robić wyborne wina, głównie zaś z wisien, malin, porzeczek, agrestu. Na funt owocu wziąść funt wody i pół funta miałkiego cukru, na porzeczki 3/4 funta. Owoce rozgnieść w miskach, wiśnie przefasować przez rzadki przetak tak, aby pestki zostały, lepiej nawet pierwej wybrać pestki — wymieszać z wodą, i cukrem i wlać w duże balony, wkładając w korek zakrzywioną, rurkę szklanną, którą, się wypełnia gliceryną; tak zostawić dwa miesiące w ciepłem miejscu. Gliceryna przeszkadza wypływaniu burzowin, podnosi się tylko w rurce i opada, a jednak fermentacja owocowa odbywa się wewnątrz balonu. Po dwóch miesiącach zlać płyn z balonów w baryłkę cedząc go przez płócienny worek i wynieść do piwnicy, gdzie znowu stać powinien dwa miesiące, aż się do czysta wyklaruje; wtedy dopiero zlewać w czyste butelki, korkować lakiem i ustawić w piwnicy. W czasie wielkiego urodzaju jednego z wyżej wymienionych owoców, najkorzystniejsze spożytkowanie jest robienie win, które są miłym, zdrowym i orzeźwiającym napojem. Rurkę szklanną wprowadza się w korek, którym balon czy gąsior jest zatkany; rurki podobne dostać można w składach szkła.

2. SZAMPAN OWOCOWY

Na 6 funtów jakichkolwiek jagód, należycie oczyszczonych i do naczynia szklannego włożonych, nalać pół garnca francuzkiej wódki lub araku i dwa garnce przegotowanej i ostudzonej wody. Postawić na słońcu na dni 14 mniej więcej, póki jagody na wierzch nie wypłyną; w ciągu tego czasu codzień kilka razy mieszać, butli nie zatykać, tylko płótnem obwiązać. Potem zlać przez czyste płótno do innego naczynia i dosypać cztery funty miałkiego cukru, rozprowadzić dobrze i znowu przelawszy do czystego gąsiorka, potrzymać na słońcu ze dwie doby. Poczem wynieść do lodowni na dni dziesięć. Następnie przecedziwszy, zlać do butelek, zakorkować i postawić w sklepie na piasku do użycia; butelki powinny być grube (najlepiej szampanki) bo cienkie porozsadza. We dwa lub trzy tygodnie trunek będzie już dobry do picia i musujący. Szampan można robić z malin, porzeczek, poziomek, agrestu, wisien i t. p., zawsze jednakowo. Korki należy przywiązać szpagatem (a najlepiej drutem przykręcać), i aby było szczelnie, oblakować, żeby korków nie wysadziło. Taki napój naśladuje wybornie lekkie wino szampańskie i jest doskonały.

3. DOMOWE WINO Z WINOGRON

Chociaż tak bardzo u nas zaniedbana jest uprawa winnych latorośli, że jednak w niektórych miejscowościach mają dostatek winogron i niezużytkowują je stosownie, dajemy tu przepis domowej roboty wina. Sto funtów dojrzałych winogron rozmieść drewnianym wałkiem w ceberku dębowym — gdyż statki do wina powinny być koniecznie debowe. Pestki jednak nie powinny się rozgniatać; te rozgniecone jagody rozprowadzić pięcioma garncami wody miękkiej i zostawić ten rozczyn na 24 godzin w zwykłej temperaturze pokojowej, po tym przeciągu czasu włożyć wszystko w worek z rzadkiego płótna, wygnieść mocno, a wytłoczyny jeszcze raz popłukać garncem wody. Do tego płynu włożyć od 30 do 40 funtów cukru (mączki), stosownie do chęci otrzymania słodszego lub kwaśniejszego napoju, a przytem uwzględniając większą lub mniejszą dojrzałość gron winnych. Dolać wody mniej więcej cztery garnce, aby wszystkiego było dziesięć garncy. Wsypać w ten płyn pół funta suszonego weinszteinu i postawić statek w cieple takiem, aby fermentacya sama z siebie mogła się wydobywać. Gdy się okaże ferment, co powinno mieć miejsce w tydzień, jeżeli w ciepłej izbie stoi, zlać płyn do baryłki lejąc po sam wierzch, dolewając ciągle baryłek, aby piana fermentująca mogła sama wypływać, wstawiwszy baryłki do ciepłej piwnicy, gdzie jeszcze burzyć się będzie kilka tygodni, i dopiero gdy się przestanie burzyć, można mocno zatkać. Stosownie do cieplejszej temperatury lub zimniejszej, prędzej lub dłużej się ustaje. Rok cały powinno stać w baryłkach po skończeniu fermentacyi, wtedy się zupełnie ustoi i za pomocą liwarku można już ostrożnie z wierzchu ściągać, aby nie poruszyć mętów i osadu uformowanego. Butelkować w suche zupełnie butelki, które trzy dni po umyciu powinny odwrócone stać w koszach, a gdy się wystoi wino, to jest najprędzej w trzy miesiące, używać. Będzie jednak lepsze w pół roku lub w rok.

4. WINO Z POMARAŃCZ

Nikt nie uwierzy póki się nie przekona co za nektar deserowy naśladujący najwspanialsze wina deserowe, hiszpańskie lub włoskie daje wycisk z pomarańcz. Kopę najlepszych dużych, jeżeli małe półtrzeciej kopy, czerwonych pomarańcz wycisnąć najsumienniej przez muślin. Zrobić syropu zwyczajnego z 18 funtów cukru, biorąc pół kwarty wody na funt cukru, wyszumować, wymieszać, gdy wystygnie zupełnie z sokiem z pomarańcz zmierzyć, aby płynu tego było przeszło dwa garnce. Wlać w dwa duże gąsiory,

zatkać lekko i zostawić w pokojowej temperaturze. Gdy zacznie fermentować w miarę ubywania przez ferment, dolewać zimnej przegotowanej wody. Po trzech lub czterech tygodniach wynieść do piwnicy, a w pół roku gdy fermentować przestanie i samo się zupełnie wyklaruje pozlewać w butelki, lejąc przez rzadkie płótno, zakorkować, zalać lakiem i zostawić na rok do wyrobienia się. Butelka takiego wina po roku ma wartość 1 do 2 rubli — a koszt dwóch garncy wynosi najwyżej z gąsiorami od 4 do 5 rubli. Otóż to na czem się zasadza praca i gospodarstwo kobiety i co staranność jej wytworzyć może dla domu, a nawet dla przemysłowego gospodarstwa.

5. JABŁECZNIK

Wiadomo jest, iż z każdego owocu można robić wino, czyli wyskok owocowy, bo każdy owoc ma w sobie pewną ilość spirytusowych części, potrzebnych do otrzymania właściwej fermentacji i pewną ilość cukru owocowego. U nas, gdzie winnice nie zawsze się udają i nie możemy miewać prawdziwego wina z jagód winnych, jabłka zaś są w obfitości, można go urządzać z tego arcyużytecznego owocu, szczególniej gdzie w ogrodach, a częstokroć i w lesie znajdują się jabłonki. Jabłuszka leśne są bardzo użyteczne w gospodarstwie, przy urządzaniu kapusty, borówek, dają wyborną pąsową galaretę i są doskonałe na napój.

Wziąwszy beczkę od wina węgierskiego, postawić ja w piwnicy na ligarach, to jest na drzewie, z jednej strony dno wyjąć, dalej wziąść 200 funtów jakichkolwiek kwaskowatych, winnych, byle nie słodkich jabłek, przekrawając każde na cztery ćwiartki bez obierania i wyrzucania ziarnek, i te jabłka wsypać w czysty, nowy, duży worek płócienny, zawiązać i włożyć w beczkę, przyłożywszy czystem dębowem denkiem. Trzeba bowiem wiedzieć, iż jabłka mają, tę własność, iż wypływają na powierzchnię wody, gruszki zaś toną w wodzie na spód opadając. Na ten worek z jabłkami wlać 100 kwart miękkiej lub wybornej źródlanej wody, któraby nie zawierała w sobie żadnych odrębnych własności chemicznych. Następnie włożyć 45 funtów miodu praśnego lub cukru, przykryć beczkę płótnem i zostawić cztery tygodnie w spokojności; po czterech tygodniach zlać w oddzielną baryłkę, a na jabłka nalać powtórnie 100 kwart wody i 50 funtów miodu lub cukru. Znowu zostawić póty, póki fermentacja nie przejdzie, co za pierwszym razem należy zauważać, gdyż czasem gdy piwnica zimna, fermentacja dłużej trwa, a gdy ciepła, prędzej przychodzi. Po drugiej fermentacji zlać płyn razem z pierwszym i powtórzyć nalanie w tej samej proporcji jeszcze raz trzeci. Gdy i trzeci raz sok winny przejdzie fermentację, zlać wszystkie trzy części razem, uważając, aby baryłka w której jest zlane wino była pełna, gdyż w przeciwnym razie będzie się psuć z wierzchu, czyli pleśnieć. Czysty więc zcedzony płyn w pełnej beczce stać powinien w piwnicy, póki się zupełnie nie sklaruje, to jest, przejdzie ferment i ustoi zupełnie, co trwać może od pół roku do dziewięciu nawet miesięcy. Z doświadczenia wiem, iż płyn pozostawiony w ten sposób pół roku, jeszcze nie sklarował się dostatecznie. Gdy się zupełnie sklaruje, zcedzić go w czyste suche butelki, zakorkować dobrze i ustawić w chłodnej piwnicy, po kilku tygodniach będzie zdatny do użytku i bardzo dobry.

6. WINO Z MALIN

Dojrzałe zupełnie maliny nalać wodą studzienną osłodzoną, biorąc na każde cztery garnce malin osiem garncy wody i cztery funty cukru, zostawić to w spokojności 6 do 8 tygodni, aby przebyły fermentacyę, która powstaje z połączenia cukru z owocem. Gdy się okaże, że maliny opadły, a fermentacya się skończyła, wylać wszystko w worek flanelowy lub sukienny, przecedzić, wlać w czystą dębową baryłkę, zatkać lekko szpontem i zostawić cały rok. Po roku, to jest jesienią, czyste jak łza przez ustanie, zlać za pomocą gutaperkowych syfonów czyli kiszek w butelki, zakorkować i zalać pakiem. Im dłużej się w butelkach wystoi, tem będzie lepsze.

7. WINO Z MALIN NA DROŻDŻACH

Sześć garncy bardzo dojrzałych malin nalać 12 garncami wody, osłodzonej czterema funtami czystego miodu, patoki, wlać w to pół funta drożdży rozrobionych pół kwartą wody, wymieszać wszystko razem i zostawić w baryłce w spokoju cztery do sześciu tygodni; w cztery tygodnie można włożyć jeszcze cztery łuty drożdży, rozrobionych w półkwaterku wody. Gdy fermentacja się skończy, zatkać lekko baryłkę, a w zimie podczas mrozów, gdy ciepło w piwnicy wywołuje jeszcze jakiś ferment, wyjąć na parę tygodni szpont, następnie znowu zatkać, a w jesieni, to jest mniej więcej w 13 lub 14 miesięcy po zarobieniu malin, w sierpniu będzie już tak czyste jak łza; nie trzeba jednak żadnych nalewek z drożdżami cedzić przez worek, gdyż będą, nieczyste. Wziąść kiszkę gutaperkową, przywiązać do niej kawałek drewienka,

które utrzyma tak zwany "syfon" na powierzchni nie mącąc gąszczu i pociągnąwszy ustami jakby w liwarku, nalewać do czystych suchych butelek. Po roku lub dwóch latach wino będzie wyborne.

8. NALEWKA MALINOWA (KIJOWSKA)

Nalewki spirytusowe na owoce, są to po prostu wódki owocowe i tylko jako takie służyć mogą. W Kijowie zaś wyrabiają rozmaite nalewki owocowe, które piją szklaneczkami, nawet kobiety zamiast wina po obiedzie przy wetach. Jedną z lepszych takich nalewek jest malinowa, i dla tego tej przepis tu podaję. Garniec dojrzałych, przebranych należycie malin wsypać w gąsior czterogarncowy i nalać lekkim wystudzonym syropem z 6 funtów cukru i dwóch garncy wody, dolać pół garnca najlepszego spirytusu, zatkać i postawić na 10 dni w miernie ciepłe miejsce, ale nie na słońcu, kilkakrotnie codzień kłócić, potrząsając gąsiorem. Po 10 do 12 dniach, gdy gąszcz opadnie, a płyn zupełnie będzie klarowny, zlać w butelki, zakorkować mocno i zachować w zimnej a nie wilgotnej piwnicy.

9. BISZOF

Do kwaterki dobrego araku wrzucić gorzkich pomarańczek 50 sztuk, cynamonu laskę 1, goździków sztuk 20, skórkę z trzech pomarańcz cienko zerżniętą. Pomarańczki kupują się w składzie aptecznym po kop. 20 za 1 funt; są małe jak orzeszki; można tego funta mieć do kilku kwaterek araku. Cynamon połamać, gwoździki wsypać całe. Arak tak przyrządzony powinien naciągać

244

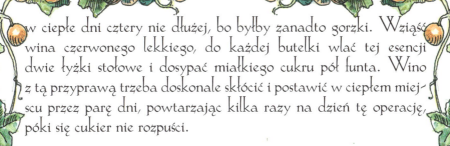

w ciepłe dni cztery nie dłużej, bo byłby zanadto gorzki. Wziąść wina czerwonego lekkiego, do każdej butelki wlać tej esencji dwie łyżki stołowe i dosypać miałkiego cukru pół funta. Wino z tą przyprawą trzeba doskonale skłócić i postawić w ciepłem miejscu przez parę dni, powtarzając kilka razy na dzień tę operację, póki się cukier nie rozpuści.

10. NAPÓJ ANGIELSKI ZWANY „MORNING."

Skórki z sześciu cytryn namoczyć w dwóch kwartach araku dobrego, przez sześć dni, a cztery funty cukru rozpuścić w czterech butelkach wina stołowego francuzkiego. Zmieszać wszystko razem, wlać kwartę świeżej ze słodkiego mleka zrobionej serwatki, przefiltrować, zlać w butelki i zakorkować. Wyborny napój wzmacniający żołądek używa się zamiast wódki.

11. PONCZ MLECZNY

Dwie duże flaszki kwartowe dobrego araku, cztery flaszki wody, 15 wyciśniętych soczystych cytryn i pięć funtów miałkiego cukru wymieszać doskonale a gdy wymieszane, wlać w to kwartę gotującego się warem świeżego mleka prosto od krowy, wymieszać i wynieść na 24 godzin do zimnej piwnicy. Gdy się sklaruje przecedzić przez gęstą serwetę rozpiętą na przewróconym stołku lub stoliku, aby wolno zupełnie czyste ściekało w podstawiona wazę. Zlać w suche butelki i schować do piwnicy gdzie ten wyborny poncz długo się daje przetrzymać.

12. MIÓD GEBETNEROWSKI

Na garniec miodu czyli patoki (czysty miód po oddzieleniu woskowin, taki garniec waży funtów 14), bierze się dwa do trzech garncy wody w miarę jak żądamy mieć tęższy lub słabszy napój, i gotuje na wolnym ogniu, zbierając szumowiny tak długo, aż płynu trzy czwarte pozostanie, czyli z czterech garncy zostanie trzy, a z trzech dwa i kwarta. Skoro war przestanie się pienić, zdjąć kociołek z ognia, i po ostudzeniu zlewać do beczki, która koniecznie musi być pełna. Naturalnie proces gotowania powtarza się kilkakrotnie stosownie do objętości kociołka w którym się gotuje. Po dopełnieniu beczki szpont przykryć płatkiem płóciennym, po kilku dniach lub prędzej, co zależy od temperatury piwnicy, płyn zacznie fermentować, wtedy podstawie co czystego pod beczkę, aby wzburzony płyn miał swobodne miejsce odpływu. Po skończonej fermentacji beczkę dolać lekkim odwarem od herbaty, zamontować, a gdy się po kilku miesiącach miód sklaruje, można go w butelki ściągać, korkować mocno jak wino i ustawiać w piwnicy na półkach, leżeć nie powinny wcale. Wsypawszy w beczkę w czasie fermentacji kilka kwart dojrzałych malin, wisien czarnych lub dereniu, otrzymamy miód zwany maliniakiem, wiśniakiem lub dereniakiem.

13. MIÓD BEZ DROŻDŻY

Na garniec miodu z suszem, wziąść 4 garnce wody ciepłej, ale nie gorącej, aby susz się nie topił i nie zostawił zapachu wosku. Miód włożyć do czystego worka płóciennego, przelewać wolną wodą i rękami wygniatać, aby go nie zostało zbyt wiele w odczy-

nach, potem na 15 garncy płynu wziąść półtory kwarty zielonych jagód jałowcowych, które wsypać do woreczka wraz z czystym kamieniem, aby woreczek zatonął w kotle z miodem, gotować tak długo póki się do połowy nie wygotuje (szumując ciągle). Jeżeli kto chce mieć miód słodszy i essencjonalniejszy, to gotować dłużej, tak, aby tylko trzecia część pozostała. Gdy się ugotuje, raz miód jeszcze przecedzić do czystego naczynia, i tak go zostawić aż zupełnie wystygnie, potem wlać w czyste butelki i lekko zakorkować aby butelki nie pękały, gdyż miód sposobem tym robiony bez drożdży, fermentuje jak wino węgierskie, i co rok lepszy się staje, a w smaku tak jest podobny do starego wina, iż trudno go odróżnić; w robieniu zaś mniej jest ambarasu jak z miodem drożdżowym, który się z tym równać nie może. Korzeni żadnych kłaść nie należy, gdyż te przez swój zapach psują dobroć i bukiet miodu.

UWAGA. Do robienia napoju lepiej jest brać miód z suszem jak topiony, gdyż z suszem nie może być fabrykowany, często kupcy mieszają z mąką, a w takim razie miód się psuje i fermentuje ciągle.

14. MIÓD CIEMNY DO PICIA NA DROŻDŻACH

Na garniec patoki bierze się wody garncy 3 i pół, jeżeli zaś miód jest z suszem, wtedy wziąść dwa garnce tylko i tą, letnią wodą płukać na nieckach lub baljach miód póty, póki wcale słodyczy w suszu nie będzie. Następnie przecedzić tę wodę do kotła i gotować ciągle, szumując kilka godzin. W godzinę jednak po zagotowaniu włożyć w kocioł woreczek płócienny z zaszytym w końcu kamykiem dla dobrego zanurzenia, a zawierający na każdy garniec miodu łyżkę główek chmielu, po kilka ziarnek angielskiego ziela lub po kawałku imbieru wielkości grochu, po szczypcie kwiatu pomarańczowego i muszkatołowego, po kawałku korzenia fijołkowego i po dwie skórki ćwiartkowe z pomarańczy, jeżeli można świeżych. Chcąc się przekonać czy miód ma dosyć, trzeba zanurzyć pręcik żelazny w gotującym się warze, jeżeli po wyjęciu pręt będzie czerwony, miód jest dogotowany. Wtedy wylać na balję i ostudzić do 18 stopni Reaumura, a następnie zlewać w beczkę dębową, nową, z żelaznemi obręczami; zlewając mierzyć zaraz garncem i na każdy garniec wlać cztery łuty drożdży rozmoczonych w tymże miodzie, wymieszać dobrze z drożdżami i zostawić w spokojności w pokoju średniej temperatury, naturalnie opalanym w zimie. Beczka nie powinna być pełna. Otwór przykryć płótnem i przypieczętować.

Miód będzie fermentował; w cztery miesiące a nawet od czterech do sześciu, gdy dobrze wyfermentuje, przenieść go w chłodniejsze miejsce, naprzykład do suchej piwnicy, gdzie jeżeli po 10 do 12 miesiącach nie zacznie fermentować na nowo, można go zlewać do butelek. Natenczas odjąć ostrożnie dolny szpont, wśrubować kran filtrować przez bardzo gęste płótno lub flanele. Butelki powinny być zupełnie czyste i suche, przytknąć je nowemi korkami i zostawić w piwnicy na trzy miesiące; jeżeli jeszcze nie zaczną, fermentować, wtedy pozabijać dobrze te same butelki i pozalewać pakiem. W czasie fermentacji czy to w beczce czy w butelkach, przeczekać takową i dalej postępować jak wyżej. Butelki ustawiać w piwnicy przesypując suchym piaskiem do połowy szyjek. Im starszy taki miód, tem będzie lepszy, jednak w pół roku po zbutelkowaniu, można go już używać.

15. MIÓD BERNARDYŃSKI NA DROŻDŻACH

Rozmaite są sposoby robienia miodu – jedni uważają, że bez drożdży najlepszy – drudzy, że tylko na drożdżach dobry być może. Że jednak księża zakonnicy dawnemi czasy najlepsze miody przygotowywali, dajemy tu przepis wypróbowanego miodu na drożdżach zwanego bernardyńskim. Do garnca miodu pato- ki czystej, wlać trzy garnce wody, wlać to w kociołek i gotować do wygotowania do 2 garncy płynu 5 do 6 godzin mniej więcej, próbując jajkiem, które wrzucone w ostudzony miód, jeżeli zanurzy się do połowy tylko, to miód ma dosyć; na godzinę przed skoń- czeniem gotowania wsypać 4 łuty chmielu w woreczek i włożyć w miód. Wylać w balję lub ceber, włożyć 4 łuty drożdży i tak zostawić, aby wyfermentowało przez 3 tygodnie w temperaturze pokojowej, następnie przecedzić przez worek wojłokowy do becz- ki, wynieść do piwnicy, w której ma stać rok cały i dopiero zlewać w suche butelki.

16. WYBORNE DOMOWE ŁATWE DO ROBIENIA PIWO

Trzy funty słodu żytniego, trzy funty słodu jęczmiennego, sześć funtów mąki razowej zaparzyć w garnku lub na misce gorącą wodą, lejąc wody przeszło garniec mniej więcej, aby było ciasto gęstawe jak na kładzione kluski, wymieszać razem i wstawić w piec po chlebie lub pod angielską blachę w braku pieca chle- bowego, na godzin dwanaście, aż nabierze koloru czerwonego.

Wtedy włożyć to wszystko w baryłkę ośmiogarncową, rozmieszać zimną wodą i nalać do pełna, zostawiając w spokojności. Oddzielnie wziąść dwa funty gryczanej mąki, pół funta świeżych suchych drożdży, zarobić na gęsto ciasto wolną wodą i postawić na parę godzin, aby się ruszyło. Wtedy rozetrzeć i wlać w inną, czystą, baryłkę, a roztworem słodowym przecedzonym przez sito dolać ją do pełności i tak pozostawić w ciepłem miejscu od 4 do 6 godzin, aż się wyrobi dobrze i pokażą się drożdże na wierzchu, wtedy zacząć wlewać w czyste butelki, mieszając płyn w baryłce, aby razem z drożdżami znajdował się w butelkach, zaszpontować mocnymi sparzonymi korkami, które prosto z wody trzeba do butelek brać, aby były miękkie do korkowania — i wynieść do piwnicy stawiając butelki w piasku. Piwo to jest lekkie, chłodzące, smaczne, musuje jak szampan, i kilka tygodni daje się przechować. Za doskonałość tego przepisu zaręczamy.

17. PIWO SZLACHECKIE I JAŁOWCOWE

W naczyniu jakiemś drewnianem, czystem, w któremby nie było nigdy serwatki, mydlin, lub czegoś kwas dającego, a któreby w kształcie faseczki na nóżkach dość wysokich stać mogło, trzeba przebić przy brzegu dna otwór, i wziąwszy prostej słomy (bez kłosów), zgiąć ją na dwoje i umieścić w otworze w guście czopa, przegięciem wewnątrz, i przez to przegięcie przesunąć kij, słomę od wylecenia zatrzymujący. Baczyć przecież trzeba, aby czop nie był zbyt ściśnięty i gęsty, bo następnie odpływ odwaru byłby utrudniony i mógłby zakwaśnieć, czego bardzo pilnować trzeba przy całej robocie, i dla tego odbywać ją trzeba latem w miejscu chłodnem, zimą w niezbyt ogrzanej izbie. Gdy czop jest w naczyniu umieszczony, należy w pewnej nad nim odległości ułożyć z suchych, czystych drewienek olszowych kratkę, a nawet dobrze jest, gdy znów w pewnym ponad nią odstępie idzie kratka raz drugi. Na te kratkowania z drewienek trzeba położyć prostej słomy tyle, aby następnie wylany na niego zacier nie przelatał przez kratkę, ale w podstawione pod otworem naczynie przez czop, ze słomy odwar z niego ściekał. A wspomniany zacier przygotowywa się w ten sposób: na 20 garncy piwa wziąć 10 garncy grubo przeszrutowanego jęczmiennego słodu, i sparzywszy takowy gotującą się wodą w jakiemś naczyniu płytkiem, jak naprzykład balja, aby był nie gęstszy jak kasza obrzednia, i przemięszawszy kilkakrotnie wiosłem, aby nie zagorzkł, przykryć go czemś i niech spokojnie stoi, jeżeli w cieplejszem miejscu, godzinę, jeżeli w chłodniejszem, półtory. Po tym upływie czasu wlać go w przygotowane naczynie, zkąd, jak wspomnieliśmy, powinien przez słomę i kratkę czopem zwolna odciekać, przytem raz jeszcze ostrzegamy, aby dla niezakwaszenia się zacieru przekonać się, czy odpływ należycie idzie, i w razie przeciwnym, czop poprawić, a gdyby odpływający odwar okazał się bardzo essencjonalny, można jeszcze przez zacier dobrze ciepłej wody przelać. Gdy już nakoniec wszystko dostatecznie zciekło, wlać ten odwar w kocioł i wciąż szumując przegotować, bacząc aby się nie przypaliło, co bardzo łatwo z powodu essencjonalności odwaru nastąpić może. Skoro szumowanie skończone, zestawić kocioł z ognia, pozwolić brzeczce wystygnąć i znów przez zacier powoli tak wystygnięta przelewać. Pół garnca lekko nałożonego chmielu nalać wodą i od zagotowania gotować godzinę, a nawet można dłużej, potem przestudzić go i tak z łebkami jak się gotował wlać w brzeczkę. Wtedy powinno być przygotowane pół kwarty dobrych nie starych drożdży, to zmieszawszy z pół garncem tak przechłodzonej brzęczki, jak w lecie woda, trzeba zostawić w spokoju aż robić zaczną. Co gdy nastąpi, wlać drożdże do wszystkiej brzęczki, która jak wiemy, już wychłodniętą zupełnie być powinna i przemieszawszy, przez noc w niebardzo ogrzanem miejscu zostawić. Gdyby drożdże rość nie chciały, można naczynie z brzeczką przykryć, jeżeli zaś są dobre, nie trzeba, gdyż bardzo w czasie roboty pamiętać trzeba, aby zakwaszenia nie dopuścić. Jak również nie trzeba nigdzie odstąpić od tego gdzie w przepisie jest wspomniane o przestygnięciu, gdyż zaparzenie szczególniej drożdży, całą robotę niemniej zepsuje. Na drugi dzień zaraz z rana piwo przez nowy przetak przecedzić, wlać w beczkę i jak zwykle pozwoliwszy mu wyrobić, zbutelkować. Tak wierzchnie jak spodnie drożdże z takiego piwa otrzymane, są dobre do nowego robienia piwa, jak również i do pieczenia ciasta. Korki do butlowania należy zagotować, aby zupełnie zmiękły, gdyż na dokładnem zakorkowaniu zależy dobroć każdego piwa. Po zbutelkowaniu piwo kłaść w piasek, a po dziesięciu dniach poustawiać butelki w tymże piasku, gdyż przez dłuższe leżenie wysadziłoby korki. Warunki te stosują się do każdego piwa. Piwo jałowcowe, bardzo przez niektóre osoby lubione i zdrowe, robi się zupełnie tym sposobem co poprzednie, tylko zamiast 16 garncy słodu, bierze się go tylko 8, a 8 garncy przeszrutowanego jałowcu.

Część IV

„Kto pomiernie je i pije,
ten zawsze najdłużej żyje"

CIASTA I WSZELKIE PIECZYWA

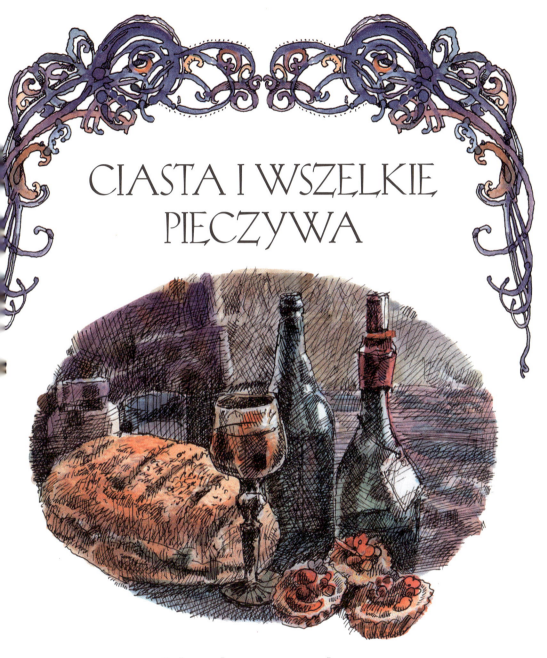

„Jak się bawić, to się bawić,
portki sprzedać, frak zastawić"

1. CHLEB NA DROŻDŻACH

Bierze się mniej więcej, stosownie do suchości mąki, na garniec kwartę wolnej niekwaśnej serwatki i sześć łutów drożdży, które w kwaterce z tejże samej kwarty serwatki się rozbijają i tą kwartą rozczynia się pół garnca mniej więcej mąki. W godzinę po roz-czynieniu, ciasto powinno się ruszyć, wtedy przyczynić czyli dodać resztę pozostałą od rozczynu mąki i łyżeczkę soli. Wyrobić ciasto, aż póki od ręki odstawać nie będzie i zostawić, aż powtórnie się ruszy, wtedy wyrobić na stolnicy bochenki, podsypując jeszcze mąką i wyrabiać tak, aby zawsze do środka zwijać ciasto, przez co uformują się gładkie i równe bułki. Przed wsadzeniem do pieca gdy na desce rośnie, kilkakrotnie powinien być zmoczony wodą lub piwem, najlepiej czynić to pędzlem ze szczeciny. Jest to lepszy sposób jak smarowanie chleba jajkiem, jak to wiele osób robi, przez smarowanie bowiem wodą, tworzy się skórka twardawa, która po upieczeniu stanowi piękność chleba. Z garnca mąki powinno być trzy spore lub cztery mniejsze chleby. Piec powinien być bardzo gorący. Całe pieczywo od rozczynu do upieczenia chleba powinno zająć godzin 6.

2. CHLEB NA KWASIE

Chcąc mieć kwas, trzeba najpierw upiec chleb na drożdżach zwyczajnym sposobem, a robiąc go zostawić ciasta surowego w ilo-ści szklanki, zaraz rozkruszyć go w mące żytniej, pięknej, tak długo dodając mąki, póki znaku nie będzie, że to jest ciasto, tylko wy-glądać będzie jakby sama mąka. Wsypać to w czysty woreczek, lekko związać i powiesić w suchem miejscu, taki kwas użyć można dnia trzeciego, można go jednak trzymać i parę tygodni.

UŻYCIE KWASU. Bierze się ten wszystek kwas zasuszony, wsypuje w trzy kwartową dzieżeczkę, zalewa kwartą wody ciepłej, dodając tyle mąki żytniej, żeby się utworzyło ciasto, po należytem rozbiciu, jak śmietana gęsta; zrobić to na noc, przykryć i postawić w cieple do rana a drugie tyle narośnie, zdarza się czasami, że opadnie, jak zanadto przerośnie, ale to nie szkodzi. Mieć już nazajutrz rano, naprzykład o godzinie szóstej mąkę osianą w niecce, w ilości trzech garncy, ująć połowę do przyczynu, a w drugą, połowę wlać trzy kwarty serwatki, wody lub słodkiego mleka rozbiwszy należycie, wlać ten kwas wszystek i osolić; do każdego garnca mąki bierze się łyżeczka soli. Po postawieniu w cieple powinno we trzy godziny już wyróść należycie, im cieplej, tem prędzej wyrośnie. Do przyczynu dosypywać mąkę po trochu długo i dobrze wygniatać, gdyby mąka była świeża, nie wysuszona, to do tej ilości trzeba mąki z kwartę przysypać, wymieszać i postawić w cieple, żeby dobrze wyrosło; będzie śliczne dziurkowate jak na drożdżach i lekkie ciasto.

Chleb pławiony jest najlepszy, bo równo wyrasta w środku przez należyte ogrzanie; najlepiej mieć do pławienia chleba podłużną, nie głęboką wanienkę, wlać w nią wody niezbyt gorącej, przylewać gdyby wystygła; następnie porobiwszy niezbyt wielkie bochenki, pokłaść w tę wodę, daleko prędzej spłynie, niżeliby rósł na stolnicy; po wypłynięciu polać go można ukropem i zaraz w piec wstawić. Jak jest suche drzewo, pali się dopiero wtenczas, kiedy chleb skończy się robić na stolnicy, trzeba mocno trzon wypalić, a potem dobrze pomiotłem wilgotnem wystudzić u dołu, jak niemniej i u góry, próbować mąką, żeby się nie paliła tylko była rumianą. W pół godziny trzeba go przesadzić i gorącą wodą polać, to się po wyjęciu będzie świecił; w piecu ma siedzieć godzinę. Dla smaku można dodać trochę kminku lub kopru.

3. CHLEB ŻYTNI PYTLOWY PARZONY

Z pięciu garncy mąki bierze się dwa garnce i zaparza rano jednego dnia ukropem z wody rozrabiając tak, aby ciasto było wolne, więcej jednak rzadkawe jak zbyt gęste. We 24 godzin czyli na drugi dzień, gdy rozczyn który naturalnie w cieple stał miejscu zafermentuje dobrze, dosypuje się reszta to jest 3 garnce mąki, sypie sól i dolewa tyle wolnej wody, aby ciasto było należycie gęste, wyrabiając go najmniej z godzinę silnie rękami. Tak wyrobione stać powinno w cieple mniej więcej godzin 8 do 10 nawet, póki dobrze się nie ruszy, co jednak zawsze zależy od towarzyszących wzrostowi ciasta okoliczności. Wtedy napalić w piecu jak na chleb razowy i od razu, jakby z razowego ciasta, robić na łopatę okrągłe bułki chleba, biorąc na każdy funt chleba 6 łutów ciasta więcej, gdyż tyle się wypieka; to jest, chcąc mieć bochenki trzy funtowe, brać ciasta funtów 3 i łutów 16 do 18. Chleb na łopacię posmarować wodą, a wyjąwszy go z pieca powtórnie wodą smarować.

4. CHLEB NA CHMIELU

Gotuje się kwaterkowy garnuszek chmielu, i tym gorącym odwarem parzy się trochę pytlowej mąki na gęsto. Tę gęstą sparzoną mąkę zarabia się kwasem, rozczynionym na rzadko z chleba razowego, aż dopóki nie będzie gęstości galaretowej; ta troszka tak rozczynionej mąki kładzie się w garnuszek, posypuje mąką i stawia w ciepłem miejscu. Trzeba to wszystko zrobić rano, do wieczora rozczyn w garnuszku podrośnie; rozrzedziwszy go zupełnie wodą ciepłą, rozczynić nim mąkę na chleb na noc; przez noc ciasto wyrośnie, rano przyczyniać, dać wyrosnąć ze 3 godziny, a następnie robić bochenki okrągłe, gładkie, zostawić na desce lub stolnicy do wyrośnięcia, pomnąc zawsze na częste smarowanie wodą bochenków, leżących na desce, wsadzić w gorący piec, a po wyjęciu z pieca, znowu natychmiast wodą posmarować, chleb taki jest wyborny.

5. ZWYCZAJNA PROPORCJA DROŻDŻY DO CIASTA

Na garniec mąki do wykwintnego ciasta bierze się drożdży łutów 12 do 14. Na zwyczajne placki, bułki lub wszelkie inne ciasta kuchenne, jako to pyzy, racuszki, pierogi na garniec mąki 8 łutów drożdży. Gdy ciasto niechce rosnąć, dosypać nieco sody sproszkowanej, gdy drożdże niepewne użyć również tego sposobu.

6. DROŻDŻE DOMOWE (WYPRÓBOWANE)

Garnczek półgarncowy napełnia się chmielem i nalawszy go wodą miękką, przez kwandrans gotuje. Tym odwarem cokolwiek przestudzonym rozrabia się funt maki pszennej i rozciera łopatką drewnianą. Chmiel zalewa się po raz drugi wodą i powtórnie gotuje; poczem znowu dolewa się odwar z niego do wyżej pomienionego roztworu. Trze się to aż do białości, poczem dodaje, ciągle mieszając, pół szklanki drożdży piwnych doskonałych i przykrywszy, zostawia w spokojności w naczyniu dosyć obszer-nem, w miejscu umiarkowanie ogrzanem na kilka godzin. Gdy dobrze podrosną drożdże, zlewa się je do dzbana glinianego lub do gąsiora, zatyka niezbyt szczelnie, aby naczynie nie rozsadziło i chowa w piwnicy lub w lodowni. Tym sposobem przygotowane drożdże trwają trzy tygodnie, a w zimie dłużej. Po tym przeciągu czasu trzeba odnowić ten sam proces, z tą różnicą, że się już nie używa drożdży piwnych dla wzbudzenia fermentacji, lecz tychże domowych. Chcąc piec ciasto z garnca mąki, trzeba użyć tych drożdży gęstych dużą filiżankę i czekać dłużej na ruszenie się ciasta, jak rozczynione drożdżami suchemi, lecz nigdy ciasta nie zepsują, owszem ciasto na nich pieczone, bywa nadzwyczaj pulchne.

7. UŻYCIE BANI DO CIASTA ZAMIAST ŻÓŁTEK

W listopadzie i grudniu, miesiącach gdzie tak trudno o jaja, można zamiast jaj bardzo korzystnie użyć bani przy pieczeniu cia-sta. Obraną ze skóry i środka banię pokrajać w kawałki, nalać słodkiem ale gotowanem nie surowem mlekiem tyle, aby mleko objęło banię i dusić póki nie zmięknie dobrze. Wtedy przecisnąć tę massę przez bardzo gęste sito i wolno wlać przyczyniając ciasto wraz z cukrem, masłem i t.p. Nie należy jednak brać do takiego ciasta zbyt dużo masła lub cukru, bo z łatwością opada; do plac-ków lub strucli bardzo dobrze można użyć bani biorąc do garnca mąki pół kwarty przetartej massy, która także z siebie dodaje słodyczy, bo bania sama przez się jest bardzo słodką. Pół kwarty

takiej massy zastępuje pół kopy żółtek; ciasto należy bardzo dobrze wyrobić, jednak do bab lub ciasta bez drożdży nie można sposobu tego zastosować, bułki, placki, strucle i t. p. są wyborne.

8. UŻYCIE MĄKI KRUPCZATKI

Od pewnego czasu wprowadzono u nas do handlu mąkę ros-syjską głównie w guberniach południowych Samarskiej i Saratow-skiej wyrabianą na sposób kaszki. Mąka ta w użyciu pęcznieje jak to ma miejsce przy kaszce pszennej a krupki pod wpływem wilgoci rozpływają się zupełnie. Dla tych przyczyn należy przy użyciu tej mąki podwoić ilość użytego mleka o połowę czyli w tym stosunku: gdzie potrzeba kwartę, brać półtory kwarty najmniej — drożdży zaś podnieść prawie o jedną trzecią — czyli zamiast 8 łutów brać 10; ciasto z tej mąki musi być wolniejsze — rośnie bowiem daleko dłużej i bezwarunkowo w temperaturze 25% Reaumura, ale za to wydajność podwaja się o jedną trzecią najmniej — i otrzy-muje się ciasto wyborne. Mąka ta zdatna jak do każdego użytku.

9. PARĘ UWAG CO DO PIECZENIA CIASTA

I. Przy pieczeniu ciasta najważniejszą rzeczą jest temperatura, w której ciasto po przyczynieniu stoi do wyrośnięcia. Głównie, kiedy się pierwsze ruszenie ciasta zaczyna, temperatura powinna mieć 25% Reaumura i żadne stawianie ciasta przy piecu gorą-cym nie pomoże, jeżeli izba, w której ciasto stoi, nie jest ogrzana do tego stopnia. Nie należy nawet rozczyniać ciasta, zanim ozna-

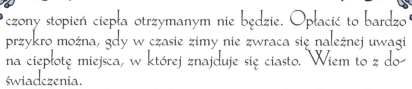

czony stopień ciepła otrzymanym nie będzie. Opłacić to bardzo przykro można, gdy w czasie zimy nie zwraca się należnej uwagi na ciepłotę miejsca, w której znajduje się ciasto. Wiem to z doświadczenia.

II. Lepiej żeby piec był za gorący i potrzebował wystudzenia, niżby ciasto miało czekać na wypalenie się pieca.

10. BUŁKI

Do bułek bierze się na garniec maki, 6 do 8 łutów drożdży, rozczyniając je trzema kwaterkami mleka lub wodą. Na wsi, chcąc mieć bułki dłużej świeże i smaczne, przy pieczeniu dolewają podług upodobania 10 do piętnastu jaj ubitych i kwaterkę masła na garniec mąki. Na wodnych 6 łutów drożdży, rozczynić kwartę mąki trzema kwaterkami wody wolnej lub mleka, gdy podrośnie zaraz przyczyniać resztą maki, to jest 3 kwartami, szczypta soli, a gdy drugi raz podrosną robić na stolnicy większe bułki, a gdy doskonale na stolnicy podrosną smarować je często podobnie jak chleb wodą lub piwem, maślane, jajkiem na wpół z wodą; wsadzić do gorącego pieca próbując go jak przy chlebie gdzie 25 minut siedzieć powinny.

11. JAJECZNIKI CZYLI BUŁKI JAJECZNE

Pół garnca jak najsuchszej mąki rozczynić 3 kwaterkami wolnego mleka, wlać 8 łutów drożdży rozmoczonych w kwaterce mleka i posypawszy to mąką, przykryć i postawić w ciepłem miejscu. Gdy się ruszy, czyli gdy drożdże rosnąć zaczną i ciasto na niecce popęka, wziąść pół kopy żółtek ubitych lub 10 całych jaj a 10 żółtek i rozbijając warzącbwią ciasto, w środek lać, ciągle mieszając; dodać masła klarowanego pół kwarty, cukru funt, soli i skórki cytrynowej tartej dla zapachu; gdy to wszystko dobrze wymieszane będzie, zacząć rękami wyrabiać ciasto, dobierając resztę mąki, to jest pół garnca pozostałe od garnca zmierzonego; z pół godziny trzeba dobrze wyrobić, aż od ręki odstawać będzie. Tak wyrabiane ciasto, zostawić na niecce niech dobrze wyrośnie; wtedy porobić na stolnicy bułki, wielkości podług upodobania, podsypując mąką i ręce w mące maczając, gdy znowu na stolnicy dobrze wyrosną, wsadzić do gorącego pieca na blachach masłem smarowanych, przed wsadzeniem kilka razy posmarować jajkiem z wodą, a po wyjęciu zaraz dopóki gorące, postrychować zimną wodą, lub posmarować lukrem przezroczystym. Te same bułki zowią się struclami, gdy im się nada formę strucli i wsypie rodzenek i migdałów, a na wierzch cukrem grubmy i migdałami posypie, gdy idą do pieca.

12. ODŚWIEŻANIE STARYCH BUŁEK I WSZELKIEGO DROŻDŻOWEGO CIASTA

Wziąść starą, bułkę, posmarować całą wodą zimną i zaraz włożyć pod blachę w angielskiej kuchni lub w piec pokojowy, gdzie się paliło. Za kilka minut wyjmiesz świeżuteńką bułkę, sposób ten doskonały, daje się zastosować do dwutygodniowych nawet bułek i do każdego drożdżowego ciasta.

13. STRUCLE PARZONE

Pół kwarty mąki zaparzyć trzema kwaterkami mleka, rozbić, żeby żadnych gruzołków nie było, a gdy ostygnie, wlać drożdży rozmoczonych w kwaterce mleka łutów 12 i zostawić, żeby podrosło. Ubić pół kopy żółtek ze szklanką mleka; gdy się ciasto ruszy wlać jaja, funt klarowanego masła, funt cukru, łyżeczkę soli, dosypać 3 i pół kwarty mąki, wybijać jak najmocniej, i gdy już od ręki odstaje, włożyć ćwierć funta rodzenek bez pestek i 4 łuty migdałów oparzonych i w paseczki pokrajanych — dalej postępować jak wyżej przy jajecznikach, nadając formę strucli podłużnem przeciśnięciem przez środek wałkiem od ciasta, kładąc do pieca smarować jajkiem i posypać grubo tłuczonym cukrem i migdałami. Po wyjęciu z pieca, zdjąć natychmiast z blachy i położyć na stole, gdyż na blasze leżąc odparzają się. Pamiętać należy, aby mąka koniecznie była bardzo sucha i ciepła; powtóre żeby ciasto lepiej było za gęste, niżeli za rzadkie, gdyż gęste może dłużej rosnąć, a nie rozleje się jak rzadkie.

14. STRUCLE Z MAKIEM

Ze zrobionego jak wyżej ciasta na strucle — bierze się kawał taki, aby wystarczył na jedną, rozwałkowuje z lekka na stolnicy, podsypując mąką na okrągły placek. Tymczasem należy przygotować mak sparzony 12 godzin pierwej — potem odlany i uwiercony, po uwierceniu wymieszać z cukrem lub miodem — można kłaść cukier niezbyt miałki, a lepiej się mak uwierci. Do tego maku dodać można na funt maku 1 łut gorzkich migdałów oparzonych i utłuczonych na massę — i trochę cynamonu. Gdy massa będzie

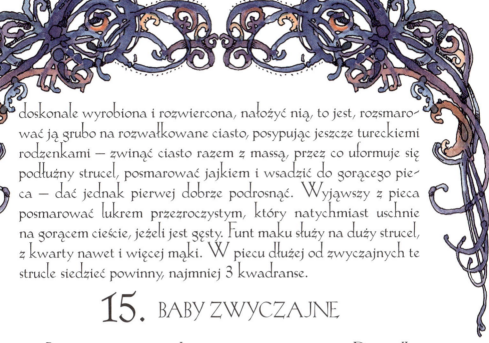

doskonale wyrobiona i rozwiercona, nałożyć nią, to jest, rozsmarować ją grubo na rozwałkowane ciasto, posypując jeszcze tureckiemi rodzenkami — zwinąć ciasto razem z massą, przez co uformuje się podłużny strucel, posmarować jajkiem i wsadzić do gorącego pieca — dać jednak pierwej dobrze podrosnąć. Wyjąwszy z pieca posmarować lukrem przezroczystym, który natychmiast uschnie na gorącem cieście, jeżeli jest gęsty. Funt maku służy na duży strucel, z kwarty nawet i więcej mąki. W piecu dłużej od zwyczajnych te strucle siedzieć powinny, najmniej 3 kwadranse.

15. BABY ZWYCZAJNE

Bierze się garniec mąki, przesiewa i wygrzewa. Do środka wlewa się kwarta wolnego mleka i dziesięć łutów drożdży, rozrobionych w kwaterce mleka, rozrabia się w środku tym płynem trochę mąki i zostawia, aby rosło. Gdy zacznie dobrze rosnąć, wlewa się w to żółtek ubitych od 30 do 40, ile kto chce i ma; jeżeli żółtek jest tylko 30 to wziąść do tego 8 białek na pianę ubitych, cukru funt i pół, jeżeli kto chce to i trochę więcej, masła funt, migdałów gorzkich ze 2 łuty, rodzenek, z których pestki wyjęte, pół funta. Wyrobić ciasto z godzinę, a potem kłaść zaraz w formy masłem dobrze wysmarowane i bułeczką wysypane. Postawić w cieple, żeby wyrosły do trzech czwartych formy i następnie wstawić w gorący piec na godzinę.

16. BABY PARZONE

Żadne ciasto nie wymaga tyle pieczołowitości i starania ile baby te, i od tej właśnie staranności zależy ich udanie się. I tak, w wigilją dnia, w którym mają być pieczone, wszystko powinno być przygotowane: mąka wysuszona i przesiana, cukier utarty, migdały utarte, formy wymyte czysto i wysuszone i t. d. Całe pieczywo bab, jeżeli drożdże są dobre, nie powinno zabrać więcej jak siedm do ośmiu godzin, jeżeli wszystkie warunki są dopełnione. Czas ten jednak przedłuża się do 10 godzin, jeżeli drożdże nie są mocne lub co najważniejsze jeżeli miejsce, gdzie baby rosną ma mniej niżeli 20 stopni Reaumura, baby bowiem rosnąć powinny w temperaturze od 20 do 25 stopni. Wziąwszy garniec mąki, kwartę z tej mąki parzy się na niecce pięciu kwaterkami gotowanego mleka, lejąc mleko ciągle, ale powoli, i silnie rozbijając warząchwią tę massę, dopóki zupełnie wolną nie będzie. Gdy mąka bardzo sucha, więcej mleka w siebie wsiąka, wilgotna mniej. Gdy jest bardzo sucha wziąść mleka półtory kwarty na garniec mąki. Gdy więc już dobrze rozrobiona, rozprowadzić ją 14-ma łutami drożdży namoczonych w kwaterce mleka, i kopą ubitych dobrze prawie na pianę żółtek z 2 funtami cukru tartego na tartce z głowy, — lać to powoli aby się kluski nie tworzyły z parzonej mąki a rozbiwszy dobrze, zostawić do rośnięcia w ciepłem miejscu 20 stopni Reaumura. Jaja ubijają się w garnku wstawionym w miskę z gorącą wodą. Gdy rozczyn popęka i dobrze znać, że rośnie, wtedy wlać w tę massę ciągle ważąchwią rozrabiając, kwartę wolnego zupełnie klarowanego masła. Wsypać soli łyżeczkę małą i dopiero rękami zacząć wyrabiać ciasto, dobierając resztę mąki, to jest pozostałe od parzenia 3 kwarty. Godzinę potrzeba ciasto wyrabiać, to jest gnieść je rękami czyli mieszać; na ostatku wsypać, jeżeli kto lubi, laskę tłuczonej wanilji, lub zamiast niej 2 łuty gorzkich migdałów. Gdy tak już ciasto wyrobione, że od ręki odstaje, zostawić na niecce, aby wyrosło w dwójnasób, i wtedy dopiero lać w formy od bab, dobrze wysmarowane masłem klarownem lub szmalcem i wysypane bułką tartą po 1/3 części formy i postawić w ciepłe bardzo miejsce do rośnięcia. Jednak trzeba uważać, żeby nie stały gdzie za gorąco, za blizko ognia, bo by potem opadły. Gdy już dorosną do trzech czwartych formy, wtedy w piecu palić żeby piec dobrze się wygrzał i był gorący. W piecu palić drzewem sosnowem, drobnem, w długie bardzo kawałki rabanem, żeby wszędzie płomień piec ogarnął. Gdy się w piecu wypali, rozgarnąć węgle po całym trzonie, rurę, drzwiczki i wszelkie lufta pozamykać — a gdy się węgle zpopielą wymieść do czysta popiół, a gdy baby podrosną blizko do pełna formy, wstawić w piec, spróbowawszy go wprzódy mąką: trzeba rzucić garść mąki, — jeżeli trzaska i pali się w jednej chwili, to jeszcze trochę piec przestudzić; jeżeli się zaś mąka prędko rumieni, to piec dobry. W piecu stać powinny całą godzinę, a wyjmując z pieca próbować słomą lub rószczką, kładąc takową w środek baby; jeżeli po wyjęciu słomka sucha, to baba upieczona, jeżeli zaś wilgotna, to trzeba jeszcze na kwandrans wstawić. Po wyjęciu bab z pieca, postawić je ostrożnie w przewiewnem miejscu na dziesięć minut najwięcej, żeby tylko z pierwszego gorąca odeszły i zaraz wyjmować, bo kiedy ciasto stygnie w formie, to potem będzie miało czerwonawy kolor, a im prędzej wyjęte, tem lepiej. Chcąc babki długo zachować w stanie świeżości, należy je zaraz po wyjęciu posmarować młodem masłem, posypać miałkim cukrem, a po zupełnem wystudzeniu włożyć napowrót w formę, przez co zachowują długo świeżość; używając nawet, wyjąć, ukroić ile potrzeba i napowrót włożyć w formę.

17. BABY PODOLSKIE

Kwartę mąki sparzyć trzema kwaterkami gotowanego mleka, rozbijając jak wyżej i w tejże chwili wlać pół kwarty zimnego mleka; jak już dobrze wyrobione i wystudzone, wlać 14 łutów drożdży i kopę żółtek ubitych; rozmieszać to wałkiem, przecedzić przez rzadkie sito i postawić w cieple niech podrośnie. Jaja należy ubijać w garnku wstawionym w miskę z ciepłą wodą. Gdy się już ruszy, wsypać resztę mąki, to jest trzy kwarty, wlać pół kwarty masła klarowanego, cukru funt i pół, soli, i tak rękami całą godzinę te baby trzeba ubijać. W końcu wsypać migdałów tylko gorzkich 4 łuty utartych na tartce, lub też wanilji. Gdy już ciasto ubite, że od ręki odstaje, z 10 białek na pianę ubić i wymieszać z ciastem łyżką, lać natychmiast w formy od bab mniejszą połowę i zaraz w piecu palić, gdyż te baby nie mogą na piec czekać, lepiej mieć piec gotowy, gdy podrosną blizko do pełna, wstawić w bardzo gorący piec na godzinę. Wyjmować bardzo ostrożnie, najlepiej na poduszkę wyrzucić z formy, gdyż łatwo opadają.

18. BABKI BEZ AMBARASU A PEWNE

Pół garnca mąki najpiękniejszej, przesianej dobrze i wygrzanej, rozczynić dobrą półkwartą wolnego, niezbieranego mleka i sześcioma łutami drożdży, rozmoczonemi w kwaterce mleka, w nowym glinianym garnku nie sypiąc odrazu mąki wszystkiej tylko po trochu; w końcu wlać pół kopy ubitych dobrze żółtek. Wymieszać to wszystko razem łyżką doskonale, zrewidować, aby nigdzie surowej mąki nie zostało, posypać mąką i postawić w ciepłem miejscu, aby najmniej 20 do 25 stopni Reaurnura było do wyrośnięcia. Gdy dobrze podrośnie ubić mocno łyżką lub ręką i wlać półtory kwaterki klarowanego wolnego masła i funt cukru, trochę wanilji lub kilka tłuczonych gorzkich migdałów dla zapachu i ubijać przynajmniej godzinę, aby się wszystko dobrze połączyło i ciasto odstawało od ręki czy łyżki. Kto chce, może w ostatniej

chwili włożyć garść rodzenek przebranych z pestek. Wlać ciasto w formy masłem wysmarowane, od trzeciej części lejąc, i postawić, aby rosło; gdy podrośnie do połowy, palić prędko w piecu pokojowym lub szabaśniku, rozrzucić węgle żarzące po całym piecu, aby się trzon dobrze rozgrzał, przysunąwszy rurę zupełnie, a gdy już formy są pełne, wygarnąć zpopielone już węgle, i babki wstawić w piec na godzinę. Z tej proporcyi będą cztery babki po jednym i pół funta każda, lub trzy dwu-funtowe, nie dobrze bowiem piec w dużych formach w pokojowych piecach. Zrobić sobie drewienko cienkie, długie i próbować baby po trzech kwadransach, jeżeli włożone drewienko wyjmie się suche, to babka dobra, jeżeli choć troszkę wilgotne, to zostawić w piecu.

19. BABKA MIGDAŁOWA

Dwadzieścia żółtek, funt cukru, pół funta mąki kartoflanej wiercić w donicy całe pół godziny, wtedy wcisnąć dwie całe cytryny i wsypać dwa łuty gorzkich, a cztery łuty słodkich migdałów, poprzednio oparzonych. Następnie znowu wiercić pół godziny, — w końcu ubić pianę z owych dwudziestu białek wymieszać prędko, natychmiast wylać do rondla i wstawić do bardzo gorącego pieca, (można pod blachę), na pół godziny. Rondel trzeba wyłożyć papierem dość sztywnym.

20. ODŚWIEŻANIE BAB DROŻDŻOWYCH

Najlepiej odświeża się baby przez owinięcie ich w zwilżo-
ną bibułę, a następnie wstawienie w piec, lepszy jednak sposób:
skroiwszy cienko warstwę z wierzchu babki, skropić ją mocno
rozpuszczonym w araku cukrem, biorąc na kieliszek od wina araku, czubatą łyżkę cukru i tak zwilgoconą wstawić na 20 minut
w dobrze gorący piec — można jeszcze przy tym sposobie zastosować owinięcie całej baby w bibułę wilgotną. Baba będzie lepsza
od świeżej, gdyż przejdzie arakiem i cukrem. Można arak z rów-
nym skutkiem zastąpić winem francuzkiem, naturalnie białem.

21. PLACKI DROŻDŻOWE

Na placki zwyczajne bierze się na garniec mąki 3 kwaterki
mleka i 8 łutów drożdży namoczonych w kwaterce mleka. Rozczynić pół garnca mąki wolnem mlekiem i drożdżami, a gdy podrośnie wlać 15 jaj całych ubitych dobrze lub 10 żółtek a 10 całych
jaj, funt cukru, kwaterkę lub funt masła, soli, cytrynowej skórki dla
zapachu, rodzenek bez pestek pół funta, wyrobić z resztą mąki,
póki od ręki odstawać będzie, zostawić niech wyrośnie na niecce
a wtedy układać na blachy masłem smarowane na palec grubości;
dać znowu dobrze podrosnąć, posmarować suto jajkiem rozbitem i posypać grubym tartym cukrem z siekanemi lub krajanem
i migdałami. Dobrze jest także z tych cukru masła i mąki ile się
wygniecie, zagnieść razem, pokruszyć lub usiekać i tem nałożyć
placek, odrazu po rozgniecenie na blasze, przekłuć gdzieniegdzie

270

widelcem ciasto, aby bąble się nie porobiły; wsadzić w gorący piec, gdy za gorący, papierem poprzykrywać, żeby się z wierzchu nie spaliły, aby były równe i gładkie na powierzchni, trzeba dać dobrze wyrosnąć na blasze. W piecu stać powinny 20 minut.

22. PLACKI ZE ŚLIWKAMI

Kwartę mąki, kwaterkę mleka, 2 łuty drożdży, jak pourośnie, włożyć masła łyżkę, ćwierć funta cukru, cztery żółtka, jak podrośnie rozwałkować lekko na blachę masłem wysmarowana ułożyć. Śliwki bardzo dojrzałe na połówki przerzynać, pestki wyjąć, ułożyć na placku skórkami do ciasta, posypać cukrem i wsadzić w gorący piec na pół godziny.

23. PLACKI Z WIŚNIAMI

Zrobić ciasto drożdżowe, jak wyżej na placki ze śliwkami, lub kruche francuzkie. Mieć przygotowane wiśnie czerwone szklanki, lub czarne kwaśne, wydruzgane z pestek i posypane na godzinę poprzednio miałkim cukrem. Gdy ciasto już wyrośnie na blasze, warstwą bardzo cienką położone, odlać sok, który wiśnie puściły, a same wiśnie posypać gęsto na ciasto, w tej chwili wstawić w gorący piec na bardzo krótko; gdzie ogień powinien być ze spodu silniejszy jak z wierzchu. Po wyjęciu z pieca posypać grubo cukrem na gorąco.

24. PLACKI KRAKOWSKIE Z SEREM

Ciasta jak na baby zrobionego rozciąga się cienka wartwa na blasze masłem wysmarowanej, potem kładzie się warstwa

gruba na palec massy następującej: bierze się ser nie kwaśny, nie słony i niezbyt świeży, trze się na tartce, do jednej kwarty utartego sera dodaje się duży kubek cukru, łyżkę masła młodego niesionego. Ser utrzeć wałkiem w donicy, a potem włożyć cukier i masło, następnie dodaje się garść migdałów bardzo drobno usiekanych, wanilji do zapachu, skórki cytrynowej, cykaty drobno usiekanej, jaj sześć, trzy całe a trzy same żółtka, ale nie wbijać ich odrazu, lecz ostrożnie po jednemu, bo nigdy nie można skrupulatnie obliczyć ilość jaj, i to jedno jaje całe a z drugiego tylko żółtko, uważać także, aby ser nie był ani rzadki ani zbyt twardy. To wszystko razem wymieszać, trochę jeszcze uwiercić w donicy i nakładać sera grubo, przynajmniej na parę cali grubości na ciasto od bab, jak najcieniej rozciągnięte na blasze. Można także robić ten placek na kruchem cieście. Na duży placek bierze się sera dwie kwarty. Sera z wierzchu niczem się nie smaruje, lecz kto lubi, może do sera wlać szafranu namoczonego w araku mały kieliszek, przez co ser nabierze ślicznego żółtego koloru.

25. PLACKI Z SEREM ŚWIEŻYM

Trzy twarożki niezwarzone uciera się na massę w donicy, poczem wbija się po jednem 8 żółtek i dwa całe jaja, wlewa kwaterkę klarowanego masła, wsypuje funt cukru, trochę soli, wlewa kieliszek szafranu dobrze w mleku wymoczonego i przestudzonego, wsypuje drobnych czarnych rodzenków pół funta, migdałów siekanych także pół i mąki dwie łyżki oraz pomarańczowej skórki w kostkę pokrajanej. Tak przygotowaną masse nakłada się na placek cieniutko rozpostarty na blasze, z drożdżowego ciasta i poprzednio wyrośnięty tak, iżby ciasta było jedna-czwarta,

a sera trzy-czwarte; i wstawia w piec dobrze gorący tak jednak, aby się zbytecznie nie zrumienił.

26. PLACEK Z MAKIEM

Robią się także placki jak strucle z makiem: bierze się warstwa ciasta takiego, z jakiego się placki robią, układa na palec grubości na blachę i pokrywa grubo warstwą maku uwierconego dobrze z odrobiną słodkiej śmietanki, dodawszy cukru, kilka gorzkich migdałów i parę jaj. Ta massa pokrywa się znowu warstwą cienką ciasta. Używa się do tego maku szarego nigdy białego.

27. PLACEK PAKOWANIEC

Wybornym jest placek tak zwany pakowaniec lub przekładaniec, z powodu przekładania go rozlicznemi gatunkami konfitur i bakalii. Bierze się ciasto na baby przyrządzone, rozciąga cienką warstwę w brytwannę głęboką masłem wysmarowaną i bułeczką wysypaną, na to kładzie się warstwa rodzenków tureckich i znowu bardzo cienka warstwa ciasta; potem idzie warstwa massy migdałowej, a między jej kawałkami kładzie się konfitura z malin dobrze osiąknięta z syropu, lub konfitura z róży i znowu warstwą ciasta się przykrywa; potem idzie warstwa cykaty cienko krajanej i skórki pomarańczowej w cukrze smażonej; znowu warstwa jak najcieńsza ciasta i znowu warstwa jakich kto ma konfitur, gruszek w cukrze smażonych, jabłek, śliwek, moreli, melona byle te konfitury były osiąknięte przez parę dni na talerzach z syropu i pokrajane w cienkie plasterki; potem znowu warstwa ciasta i znowu warstwa migdałowej massy, która się także w końcu pokrywa warstwą ciasta. Kto nie ma konfitur, może je zastąpić suchemi konfiturami, serkami z jabłek lub bakaljami, daktylami, figami; przekładanie bowiem zupełnie od woli zależy, uważać tylko trzeba, aby chociaż dwie warstwy massy migdałowej było. Massa migdałowa potrzebna do tego placka robi się w ten sposób: funt migdałów miałko utłuczonych i funt cukru miałkiego, nalewa się trochę wody różanej, miesza łyżką srebrną, żeby się z tego uformewała massa twardawa, zdatna do robienia w palcach placuszków wilgotnych. Jeżeli kto piecze taki placek, razem przy babach, trzeba go pierwej układać, niżeli się ciasto w formy na baby kładzie, gdyż on bardzo gorącego pieca potrzebuje, tak jak na baby; a z przyczyny swej ciężkości, długo nadzwyczaj wyrasta. W piecu stać powinien pięć kwadransów a wyjmować go gdy ostygnie, żeby się nie złamał na gorąco. Wszelkie placki i mazurki, a mianowicie ten, lukrują się lukrem wodnym (patrz dalej lukier przezroczysty). Można także w takim guście upiec babę nie bardzo wysoką, przekładając warstwami ciasto podobnie jak w placku: długo jednak rosnąć powinna ale udać się musi.

28. PLACEK Z POMARAŃCZAMI

Ugotować w wodzie, nakłówszy w kilku miejscach cztery pomarańcze z grubą skórą, gdy będą miękkie wyjąć z wody, osączyć dobrze, a po wystudzeniu pokrajać w plastry. Zrobić syrop bardzo gęsty z funta cukru, wrzucić pokrajaną w plastry pomarańczę, podsmażyć trochę i wystudzić. Wziąść ciasta drożdżowego jak na babki, rozciągnąć bardzo cienką warstwę na blachę, na to położyć plastry pomarańczy, przykryć drugą warstwą ciasta, zostawić

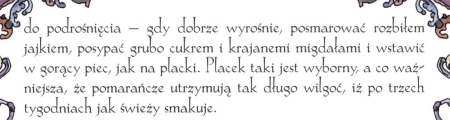

do podrośnięcia — gdy dobrze wyrośnie, posmarować rozbiłem jajkiem, posypać grubo cukrem i krajanemi migdałami i wstawić w gorący piec, jak na placki. Placek taki jest wyborny, a co ważniejsza, że pomarańcze utrzymują tak długo wilgoć, iż po trzech tygodniach jak świeży smakuje.

29. PRZEŁOŻENIA DO PLACKÓW A NAWET NALEŚNIKÓW

Duże rodzenki o jednej pestce opłukać, wybrać pestki, posiekać i utrzeć w donicy, dodając na pół funta rodzenków, ćwierć funta cukru i pół cytryny przez sitko wcisnąć, Massa będzie kwaskowata i bardzo miła w smaku pomiędzy ciastem. Kładąc zwykłym sposobem rodzenki w ciasto, należy je wybrać z pestek, namoczyć w mleku ciepłem na godzinę, a gdy ciasto na placki już na blachach wyrośnięte, brać po jednej i wkładać w ciasto, jedna niedaleko drugiej, zagłabiając widelcem, aby się na powierzchni nie zostały. Nie opadną na dół i będą całe w środku ciasta.

30. MAZUREK KRÓLEWSKI

Funt masła młodego utrzeć w donicy, wbić w to po jednemu 12 żółtek, funt cukru, 1 funt mąki, kłaść po łyżce za każdym żółtkiem, 4 łuty gorzkich migdałów, utłuczonych na massę; wsypać i wiercić tę massę w zimnem miejscu całą godzinę, a uwierciwszy, na blachę wyłożoną papierem i masłem wysmarowanym układać na grubość palca. Piec taki, powinien być jak na biszkopty, to jest dobrze ale niezbyt gorący.

31. MAZURKI DROŻDŻOWE Z TARTĄ MASSĄ

Cienka warstwa ciasta drożdżowego od bab zostawionego, pokrywa się massą z funta jednego migdałów oparzonych, usie-kanych, a potem wierconych godzinę z funtem 1 masła młodego niesolonego i z funtem cukru miałkiego. W gorący piec wsadzić, żeby się niesmażyło, tylko piekło.

32. MAZUREK NAJLEPSZY JAKI BYĆ MOŻE Z SEREM

Zrobić zwyczajne kruche ciasto z pół funta mąki i ćwierć funta masła, ćwierć funta cukru i jednego jajka, jeżeliby za suche było, łyżkę araku, rozwałkować, rozciągnąć na blachę cienką warstwą i upiec w niewiele gorącym piecu. Na to kłaść massę z sera następującą: wziąść 1 funt sera suchego i niesłonego (bo świeży jest za wilgotny i formuje zakalcowatość), utrzeć na tarce, przesiać przez sito, funt miałkiego cukru, 15 żółtek, ćwierć funta młodego masła i mały kieliszek araku, wymieszać wszystko do-skonale na pulchną massę, nałożyć na pół cala grubości najmniej na upieczone ciasto, a na wierzch posypać cukrem z waniliją i w odstępach cala ponakładać kawałki młodego masła pokra-jane w plasterki. Wstawić w piec po babach na pół godziny, pod spód powinien być ogień mniejszy, będzie wyborny i daje się konserwować cztery tygodnie; po wyjęciu natychmiast polukro-wać go przezroczystym lukrem, postawić wiec suchy na cegłę lub na ruszt od pieczeni.

276

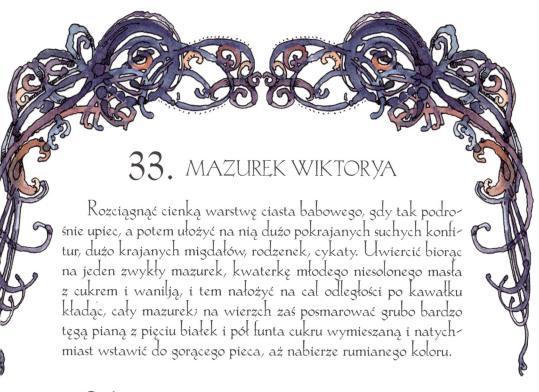

33. MAZUREK WIKTORYA

Rozciągnąć cienką warstwę ciasta babowego, gdy tak podrośnie upiec, a potem ułożyć na nią dużo pokrajanych suchych konfitur, dużo krajanych migdałów, rodzenek, cykaty. Uwiercić biorąc na jeden zwykły mazurek, kwaterkę młodego niesolonego masła z cukrem i waniliją, i tem nałożyć na cal odległości po kawałku kładąc, cały mazurek; na wierzch zaś posmarować grubo bardzo tęgą pianą z pięciu białek i pół funta cukru wymieszaną i natychmiast wstawić do gorącego pieca, aż nabierze rumianego koloru.

34. MAZUREK Z POMARAŃCZAMI

Zrobić kruche ciasto z funta mąki, pół funta masła, ćwierć funta cukru i dwóch jajek. Upiec to w lekkiem piecu. Gdy ciasto upieczone, położyć plastry pomarańczy ugotowanej w całości, a po ugotowaniu pokrajanej w plastry, pestki odrzucając. To nałożyć grubo massą migdałową, z funta cukru i pięciu żółtek, wstawić w ciepły piec na kwadrans, a po wyjęciu zaraz polukrować przezroczystym lukrem.

35. MAZUREK Z NIUGATEM

Jeden funt nieobieranych migdałów usiekać drobno, pomieszać z jednym funtem miałkiego cukru, skropić to kieliszkiem różanej wody, i zostawić tak na 24 godzin; po upływie tego czasu wziąść ćwierć funta cukru w kawałkach, umoczyć w wodzie,

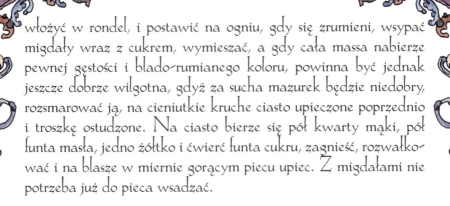

włożyć w rondel, i postawić na ogniu, gdy się zrumieni, wsypać migdały wraz z cukrem, wymieszać, a gdy cała massa nabierze pewnej gęstości i blado-rumianego koloru, powinna być jednak jeszcze dobrze wilgotna, gdyż za sucha mazurek będzie niedobry, rozsmarować ją, na cieniutkie kruche ciasto upieczone poprzednio i troszkę ostudzone. Na ciasto bierze się pół kwarty mąki, pół funta masła, jedno żółtko i ćwierć funta cukru, zagnieść, rozwałkować i na blasze w miernie gorącym piecu upiec. Z migdałami nie potrzeba już do pieca wsadzać.

36. MAZURKI POMARAŃCZOWE KRUCHE

Zrobić ciasto kruche, biorąc na kwartę mąki kwaterkę masła, 2 jaja, pół funta cukru i troszkę araku, rozwałkować cienko i upiec w niezbyt gorącym piecu. Tymczasem utrzeć na tartce 4 cytryny, 4 pomarańcze duże, odrzuciwszy starannie pestki, wziąść dwa funty miałkiego cukru, uwiercić razem z utartą, massą, następnie włożywszy w rondel mieszać na ogniu z pół godziny aby zbytnia wilgoć przez parowanie wyszła i massa dobrze się wysadziła, wtedy zaraz po wyjęciu z pieca ciasta nałożyć grubo tą raassa. nie stawiając już do pieca. Na wierzchu ubrać skórką, pomarańczową, w cukrze smażoną, pokrajaną w podłużne kwadraty.

37. MAZURKI ZWYCZAJNE SUCHE

Funt masła, mąki funtów 2, śmietany kwaśnej kwaterkę, jaj 8, cukru miałkiego funt, waniliji albo migdałów gorzkich dla zapachu.

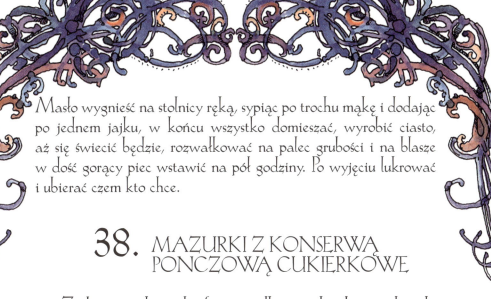

Masło wygnieść na stolnicy ręką, sypiąc po trochu mąkę i dodając po jednem jajku, w końcu wszystko domieszać, wyrobić ciasto, aż się świecić będzie, rozwałkować na palec grubości i na blasze w dość gorący piec wstawić na pół godziny. Po wyjęciu lukrować i ubierać czem kto chce.

38. MAZURKI Z KONSERWĄ PONCZOWĄ CUKIERKOWE

Zrobić gęsty karmel z funta miałkiego cukru bez wody, tak, żeby się cukier zrumienił, ale nie spalił; funt migdałów obtartych tylko o serwetę usiekać drobno, obsuszyć w piecu i gorące wrzucić w gotujący się syrop, a wymieszawszy na wolnym ogniu układać na pół palca grubości na opłatki. Wziąść jeden funt cukru, zamoczyć go tylko wodą i ugotować syrop do gęstości nitki (patrz lukier przezroczysty), gdy wystygnie rozcierać aż zbieleje, wcisnąć w niego całą dużą cytrynę i kieliszek araku, kręcąc z godzinę ciągle w jedną stronę; tą massą grubo nałożyć mazurek i na moment w letni piec wstawić. Jeżeli konserwa dobrze zrobiona, nie trzeba w piec stawiać.

39. MAZUREK MUSZKATOŁOWY

Funt migdałów ze skórką obetrzeć o serwetę, posiekać jak najdrobniej, przetrzeć przez durszlak, a co zostanie na durszlaku, jeszcze raz przesiekać, wsypać na miskę, dodać funt miałkiego cukru, pięć ubitych całych jaj, w końcu wsypać sześć łutów maki pszennej, to wszystko wymieszać najdoskonalej i dołożyć albo ćwierć łuta tłuczonego muszkatołowego kwiatu, albo pół gałki muszkatołowej, co dodaje smaku ostrego i robi mazurek odrębny od innych. Tę massę nakładać na opłatki razem zlepione — lub na bardzo cienkie kruche ciasto posmarowane marmoladą.

40. MAZUREK MIGDAŁOWY Z CZEKOLADĄ

Funt utartej czekolady, funt cukru i funt migdałów opłukanych tylko i usiekanych na massę, wymieszać razem, wbić w to pięć całych jaj, a trzy same żółtka i mieszać póki massa nie rozrzednieje, z początku bowiem będzie gęstawa i trudna do rozmieszania. Gdy już doskonale wymieszana, układać na opłatki zlepione razem po kilka, można układać w kratę, aby pomiędzy pustemi miejscami następnie kłaść konfitury. Gdy się założy na opłatki massę, wstawić do gorącego pieca na 20 minut, a po wyjęciu zaraz lukrować w szyzgaki lukrem z białek i cukru przez lejek papierowy lub cienki blaszany lejąc, a dopiero w końcu ubrać puste kraty konfiturami.

41. MAZURKI MARCEPANOWE

Funt mąki, dwa żółtka, dwie łyżki masła, łyżka śmietany, szklanka cukru i łyżeczka araku; zagnieść to na stolnicy, rozwałkować cienko i upiec na blasze. Gdy się upiecze i ostygnie ciasto, posmarować galaretą lub marmoladą owocową, a na to położyć massę migdałową z funta cukru i funta migdałów oparzonych i utłuczonych, wymieszaną, z 6 żółtkami i trochę wody różanej, w ciepły piec wstawić na 15 minut, a potem na wierzchu lukrować i ubrać konfiturami.

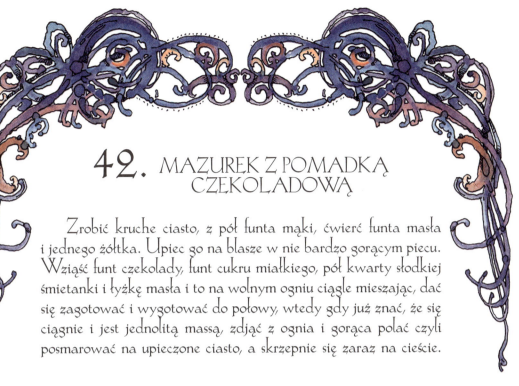

42. MAZUREK Z POMADKĄ CZEKOLADOWĄ

Zrobić kruche ciasto, z pół funta mąki, ćwierć funta masła i jednego żółtka. Upiec go na blasze w nie bardzo gorącym piecu. Wziąść funt czekolady, funt cukru miałkiego, pół kwarty słodkiej śmietanki i łyżkę masła i to na wolnym ogniu ciągle mieszając, dać się zagotować i wygotować do połowy, wtedy gdy już znać, że się ciągnie i jest jednolitą massą, zdjąć z ognia i gorąca polać czyli posmarować na upieczone ciasto, a skrzepnie się zaraz na cieście.

43. MAZURKI MAKARONIKOWE

Funt migdałów ze skórką opłukać parę razy w zimnej wodzie i na przetaku rozpostarłszy wysuszyć, posiekać jak najdrobniej, przesiewać przez durszlak, co jeszcze za grube, znowu przesiekać, wsypać w donicę, dodać do tego funt cukru miałkiego i wlać 5 całych jaj ubitych, w końcu wsypać 6 łutów mąki pszennej, to wszystko wymieszać najdoskonalej i układać na opłatki razem kilka zlepione i ułożone na blasze mąką posypanej, masłem lub woskiem wysmarowanej; układać tę massę w kraty, a po wyjęciu z pieca konfitury obsuszone. W gorącym piecu piec się powinny, aż się zrumienieją.

44. MAZURKI MAKOWE

Kwarta mąki, kwarta maku białego, cukru dwa funty, dwa funty masła młodego i 6 jaj całych. Mak rozwiercić w donicy —

dodając cukier, następnie jaja — gdy tak godzinę wiercony, dodać po funcie masła, a w końcu mąkę. To wszystko wygnieść doskonale na stolnicy, i na opłatkach robić cienkie mazurki; wstawić je w gorący piec na pół godziny. Kładąc w piec posmarować jajkiem.

45. MAZURKI CZEKOLADOWE

SPOSÓB 1. Funt cukru, funt czekolady, funt migdałów cienko krajanych, łyżka mąki pszennej, 6 białek na pianę ubitych i dwa całe jaja, wymieszać doskonale na salaterce i na opłatki zlepione razem, naprzykład: cztery, sześć lub ośm, ułożone na blasze posypanej mąką, lub lekko młodem masłem wysmarowanej, układać na pół palca grubości i w ciepły piec na kwandrans wstawić.

SPOSÓB 2. Upiec zwyczajne ciasto kruche, na wierzch nałożyć massą następującą: cztery jaja uwiercić z pół funtem cukru, wsypać pół funta czekolady, ćwierć funta rodzenek, ćwierć funta migdałów krajanych, ćwierć funta maki; wymieszać doskonale, posmarować ciasto i powtórnie w letni piec na 10 minut wstawić.

46. MAZUREK PRZEKŁADANY KONFITURAMI

Funt migdałów oparzonych utłuc w moździerzu, funt cukru, funt młodego niesolonego masła, półtora funta mąki, 3 jaja, 50 gwoździków, tyleż ziarnek kwiatu cynamonowego zagnieść razem w chłodnem miejscu długo bardzo wyrabiając. Z tego zrobić cztery placuszki, rozwałkować jak najcieniej i upiec na blachach lub papierze, smarując bardzo cienko młodem masłem. Po upieczeniu na gorąco posmarować każdy marmoladą, lub konfiturą malinową, wreszcie jaką kto chce i ma, dobrze także galaretą porzeczkową; złożyć razem, i zostawić w spokojności, żeby się same dobrze zlepiły. Na drugi dzień można lukrować lub nie, i krajać w kawałki.

47. MAZUREK RODZENKOWY

Na wysmarowaną blachę położyć warstwę jakiegokolwiek drożdżowego lub kruchego ciasta. Ciasto powinno być bardzo cienkie. Wstawić w piec i podpiec, to jest tak aby nie było przepieczone ale już nie surowe. Na to nałożyć mieszaninę zrobioną z rodzenek tureckich, zwyczajnych, z których pestki wyjąć poprzednio, cykaty lub pomarańczowej skórki pokrajanej w drobną kostkę, i migdałów drobno posiekanych. Każdego z tych gatunków po pół funta, można jeszcze dołożyć suchych konfitur.

48. MAZUREK MACEDOŃSKI

Zrobić syrop z jednego funta cukru, włożyć do tego 1 i jedną czwartą funta drobno pokrajanych winnych jabłek i tak długo gotować, aż marmolada zgęstnieje, natenczas włożyć 12 łutów cienko, podługowato krajanych migdałów, 8 łutów cienko krajanej cykaty lub skórki pomarańczowej, wcisnąć sok z dwóch cytryn, jeżeli bardzo soczysta, to dosyć półtorej i znowu gotować do gęstości, wyłożyć drewnianą deseczkę opłatkami, na to położyć massę i dobrze nożem wygładzić, zrobić lukier przezroczysty cytrynowy, polukrować, postawić na tydzień w suchem miejscu dla dobrego uschnięcia.

49. MAZUREK RODZENKOWY BEZ CIASTA

Pół funta rodzenek tureckich, pół funta czarnych, drobnych korynckich. pół funta migdałów sparzonych utłuc i rozcierać z funtem cukru, wsypać ćwierć funta mąki kartoflanej, wlać dobrze wbite 3 jaja i w to wsypać łyżeczkę różnych jakie kto lubi tłuczonych korzeni, jak naprzykład cynamonu, gwoździków, muszkatołowego kwiatu lub gałki. Wymieszać to wszystko doskonale, ułożyć na opłatki na grubość 2 centimetrów i upiec w średnio gorącym piecu.

50. MAZUREK FOAKALJOWY

Pół funta cukru, trzy białka i sok z jednej cytryny, trze się na lukier łyżką w porcelanowem naczyniu; do tego wsypują się gdy lukier utarty zupełnie gęsto: 1 funt fig pokrajanych, 1 funt rodzenek bez pestek, 1 funt migdałów drobno utłuczonych, pół funta cykaty pokrajanej, pół-funta skórek pomarańczowych, ćwierć funta cytrynowych i dużo korzeni miałko utłuczonych, jako to: gwoździków, cynamonu, wanilji, kwiatu muszkatołowego, kto lubi, kardemonu; w końcu sypie się kubek mąki kartoflanej, Wymieszać doskonale tę masę łyżką, rozłożyć na przygotowane na blasze cieniutkie ciasto kruche, surowe zagniecione, z pół kwarty mąki, 2 łyżek masła, cukru i dwóch jaj i tak ostrożnie upiec, nakrywając z wierzchu, żeby się bakalje nie przypaliły. Z korzeniami ostrożnie, żeby nie przesadzić; na cały mazurek łyżeczkę korzeni razem wymieszanych. Ogień powinien być większy od spodu.

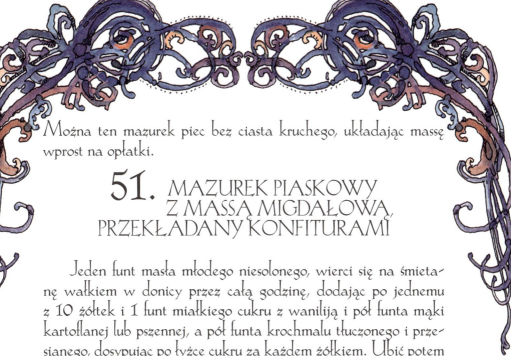

Można ten mazurek piec bez ciasta kruchego, układając massę wprost na opłatki.

51. MAZUREK PIASKOWY Z MASSĄ MIGDAŁOWĄ, PRZEKŁADANY KONFITURAMI

Jeden funt masła młodego niesolonego, wierci się na śmietanę wałkiem w donicy przez całą godzinę, dodając po jednemu z 10 żółtek i 1 funt miałkiego cukru z wanilią i pół funta mąki kartoflanej lub pszennej, a pół funta krochmalu tłuczonego i przesianego, dosypując po łyżce cukru za każdem żółtkiem. Ubić potem pianę z 10 białek, kłaść łyżkę piany i łyżkę mąki wymieszanej z krochmalem aż wszystko wyjdzie, wlać w końcu 1 kieliszek dobrego araku, wylać prędko w formę wysmarowaną masłem czyli na blachę miedzianą, nie bardzo grubą warstwę lejąc i natychmiast do gorącego pieca wstawić, uważając naturalnie, aby nie spalił się mazurek; gdy piec za chłodny, robi się zakalec w mazurku, również gdy zrobiony stoi chwilkę, bardzo jest źle. W piecu powinien być godzinę. Upieczony mazurek przykrywa się konfiturami z malin lub róży smażonej, a na te konfitury przykłada się massa migdałowa, makaronikowa, i jeszcze raz wstawia w piec, w którym ciepło z góry tylko powinno mazurek dochodzić, aby massa makaronikowa upiekła się, a mazurek upieczony od spodu nie usechł.

Zupełnie tak samo robi się tort, tylko w formie okrągłej.

Massa makaronikowa. Funt migdałów obranych słodkich tłucze się z małą ilością cukru w moździerzu, kładzie do rondla wybielonego, sypie do nich 1 funt cukru miałko tłuczonego i stawia

na ogniu, bezprzestannie mieszając, gdy migdały tak na ogniu
przeschną, że prawie nie będą do palców przylegać, zdjąć z ognia,
wystudzić zupełnie, dodać do zimnych już 5 białek na pianę ubitych, wymieszać doskonale i nałożyć mazurek.

52. MAZUREK KRUCHY Z JABŁKAMI

Jeden funt masła niesolonego, 1 funt migdałów słodkich
obieranych i drobno utłuczonych z jednym funtem cukru, 1 funt
jaj całych (ważą się ze skorupkami) i funt mąki, wygniata się
doskonale na ciasto i rozsmarowywa na blachę wyłożoną papierem, wysmarowanym masłem, ciasto stosownie do życzenia może
być grube zawsze z tej ilości ciasta, jest bardzo duży mazurek.
Na to ciasto rozsrnarowywać znów należy massę migdałową
zrobioną z 1 funta migdałów słodkich utłuczonych i utartych
w donicy wałkiem z funtem cukru; posmarowawszy massą migdałową, mazurek upiec, nakrywszy papierem, aby zbyt ciemnego
koloru nie nabrał. Poprzednio zrobić marmoladę z jabłek zanim się
zaczyna robić mazurek aby była gotowa i zimna. Wziąść sztetyn
lub innych równie dobrych 25 lub 20 stosownie do wielkości,
obrać i cieniutko pokrajać; zrobić z funta cukru syrop lekki, wsypać
te jabłka pokrajane, dodać dużo różnych korzeni nadewszystko
wanilji i cynamonu, gotować jabłka w tym syropie tak długo,
aż zupełnie przezroczysta marmolada zrobi się z nich; wyjąwszy
mazurek upieczony z pieca, gdy chwilkę z pierwszego gorąca prze
stygnie, nałożyć tą, marmoladą, na grubość palca, gdy zupełnie
wystygnie powinny te jabłka stwardnieć, wtenczas ulukrować
przezroczystym lukrem i ubrać (wyborny).

53. MAZUREK Z TWARDYCH ŻÓŁTEK Z KONFITURAMI

15 jaj ugotować na twardo i żółtka uwiercić w donicy, dodać pół funta masła, pół funta mąki, pół funta cukru, kładąc ciągle po trochu mąki i cukru, masło zaś od razu w jaja; gdy to uwiercone najmniej pół godziny, włożyć skórek pomarańczowych smażonych w cukrze i drobno usiekanych, lub jeżeli kto niema, cieniutko skrajana żółtą, skórkę z pomarańczy i usiekana prawie na massę. Połowę tak uwierconej massy rozciągnąć ręka na blachę bez rantu z jednej strony, używaną zwykle do placków i mazurków, aby z łatwością można zdjąć z blachy. Na to posmarować konfiturami porzeczkowemi lub marmoladą konfiturową, każde bowiem grub-sze konfitury, jak maliny lub wiśnie, nie dadzą się tu zastosować, przykryć druga połowę massy rozciągniętą na papier, z którego nożem trzeba spuszczać po trochu massę, bo inaczej się nie da — po-smarować zimną wodą i wstawić do wysuszenia w dobrze ciepły ale nie gorący piec.

54. MAZUREK LURSOWSKI

Jeden funt młodego masła i funt jaj ważonych ze skorupkami, co wyniesie 7 lub 8 jeżeli mniejsze, wiercić razem w donicy pół godziny, następnie dodawać po łyżce, sypiąc funt mąki i funt cukru ciągle wiercąc z godzinę, wsypać trochę tartej gałki muszkatołowej lub wanilji, wylać na blachę dobrze klarownem masłem wysma-rowaną, posypać siekanemi migdałami z cukrem i wstawić na pół godziny do gorącego pieca, pilnując; gdy się zrumieni, to gotowe.

55. MAZUREK LUKROWY

Zrobić kruche ciasto z funta mąki i pół funta masła, ćwierć funta cukru i jednego żółtka, wygnieść dobrze, rozwałkować lub rozciągnąć na blachę podsypaną mąką i upiec w letnim piecu. Gdy ciasto upieczone póki gorące, położyć na niem warstwę migdałów umięszanych z lukrem. Funt oparzonych, obranych i pokrajanych w paski migdałów wrzucić w utarty z trzech białek i funta bardzo miałkiego cukru lukier, wcisnąwszy w niego pół cytryny; lukier trze się bardzo długo; położyć grubą warstwę na ciasto i wstawić na 10 minut w zupełnie wolny piec.

56. MAZUREK ORZECHOWY

Kwaterkę miodu wysmażyć dobrze, ubić pianę z pięciu białek, dołożyć jeden funt cukru, wszystko razem trzeć w donicy tak długo aż zbieleje; orzechów włoskich obranych z łupin jeden funt pokrajać grubo i razem wymieszać. Wysmarować blachę woskiem, wyłożyć opłatkami i układać tę massę na blachę, kładąc dosyć cienko (na grubość palca), wsadzić w niegoracy piec, gdzie niech się piecze najmniej trzy kwandranse.

57. MAZUREK ORMIAŃSKI Z SEREM

Pół funta masła świeżego i niesolonego utrzeć dobrze, wbić do tego 8 żółtek po jednemu trąc ciągle, pół funta cukru przesianego i pół funta sera suchego niesionego tartego na tarce i przesianego

przez rzadkie sito; 8 białek ubić na pianę, wszystko razem dobrze wymieszać i na kruche ciasto, bardzo cienkie, grubo posmarować i zaraz do gorącego pieca na pół godziny wstawić.

58. NUGAT, CZYLI MIGDAŁY PALONE

Jeden funt migdałów obranych i usiekanych obsusza się w piecu i zostawia aby były gorące. Zrobić gęsty karmel z 3 ćwierci funta miałkiego cukru (mączka) bez wody, mieszając dobrze na ogniu, żeby się cukier zrumienił ale nie spalił; wtedy wrzucić gorące z pieca wyjęte migdały, wymieszać mocno i nakładać bardzo prędko, gdyż massa twardnieje nader szybko, w blaszanne foremki duże lub małe, wysmarowane olejkiem migdałowym, wygniatać tłuczkiem mosiężnym, żeby tylko warstwa cienka tej massy w formie była, a jak ostygnie z łatwością, wyjdzie.

59. BAUMKUCHEN (DZIAD)

Jest to tort piramidalny, na który trzeba zrobić wałek z drzewa dębowego wysokości łokcia, szerszy u dołu, węższy u góry, mniej więcej średnica jego grubości u dołu nie powinna przenosić więcej ćwierć łokcia, u góry zaś jak powiedziałam powinna być znacznie węższa; wałek ten wewnątrz mieć powinien dziurę tak szeroką, aby go można z łatwością, na rożen włożyć. Obwinąć tę formę arkuszem papieru wysmarowanym masłem i z obu brzegów przy wiązać ten papier cienkim sznurkiem. Gdy ma się już tak urzą dzony wałek przygować massę następująca: 2 funty masła mło dego ubiju się w donicy wałkiem, dopóki się z niego śmietana nie zrobi. Bierze się 40 jaj i 2 funty cukru i ciągle w to masło wbija się po jednem żółtku i po łyżce cukru aż wszystkie jaja wyjdą, ciągle wiercąc wałkiem, wsypać ćwierć łuta cynamonu i skórkę cytrynową na tartce obtartą. Białka z tych jaj ubijają, się na pianę i gdy ciasto już godzinę wałkiem uwiercone, wlewa się piana i wtedy się już łyżką miesza, w końcu sypie się dwa funty mąki kartoflanej, i wlewa pół kwarty dobrej słodkiej śmietanki. Gdy się piana dokłada do ciasta, wtedy trzeba czemprędzej ogień na kominie rozpalić z długiego drzewa, żeby dobry płomień dawało, rożen z ową, formą postawić na ogniu i tak jak pieczyste obracać od ognia żeby się rozgrzała forma; wtedy dwie lub trzy osoby powinny wziąść na talerze po trochu tego ciasta z donicy i łyżkami lub warząchwiami odlewać formę ciągle obracaną jak pieczeń, z brytwanny podstawionej pod rożen zbierać ciasto, żeby się nie przypaliło, gdy się uformuje warstwa pokrywająca papier, wtedy przestać polewać ciągle obracając, żeby się ta warstwa przyrumieniła. Gdy rumiana polewa się powtórnie ciastem; przytem powinny się mimowolnie formować zęby z ciasta, które stanowią jego ozdobę. Dalej tak postępować, dopóki cała massa nie wyszła, a powinno być z tego 6 do 8 warstw. Ostatnia warstwa najbardziej zrumieniona być powinna. Gdy ostygnie nieco ciasto na rożnie wtedy ostrożnie oparłszy rożen o stół, zrównać ciasto po obu stronach nożem obkroiwszy cały tort, odwiązać i wyciągnąć sznurek a wtedy piramida z łatwością zejdzie z formy. Po ostudzeniu lukrować lukrem z białek i cukru, nie równo, tak aby miało pozór kory brzozowej.

60. TORT MIGDAŁOWY

SPOSÓB 1. Funt obranych i usiekanych drobno słodkich migdałów i 6 łutów gorzkich, utrzyj w donicy z 30 żółtkami,

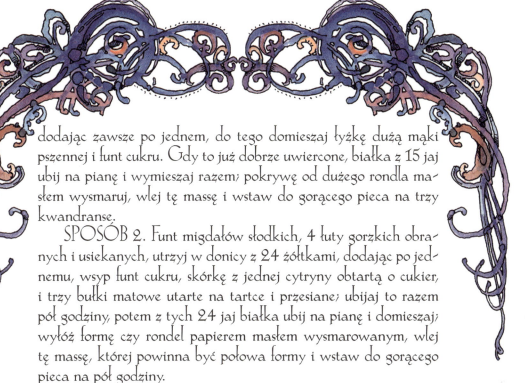

dodając zawsze po jednem, do tego domieszaj łyżkę dużą mąki pszennej i funt cukru. Gdy to już dobrze uwiercone, białka z 15 jaj ubij na pianę i wymieszaj razem; pokrywę od dużego rondla masłem wysmaruj, wlej tę massę i wstaw do gorącego pieca na trzy kwandranse.

SPOSÓB 2. Funt migdałów słodkich, 4 łuty gorzkich obranych i usiekanych, utrzyj w donicy z 24 żółtkami, dodając po jednemu, wsyp funt cukru, skórkę z jednej cytryny obtartą o cukier, i trzy bułki matowe utarte na tartce i przesiane; ubijaj to razem pół godziny, potem z tych 24 jaj białka ubij na pianę i domieszaj; wyłóż formę czy rondel papierem masłem wysmarowanym, wlej tę massę, której powinna być połowa formy i wstaw do gorącego pieca na pół godziny.

61. TORT PIASKOWY

Pół kwarty klarowanego masła rozwiercić w donicy na śmietanę, wbijać w to po jednemu 12 żółtek i funt cukru sypać po łyżce, gdy to doskonale uwiercone, ubić pianę z owych 12 białek, i mieć przygotowane pół funta mąki kartoflanej, a pół funta krochmalu ryżowego lub zwyczajnego utłuczonego i przesianego wymieszać razem i sypać po łyżce maki i po łyżce piany, ciągle wiercąc w jedną stronę całą godzinę, wsypać pół laski tłuczonej przesianej wanilji lub odrobinę kardemonu, w końcu, gdy już wszystka piana i mąka wyjdzie wlać kieliszek araku, wymieszać razem, wlać w formę tortową blaszaną lub cienki, szeroki blaszany rondel — wstawić zaraz w gorący prawie jak na baby piec — powtarzam prawie, bo zbyt gorący zły — gdyż ciasto się spali z wierzchu a opadnie w środku — w piecu siedzieć powinien całą godzinę. Gdy trochę przesty-

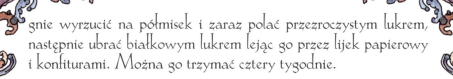

gnie wyrzucić na półmisek i zaraz polać przezroczystym lukrem, następnie ubrać białkowym lukrem lejąc go przez lijek papierowy i konfiturami. Można go trzymać cztery tygodnie.

62. TORT HISZPAŃSKI

Zrobić marengi sposobem niżej opisanym, układać w kształcie placków na papier mąką posypany, upiec kilka takich placków, jeden od drugiego mniejszy, papier się kraje, jeden krążek mniejszy od drugiego; ułożyć na półmisku jeden na drugi w kształcie piramidy, przekładając śmietanką gęstą kremową, ubitą na pianę z cukrem i waniliją. Z wierzchu ubrać małemi marengami.

63. TORT CHLEBOWY

Trzydzieści żółtek ubić z funtem cukru i pół funtem czekolady utartej, wsypać korzeni jakich kto lubi po ćwierć łuta, wanilji, goździków, cynamonu kardenomu, muszkatołowego kwiatu, trzeć to godzinę bez ustanku. Ubić pianę z 15 jaj, kładąc po łyżce piany i po łyżce mąki chlebowej ciągle — wymieszać razem, włożyć w formę masłem wysmarowaną i do gorącego pieca wstawić na pół godziny.

Drugi rodzaj tortu chlebowego jest z migdałami. Pół funta słodkich migdałów i 2 łuty gorzkich, utrzeć z 15 żółtkami jak najmocniej; wsypać funt cukru, pół funta suszonego i miałko utłuczonego razowego chleba, łut różnych korzeni i skórki pomarańczowej usiekanej jak najdrobniej. Wyrobić to należycie, domieszać pianę z 15 białek, kłaść po łyżce tej piany i po łyżce mąki z chleba ra-

zowego suszonego i tłuczonego, której powinno być pół kwarty; włożyć tę massę do formy, masłem wysmarowanej i chlebem wysypanej i wsadzić do gorącego pieca na pół godziny.

64. TORT ORZECHOWY

Funt obranych orzechów włoskich lub tureckich, utłuc w możdzierzu dolewając półkwaterek śmietanki, następnie utrzeć w donicy z funtem cukru i dwunastu żółtkami dokładając po jednemu. Gdy już godzinę tarte, dosypać mały kubek chleba żytniego lub razowego tartego, dołożyć pianę z białek i wylać na dwie okrągłe blachy od tortu, wstawić zaraz do pieca gorącego na 20 minut. Gdy się upiecze i ostygnie, przełożyć massą orzechową lub kremem. Na krem wziąść kwaterkę gęstej śmietanki, ćwierć funta cukru i ćwierć funta tartych na tartce orzechów; ubić śmietanką dosypać cukier i orzechy, zbić jeszcze razem aż zgęstnieje i przełożyć oba placki składając je razem. Massa orzechowa robi się następującym sposobem: ćwierć funta migdałów oparzonych i ćwierć funta orzechów, utłuc razem z pół funtem cukru, wbić w to 4 żółtka i jedno białko, postawić na wolnym ogniu i mieszać łyżką aż zupełnie zgęstnieje. Zdjąwszy z ognia mieszać aż zupełnie ostygnie, a wtedy przekładać tą massą upieczone dwa okrągłe placki tortowe z orzechów.

65. TORT ZWANY „DUCHESSE"

Doskonały i pewny przepis na wyborny przekładany tort. Jeden funt migdałów oparzyć, obrać i utrzeć na tarce, co się nie da utrzeć, utłuc. Te migdały trzeć w donicy wałkiem z funtem cukru i dwunastu żółtkami, dokładając po jednemu całą godzinę, następnie dołożyć mały kubek tartej przesianej bułki, pianę z białek i natychmiast wylać w duże formy płaskie, okrągłe, blaszane cienkie i wstawić w gorący piec na 20 minut. Drugi funt migdałów bez parzenia obetrzeć tylko serweta i tak samo utrzeć na tarce, tłukąc resztki, dołożyć funt cukru i 12 całych jaj, lejąc odrazu, trzeć to wałkiem najmniej godzinę, dokładając oprócz dwunasu całych jaj, dwanaście żółtek po jednemu, gdyż te migdały jako nie parzone, są daleko suchsze i potrzebują więcej wilgoci. Po godzinnem tarciu dołożyć kubek mały chleba razowego suszonego i tartego, a w końcu 12 białek na pianę ubitych, wymieszać razem, wylać na blachę okrągłą równej wielkości z poprzednia, lub na tę samą po upieczeniu i wystudzeniu pierwszego ciasta — i wstawić w piec gorący na pół godziny najwyżej — zresztą to zależy od pieca. Najlepiej mieć trzy blachy, biały tort wylać na dwie płytsze, a czarny na głębszą jedną i zaraz po upieczeniu gdy ciasto jeszcze ciepłe nasmarować marmoladą, konfiturami lub wreszcie powidłami wiśniowemi, a nawet fasowanemi śliwkowemi, złożyć razem i położyć na półmisku, a następnie polukrować przezroczystym lukrem ponczowym, pomarańczowym lub cytrynowym; z wierzchu rysować arabeski białym lukrem kredowym, zrobionym z cukru i białka, lejąc przez lejek, a w końcu ubrać konfiturami.

66. TORT KAWOWY

Żółtek 20 i funt cukru utrzeć w donicy jak najlepiej, do tego dodać funt migdałów bardzo drobno usiekanych, połowę z łupinami, a połowę obranych z łuski i tę massę trzeć godzinę, następnie dosypać kwaterkę mielonej kawy, dla zapachu dodać parę goździ-

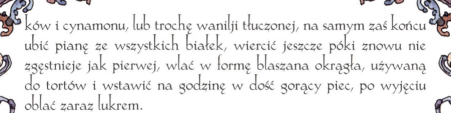

ków i cynamonu, lub trochę wanilji tłuczonej, na samym zaś końcu ubić pianę ze wszystkich białek, wiercić jeszcze póki znowu nie zgęstnieje jak pierwej, wlać w formę blaszana okrągła, używaną do tortów i wstawić na godzinę w dość gorący piec, po wyjęciu oblać zaraz lukrem.

67. MARENGI ZWYCZAJNE

Dwanaście białek ubić na pianę tak sztywną, żeby nie ustępowała pod palcami; funt cukru z pod maszyny, przesiać przez gęste sito, dołożyć pół laski tłuczonej i sianej wanilji, podzieliwszy go na 4 części po jednej czwartej sypać w pianę i bić znowu drugi raz, gdyż w pierwszej chwili piana od cukru zrzednieje, póty, póki powtórnie sztywna nie będzie, postępując tak aż cały funt cukru wyjdzie. Wtedy może stać w zimnem miejscu choćby godzinę nic się nie stanie. Natychmiast gdy baby wyjęte z pieca lub chleb czy jakie inne ciasto, układać łyżka srebrną na blachę, woskiem posmarowaną kupki, lub lejkiem papierowym wyciskać obwarzanki, wstawić zaraz do gorącego jeszcze pieca i zostawić w nim do drugiego dnia, żeby dobrze wyschły. Trzymać należy marengi w suchem miejscu.

68. CIASTO FRANCUZKIE

Funt maki pszennej, jedno jajko, i tyle wody, aby ciasto było wolne, pulchne i dało się dobrze wałkować, nie przylegając do wałka. Gdy dobrze wyrobione, niech się uleży na stolnicy; wtedy wziąść skąpy funt dobrego masła, które na godzinę pierwej

powinno być w wodzie w soli w niem zostawione; gdy ma być użyte, wyjąć z wody, wycisnąć mocno w serwecie, aby wszystka woda
w nią wsiąkła, ciasto rozpłaszczyć, położyć na niem masło również
rozpłaszczone na cal grubości, złożyć brzegi ciasta w kształcie ko-
perty i wałkować ostrożnie; skoro będzie cienkie na pół cala znowu
zwinąć na troje, wałkować i to powtarzać trzy razy, za każdą razą
zostawiając ciasto złożone na stolnicy, nim się wałkuje, przez minut
dziesięć. Chcąc aby ciasto było dobre, należy je wałkować nie
pociągając wałka do siebie, lecz zawsze od siebie naprzód. Ko-
niecznym warunkiem jest, aby ciasto francuzkie robić w chłodnem
miejscu lub w piwnicy. Piec trzeba napalić tak jak na drożdżowe
ciasto, to jest aby gorący był, bo inaczej będzie płaskie i nie będzie
się dzielić. Piec powinien być niżki jak cukierniczy — w szabaśniku
od bab źle piec francuzkie ciasto bo wysoki — a ogień powinien
złapać odrazu z obu stron, lepiej już pod blacha na wyższej kon-
dygnacyi, pilnując dobrego ognia. Robiąc ciastka krając formy
jakiej się komu podoba; jeżeli maja być nadziewane konfiturami
lub jabłkami, należy je cieniej rozwałkować, pokrajać, nałożyć
konfiturami, i przykryć drugą warstwą ciasta. Robiąc pieroźki
z konfiturami, brzegi zawinąć w kształcie pieroźka, na wierzchu
posmarować jajkiem rozbitem z wodą i posypać grubym cukrem.
Nie można tego ciasta ściskać palcami.

69. JABŁKA W FRANCUZKIEM CIEŚCIE

Rozwałkować ciasto do grubości tylca noża. Pokrajać w kwadraty tak duże, aby objęły jabłko. Jabłka kruche obrać, przekrajać, wydrążyć, napełnić konfiturami, położyć połowę na takim
kwadracie, którego cztery końce złączyć tak, aby wypadły pod

spód, z wierzchu posmarować jajkiem, posypać cukrem i wstawić do gorącego pieca.

70. CIASTO PÓŁFRANCUZKIE

Rozczynić kwartę mąki jednym łutem drożdży i kwaterka zimnego mleka, wbić 3 żółtka i jedno całe jajko rozbite poprzednio w garnuszku z łyżką cukru, wsypać dla zapachu trochę skórki cytrynowej i ubijać to ciasto, które powinno być gęste jak na bułeczki, póty, póki pęcherzyków nie dostanie; postawić, aby się ruszyło, ale nie w zbyt ciepłem miejscu. W czasie tego pół funta masła dobrego, nie solonego, wycisnąć w serwecie z wody, rozpłaszczyć na talerzu i postawić w piwnicy, aby stężało. Gdy ciasto się dobrze ruszy, wyrzucić go na stolnicę, rozwałkować lekko w kwadrat, aby można było rozłożyć płasko masło, robiąc to w chłodnem miejscu; zwinąć w kopertę, to jest składając rogi do środka i wałkować ostrożnie, żeby się masło nie wyciskało. Trzy razy powtarzać składanie ciasta i wałkowanie, zostawiając za każdą razą, ciasto w spokojności do uleżenia kilka minut. Z tak zrobionego ciasta wykrawać formą lub szklanką, ciastku dać podróść na blasze a posmarowawszy jajkiem, posypać grubym cukrem i wstawić w dobrze gorący piec. Można te ciasto nakładać konfiturami lub massa migdałową, zawinąć w pierożki, rogale lub półksiężyce, dalej postępując jak wyżej, przy francuzkiem. Można również krajać ważkie pasy, zwijać lekko w sznur i robić obwarzanki okrągłe lub ósemki. Na rogale kraje się czworograniaste kawałki i zwija, zaczynając od jednego rogu. Jeżeli nie są posypane pierwej cukrem, w takim razie, po wyjęciu zaraz smarować lukrem przezroczystym.

71. ROGALE DROŻDŻOWE

Pół garnca maki, 4 łuty drożdży, pół kwarty mleka, masła kwaterka i 6 jaj. Rozczynić jak bułeczki, przyczynić, gdy podrośnie; znowu dać wyrosnąć, a potem czworograniaste kawałki rozwałkować i zwijać w kształt rogali, zaczynając od rogu, na stolnicy niech wyrosną, w gorący piec wsadzić, jajkiem z wodą posmarować, gdy idą, do pieca.

72. OBWARZANECZKI DROŻDŻOWE

Półtory kwarty mąki, 4 łuty drożdży, kwaterka mleka pół funta masła, ćwierć funta cukru i łyżeczka soli. Wszystko to razem zagnieść, długo wygniatać, aby się dobrze połączyło, robić wałeczki cienkie i zwijać w obwarzanki lub inne figlasy, układać na blachę masłem posmarowaną i gdy dobrze wyrosną, posmarować jajkiem rozbitem z woda i wstawić w dobrze gorący piec na 10 minut. Trwają długo i dobrze smakują. Gdy się ma ku rośnięciu należy w piecu palić.

73. SUCHARKI ŻMUDZKIE DO HERBATY

Przepis, który tu podaję, przechodzi wszelkie najwyborniejsze karlsbadkie i wiedeńskie sucharki, a tem jeszcze przewyższa, że po sześciu tygodniach włożone na trzy minuty w ciepły piec pod blachę, smakują, jakby w tej chwili pieczone. Półtora funta

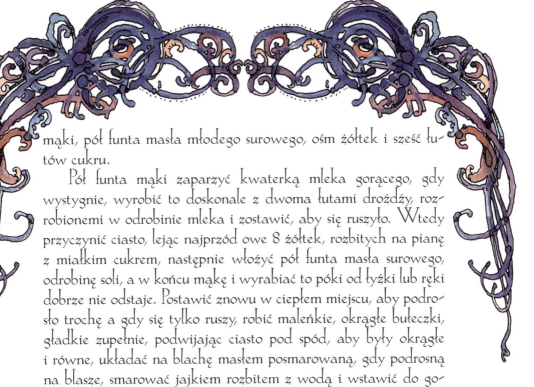

mąki, pół funta masła młodego surowego, ośm żółtek i sześć łutów cukru.

Pół funta mąki zaparzyć kwaterką mleka gorącego, gdy
wystygnie, wyrobić to doskonale z dwoma łutami drożdży, roz-
robionemi w odrobinie mleka i zostawić, aby się ruszyło. Wtedy
przyczynić ciasto, lejąc najprzód owe 8 żółtek, rozbitych na pianę
z miałkim cukrem, następnie włożyć pół funta masła surowego,
odrobinę soli, a w końcu mąkę i wyrabiać to póki od łyżki lub ręki
dobrze nie odstaje. Postawić znowu w ciepłem miejscu, aby podrosło trochę a gdy się tylko ruszy, robić maleńkie, okrągłe bułeczki,
gładkie zupełnie, podwijając ciasto pod spód, aby były okrągłe
i równe, układać na blachę masłem posmarowaną, gdy podrosną
na blasze, smarować jajkiem rozbitem z wodą i wstawić do gorącego pieca, jednak nie nadto na kilka minut. Gdy wystygną,
przekrawać bardzo ostrym nożem na pół i jeszcze raz w wolnym
piecu podsuszyć. Można także po przekrajaniu przeciągnąć każdy
lekko śmietanką słodką, i posypać bardzo miałkim cukrem, nie jest
to jednak konieczne, bo wiele osób przekłada je bez posypania.

74. SUCHARKI PAPIESKIE

Zważyć 7 jaj ze skorupkami, ile zaważą tyle wziąść miałkiego
cukru, a ile 6 jaj zaważy tyle najpiękniejszej mąki. Całe jaja rozbić w garnku z cukrem do białości, następnie dosypać mąkę, i albo
trochę cytrynowej skórki, albo tłuczonego anyżu. Tę massę wylać
na blachę oliwa wysmarowaną, i upiec w dość gorącym piecu,
pilnując, aby nabrało koloru, a jednak nie spaliło się. Gdy ciasto
wystygnie, pokrajać go w cienkie plasterki i ususzyć w bardzo
wolnym piecu.

75. WAFLE

Ośm jaj, kwaterka maki, łyżka kłarowanego rnasła, półkwaterek cukru, mleka tyle, żeby ciasto było rzadkie jak naleśniki;
białka ubić na pianę, na ostatku domieszać i wybić doskonale
i na żarzących węglach na gorącą, formę od wafli, masłem dobrze
wysmarowaną, lać. Przewrócić formę po chwili na drugą stronę;
ogień powinien być dobry, a robota powinna iść prędko, wyrzu-
cając wafle na gorąco posypywać cukrem z cynamonem, formę
za każdą razą smarować masłem kłarownem.

76. OPŁATKI KARLSBADZKIE

Rozbić pół kwarty pięknej mąki, z takąż ilością lekkiej śmietanki, lub wybornego mleka prosto od krowy, aby ciasto było
gęstości, jak zwykle na naleśniki, lejąc naturalnie mleko po trochu
do mąki, żeby się kluski nie zrobiły. Chcąc piec opłatki, należy
się zaopatrzyć w dwie formy, z których jedną trzeba kazać ślusa-
rzowi rozśrubować tak, aby dwa opłatki się mieściły, do pieczenia
podwójnych, już gotowych złożonych opłatków. Otóż najprzód
wziąść cieńszą pojedynczą formę, rozgrzać, nasmarować piórkiem
rozpuszczonem masłem klarownem koniecznie, nalać łyżką ciasto
w sam środek i rozlać to ciasto po całej formie — postawić na otwar-
tej fajerce, gdzie ogień powinien być nie od węgli kamiennych,
ale od drzewa i piec jak naleśniki — gdy czuć że rumiane ciasto,
przewrócić złożoną formę na drugą stronę, która także masłem
powinna być posmarowaną; gdy się podpiecze, wyrzucić opłatek
na deskę przygotowaną i dalej piec, za każdą razą powtarzając
smarowanie z obu stron formy klarownem masłem. Wypiekłszy

już wszystkie ciasto na pojedyncze opłatki, wziąść drugą podwójną formę nasmarować z obu stron piórkiem masłem rozpuszczonem, położyć jeden opłatek, posmarować masłem, posypać cukrem z migdałami i wanilija, wziąść drugi opłatek, także z jednej strony posmarować masłem, przykryć to posypanie cukrem, złożyć formę tak, że się oba ścisną i dobrze złącza i na wolnym ogniu, już bez płomienia, z obu stron przypiec, pilnując, aby się zbyt nie zrumieniły, to przypiekanie powtórne trwa zaledwie minutę — wyrzucić na stół — opłatek gotowy.

Na posypywanie bierze się na funt mączki — pudru z pod maszyny — pół funta bardzo drobno tłuczonych, tylko słodkich migdałów i laskę tłuczonej wanilji, wymieszać to bardzo starannie, aby zupełne równe i nie wilgotne od migdałów było i tem obficie w środek posypywać opłatki. Chociaż pierwszą razą nie będą zupełnie dobra — nie trzeba się zrażać, bo wprawa i równość ognia, gra tu wielką rolę, za trzecim razem muszą już być dobre.

77. CIASTKA KRUCHE Z MAKIEM NA WILJĄ

Pół funta masła świeżego, pół funta cukru, pół funta mąki i jedno jajko razem zagnieść, rozwałkować na grubość pół palca, wykrawać szklanką okrągłe placuszki, posmarować lekko żółtkiem rozbitem z łyżką wody i upiec na blasze w miernie gorącym piecu. Funt maku szarego wypłukać kilka razy, zlewając starannie brudną wodę i sparzyć ukropem na kilka godzin. Następnie uwiercić go, dodając pół funta cukru, 2 łuty migdałów słodkich, 3 gorzkie migdały, trochę tartej skórki cytrynowej lub pomarańczowej. Gdy to dobrze uwiercone przez małą godzinę, ułożyć na salaterkę i powkładać w koło upieczone do rumianego koloru ciastka.

78. CIASTKA PARZONE

Kwartę masła klarowanego, pół kwarty wody, łyżkę cukru zagotować razem; gdy się gotuje, wsypać mąki pół kwarty, i mieszając trzymać na ogniu 4 minuty, póki od rondla nie odstaje; zaraz wbić 1 jajko całe po zdjęciu z ognia a gdy wystygnie, wbić po jednemu 7 jaj całych, za każdem mieszając dobrze i wsypać półkwaterek cukru. Gdy ciasto dobrze wybite łyżką, robić z formy, to jest ze szprycy umyślnie na ten cel urządzonej obwarzanki na blachę, migdałami posypywać; w piec gorący wstawić. Chcąc, żeby się dobrze formowały i niezlepiały razem umoczyć za każdym obwarzankiem szprycę w maśle klarowanem. Kto nie ma szprycy, może z tego ciasta robić obwarzanki na stolnicy. Wyrzuciwszy ciasto, cokolwiek je w mące otaczać, mieć przygotowany cukier z siekanemi migdałami, w tem taczać cieniutkie ważkie paluszki i odrazu na blachę układać obwarzanki nie smarując niczem więcej, lub też zrobić rodzaj cieniutkiego placka na blasze, smarując ciasto nożem na blachę, migdałami i cukrem posypać bardzo grubo i zaraz na surowo na czworograniaste ciastka pokrajać. Piec powinien być bardzo gorący. Ciastka takie podają zamiast legominy na gorąco do śmietany lub szodonu.

79. OBWARZANKI MIGDAŁOWE

Wziąść migdałów obranych i wysuszonych jeden funt, cukru jeden funt, i te migdały z cukrem tłuc i przesiewać przez przetak; do tego ubić pianę z 8 białek i wsypać trochę kwiatu pomarańczowego tłuczonego, zarobić cukier i migdały tą pianą, i robić z tej

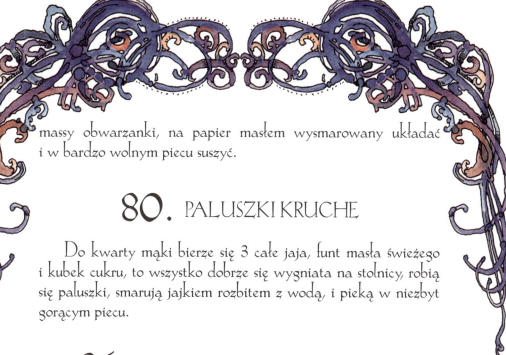

massy obwarzanki, na papier masłem wysmarowany układać
i w bardzo wolnym piecu suszyć.

80. PALUSZKI KRUCHE

Do kwarty mąki bierze się 3 całe jaja, funt masła świeżego
i kubek cukru, to wszystko dobrze się wygniata na stolnicy, robią
się paluszki, smarują jajkiem rozbitem z wodą, i pieką w niezbyt
gorącym piecu.

81. CIASTKA HELGOLANDZKIE

Ciasta te są wyborne i nadzwyczaj długo przechowywać się
dają. Do 3 ćwierci funta mąki wbija się 18 żółtek, dodaje 8 łutów
cukru, 6 łutów masła, kieliszek araku; trochę skórki cytrynowej
i nieco muszkatołowego kwiatu. Wymieszawszy to należycie,
robią się obwarzanki, na stolnicy posypanej mąka, wałkując dło-
nią długie paluszki i z tego układając obwarzanki, lub tej formy
co biszkopciki, smarują żółtkiem, posypują cukrem i na blasze wysmarowanej w gorącym piecu pieką.

82. CIASTKA ŚMIETANKOWE

Pół funta masła młodego utrzeć na śmietanę, wsypać ćwierć
funta cukru miałkiego, wbić dwa całe jaja i wsypać 3 ćwierci najlepszej maki i wyrobić to ręką na masse. Ponieważ ciasto takie jest
bardzo kruche, aby się więc dało wałkować, rękami na stolnicy

robić cienkie placuszki i temi placuszkami wyłożyć poprzednio wysmarowane foremki blaszane karbowane. Osobno rozbić dwa żółtka z łyżką miałkiego cukru, zmieszać z półkwaterką dobrej śmietanki, wsypać trochę tłuczonej wanilji, włożyć w mały ronde- lek i ogrzewać na wolnym ogniu, ciągle mieszając łyżką, dopóki nie zgęstnieje, wtedy odstawić na chłodne miejsce, a gdy zastygnie krem, nałożyć nim, kładąc po łyżce do foremki, pokryć płaskim kawałkiem ciasta, oberwać co wystawać będzie za brzegi i wsta- wić do miernie gorącego pieca na 20 minut.

83. BISZKOPTY

16 żółtek utrzeć do białości w zimnem miejscu z pół funtem miałkiego cukru, do tego domieszać białka ubite na pianę, potem wsypać kwaterkę najprzedniejszej mąki pszennej lub lepiej kar- toflanej; wymieszać lekko razem; w formy z papieru porobione i masłem wysmarowane zaraz ponalewać i w piec gorący wstawić, nie ruszając aż się upieką. Jeżeli się za nadto w piecu rumienią, papierem pokryć.

84. TORT BISZKOPTOWY

Upiec podług przepisu wyżej podanego dwa placki biszkop- towe na dwóch okrągłych brytfannach, po upieczeniu i ostudze- niu przełożyć następną massą: jedną piękną cytrynę ugotować na miękko, potem w syropie gęstym podsmażyć z kwadrans na wolnym ogniu, funt migdałów oparzonych utłuc i z funtem cukru uwiercić na massę — dołożywszy posiekaną cytrynę, wiercić to godzinę i przełożyć biszkopty póki gorące, po złożeniu ulukro- wać i ubrać konfiturami.

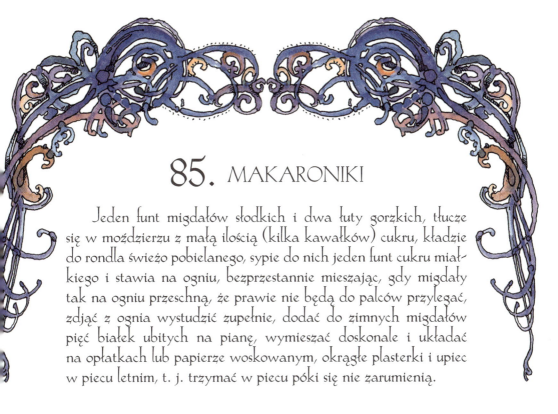

85. MAKARONIKI

Jeden funt migdałów słodkich i dwa łuty gorzkich, tłucze się w moździerzu z małą ilością (kilka kawałków) cukru, kładzie do rondla świeżo pobielanego, sypie do nich jeden funt cukru miałkiego i stawia na ogniu, bezprzestannie mieszając, gdy migdały tak na ogniu przeschną, że prawie nie będą do palców przylegać, zdjąć z ognia wystudzić zupełnie, dodać do zimnych migdałów pięć białek ubitych na pianę, wymieszać doskonale i układać na opłatkach lub papierze woskowanym, okrągłe plasterki i upiec w piecu letnim, t. j. trzymać w piecu póki się nie zarumienią.

86. MARCEPANOWE LISTKI

Cukru tłuczonego jeden funt, migdałów słodkich oparzonych łutów 4, utłuc w moździerzu na massę, coraz łyżkę cukru z tego funta sypać i zawsze tłuc; później wbić dwa białka i cukier dosypywać aż wyjdzie pół funta; jak się to dobrze ubije, wziąść na stolnicę tę massę i z drugim pół funtem cukru zagnieść, rozwałkować cienko przesypując mąką tak, aby do wałka nie przylegało, foremką wyrzynać, na blachę woskiem wysmarowaną kłaść i wsadzić w piec bardzo wolny, aby tylko trochę koloru nabrały.

87. MARCEPANY

Jeden funt słodkich i cztery łuty gorzkich migdałów, oparzyć na krótko gorącą wodą, obrać ze skórki, odrzucając starannie ze

psute lub nadgryzione migdały, rozłożyć je obrane na serwecie dla wysuszenia, a następnie utrzeć na jak najcieńszej tarce bardzo starannie, usuwając na bok wszystkie krupki. Następnie na tej samej tarce utrzeć funt cukru białego (nie można brać mączki), i migdały wraz z cukrem utrzeć z różaną wodą, do której dolać kilka kropel wody kwiatu pomarańczowego, w donicy glinianej nie polewanej, na bardzo gęste ciasto; więc ma się rozumieć, że trzeba brać nie wiele wody różanej. Zostawiając to utarte ciasto spokojnie w chłodnem miejscu 3 lub 4 dni, zanim się go dalej robi, marcepan będzie daleko lepszy. Wtedy na stolnicy posypanej najpiękniejszą mąką lub pod pudrowanej cukrem bardzo miałkim, wałkować to ciasto na grubość pół palca i wykrawać blaszanemi foremkami różne figury, jako to: serca, gwiazdy i t. p., które obłożyć ważkim rancikiem z tegoż ciasta marcepanowego, wystającym na ćwierć cala, które się przylepia za pomocą posmarowania różaną wodą. Tak zrobione marcepany położyć na deseczkę pokrytą czystym papierem. Wtedy postawić na stole deseczkę, obstawić ją czterema dosyć wysokiemi kawałkami drzewa, na którym oprzeć blachę z żarzącemi się węglami drzewnemi, zostawiając na niej cztery minuty, lub tak długo aż powierzchnia marcepanów nabierze lekko brązowego koloru, tym sposobem marcepan, mając gorąco jednakowe z góry, zrumieni się z wierzchu, a pod spodem zostanie blady. Po zdjęciu blachy i zupełnem wysuszeniu marcepanów, polewa się je konserwą cukrową, zrobioną z jednego funta tartego cukru z sokiem całej cytryny i łyżką, wody. Massa ta trze się całą godzinę w jedną stronę na gęsto, nakłada na marcepany postawione w ciepłym pokoju tak, aby konserwa stwardniała i wtedy na nią, ubiera się jeszcze rozmaitemi owocami, smażonemi w cukrze, obsuszonemi i krajanemi w paski lub trójkąty i ćwiartki. Dla przesłania lub zachowania układają się marcepany w drewniane pudełka. Zaręczamy za dokładność tego przepisu.

88. CIASTO MIGDAŁOWE BEZ CUKRU I BEZ MĄKI (DLA CHORYCH)

Funt migdałów oparzyć, obrać i utrzeć na tarce, pół funta masła młodego rozetrzeć w donicy na śmietanę, następnie wbijać po jednemu 15 żółtek za każdem sypać po łyżce migdałów. Gdy to tarte przez cała godzinę zacznie być jednolite, wtedy ubić owe 15 białtek na pianę, dokładać po łyżce do massy bijąc ciągle, aby piana nie wodniała; blaszaną tortową podłużną formę lub w braku tejże uszytą z grubej tektury, wysmarować masłem, wlać szybko massę i wstawić w miernie gorący piec, jak na biszkopty lub na suflet na dobre pół godziny najmniej.

89. WYBORNE PĄCZKI PARZONE

Chcąc mieć pączki na godzinę naprzykład 9 wieczór, trzeba o godzinie 2 wziąść się do roboty. Wygrzaną mąkę pół kwarty zaparzyć pół kwarta gotującego się mleka, rozbijać ciągle, a gdy ostygnie, rozrobić to 15 żółtkami ubitemi z pół funtem cukru, wlać 4 łuty drożdży roztartych w kwaterce mleka, ubić pianę z 10 białek, włożyć w ciasto i tak zostawić do wyrośnięcia. Gdy dobrze wyrośnie, dodać kwartę maki, uważając, aby ciasto było wolne jak na placki, wsypać soli i co kto lubi dla zapachu, czy skórki cytrynowej, czy muszkatołowej gałki, czy dwa gorzkie tłuczone migdały, a gdy już dobrze wyrobione, dolać ćwierć funta młodego masła i wyrobić z godzinę, aż dobrze od ręki lub łyżki odstawać będzie, posypać lekko mąką i zostawić aby wyrosło w cieple 20 st. R. Pilnować dobrze, aby nie przerosło ciasto, gdyż każdą rzecz trudno robić z przerośniętego ciasta, a tembardziej pączki. Otóż gdy ciasto zacznie rosnąć, zaraz robić pączki, nie wałkując go ani rozciągając, tylko wyrzuciwszy na stolnicę wyciągnąć taki kawałek ciasta, ile na jeden pączek potrzeba, włożyć konfitur wiśniowych, osączonych dnia poprzedniego z syropu, zawinąć ciasto, wykroić małą szklaneczką od piwa i układać na sicie, robiąc to wszystko w cieple 20 st. R.; jeżeli w kuchni zimno, to całą stolnicę trzymać nad trzonem ciepłym, naturalnie, gdzie tylko mały ogień się pali. Porobiwszy wszystkie pączki, zostawić je na sicie zawsze w cieple, aby dobrze wyrosły; wtedy dopiero rozgrzać w głębokim rondlu szmalcu, do tego ostatniego wlać kieliszek spirytusu, aby zniszczyć odór szmalcu, a gdy spróbowawszy kawałkiem ciasta tłuszcz się gotuje i syczy, wtedy rzucać po 4 nie więcej pączków i zakrywszy fajerkę na niewielkim ogniu smażyć. W czasie smażenia przewrócić widelcem na drugą stronę. Idzie koniecznie o to, iż tłuszcz powinien być bardzo gorący, a ogień nie wielki, dla tego aby pączek miał czas i możność rosnąć, wtedy podwaja się jego objętość i delikatność, są równe, pulchne i duże. Jeżeli ogień za silny, pączki natychmiast się rumienią, nie rosną już w rondlu i zachowują pewną zakalcowatość. Wyjmować łyżką durszlakową na półmisek i natychmiast posypywać cukrem z waniliją. Kto chce mieć lukrowane z wierzchu, musi mieć przygotowany gorący rzadki przezroczysty lukier (patrz niżej), i na widelcu wyjąwszy z rondla natychmiast umaczać w tym lukrze a zaraz obeschnie. Z tej proporcji powinno być 35 do 40 pączków, a tłuszczu nie wyjdzie więcej jak funt; jeżeli rondel jest głęboki i nie smaży się więcej jak po 2 lub 4. Zwyczajne pączki rozrabiają się wolnym mlekiem, bierze się mniej jaj, masła i cukru, zachowując wszelkie inne warunki opisane przy parzonych.

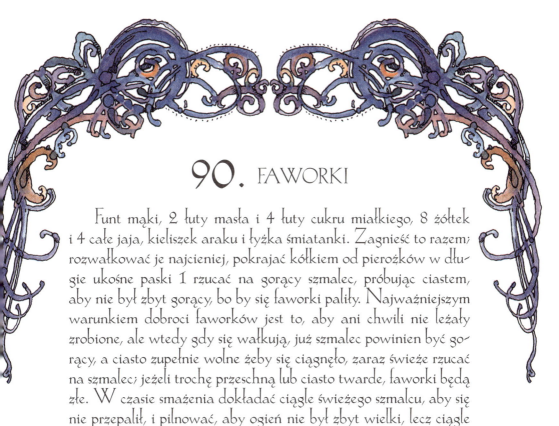

90. FAWORKI

Funt mąki, 2 łuty masła i 4 łuty cukru miałkiego, 8 żółtek i 4 całe jaja, kieliszek araku i łyżka śmiatanki. Zagnieść to razem; rozwałkować je najcieniej, pokrajać kółkiem od pierożków w długie ukośne paski i rzucać na gorący szmalec, próbując ciastem, aby nie był zbyt gorący, bo by się faworki paliły. Najważniejszym warunkiem dobroci faworków jest to, aby ani chwili nie leżały zrobione, ale wtedy gdy się wałkują, już szmalec powinien być gorący, a ciasto zupełnie wolne żeby się ciągnęło, zaraz świeże rzucać na szmalec; jeżeli trochę przeschną lub ciasto twarde, faworki będą złe. W czasie smażenia dokładać ciągle świeżego szmalcu, aby się nie przepalił, i pilnować, aby ogień nie był zbyt wielki, lecz ciągle równy. Wyjmując w tej chwili póki gorące, posypywać cukrem z waniliją — bo gdy wystygną, cukier nie przylgnie.

Drugi sposób równie dobry: 4 całe jaja, 4 żółtka ubić dobrze, wsypać łyżkę cukru, rozbić doskonale i w te ubite jaja wgnieść maki ile się zagniecie, dodając dobra łyżkę młodego masła i kieliszek araku, rozwałkować i smażyć jak wyżej, natychmiast po rozwałkowaniu. Najlepiej zrobione jak poleżą i przeschną — będą zupełnie złe.

91. TORUŃSKI PIERNIK NIEZAWODNY

Kwartę miodu czystego, zrumienić z łyżeczką od kawy suchej skórki pomarańczowej, łyżeczką, goździków i dwoma łyżkami stołowemi anyżu, wszystko ostudzone i przesiane. Następnie zaparzyć tym miodem dwie kwarty mąki żytniej mocno ogrzanej

i przesianej. To wszystko dobrze wyrobić warząchwią — aby nie było grudek mąki. Wbić w gorące ciasto cztery całe jajka, wymieszać dobrze i zastudzić w zimnem miejscu. Dodać potem łyżkę stołową z górą potażu (używanego do ciast) z kieliszkiem spirytusu i jednem żółtkiem — wymieszać to ciasto raz jeszcze — wyrobić dobrze, (co mówiąc w nawiasie — nie łatwo przychodzi, gdyż ciasto jest twarde, elastyczne), dodać migdałów grubo krajanych, według gustu, wyrobić i kłaść na cal grubo — na blachę wywoskowaną. Jajkiem posmarować, ubrać całemi migdałami, cykatą i t. p., i piec w piecu tak gorącym jak na bułki około 45 minut. Większy piernik jak po kwarcie miodu, trochę dłużej — mniejszy krócej. Piernik taki daje się długo zachować — jest wilgotny, kruchy, na podobieństwo dawnych toruńskich. Piernik ten jest trudny w robieniu ale pewny i dobry.

92. MAKAGIGI TAK ZWANE TŁUCZEŃCE

Upiec placek z mąki żytniej i wody, aż się zrumieni, utłuc go na mąkę i przesiać; do kwarty miodu wsypać pół funta wymytych i szadkowanych migdałów, parę skórek pomarańczowych posiekanych, kwaterkę mąki z tego placka i smażyć na wolnym ogniu na karmel; dosypać korzeni, cynamonu, imbiru, gwoździków, tłuczonych i przesianych, nic wiele jednak, układać na opłatki przykrywając drugiemi, a na drugi dzień pokrajać na kawałki. Zamiast migdałów można użyć orzechów jakich kto chce.

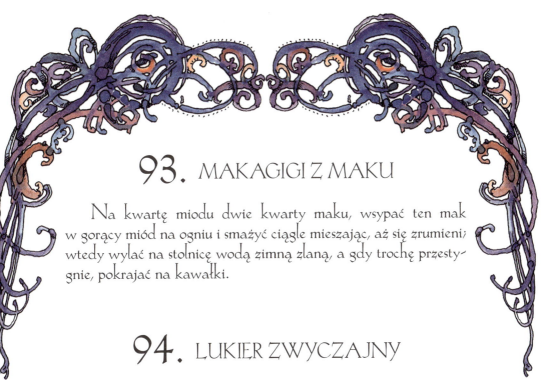

93. MAKAGIGI Z MAKU

Na kwartę miodu dwie kwarty maku, wsypać ten mak w gorący miód na ogniu i smażyć ciągle mieszając, aż się zrumieni; wtedy wylać na stolnicę wodą zimną zlaną, a gdy trochę przestygnie, pokrajać na kawałki.

94. LUKIER ZWYCZAJNY

Formuje się przez tarcie w jedną stronę białek i cukru, do smaku wciska się cytryna, biorąc na funt cukru 4 białka; ponczowy, gdy do cukru, bierze się arak i cytryna.

95. LUKIER BIAŁY PRZEZROCZYSTY

Bierze się naprzykład dwa funty cukru, umoczywszy w wodzie tyle, ile zajmie w siebie cukier, zrobić syrop, próbując go do nitki, to jest gdy zacznie gęstnić umoczyć widelec i dmuchnąć w powietrze, jeżeli będą, się pokazywać nitki, to konserwa ma dosyć, zdjąć z ognia, wziąść piórko, umoczyć w wodzie i otaczać tem piórkiem cukier w rondlu, postawiony w chłodnem miejscu, aby stygł, gdy znać że gęstnieje, wylać najlepiej na płytę kamienną lub marmurową, jak to ma miejsce w cukierniach — w domu prywatnym na porcelanowy półmisek lub marmurowy kredens, gdy wystygnie trochę włożyć w donicę i trzeć póty, póki zupełnie nie zbieleje

i nie zrobi się jednakowa równa massa gęstości jakby pomady. Taka uformowana massa zowie się po cukierniczemu „konserwą" i tę używa się w miarę potrzeby na przezroczysty lukier. Bierze się pewną ilość tej konserwy, rozrabia wodą różaną, i smaruje pędzelkiem nieco przestudzone ciasto wyjęte z pieca, a gdzie potrzeba, grubiej smarować. Do mazurków, tortów, i t. p., można taką konserwę rozprowadzić jakim kto chce smakiem; arakiem, cytryną, pomarańczową wodą z domieszaniem kilku kropel olejku pomarańczowego, czekoladą, likierem maraskinowym, sokiem malinowym bez cukru i t. p. Otarłszy cukier o cytrynę lub pomarańczę będzie lukier koloru żółtego i aromatu owocu. Tym samym sposobem robią się owe ulubione cukierki, zwane pomadkami (patrz rozdział „lody i inne przysmaki").

96. WANILJA

Ten drogi produkt nie wszyscy umieją korzystnie zużywać, i dla tego podaję ku temu warunki, którym uchybiając ulatnia się połowa zapachu, naprzykład: susząc wanilję, utraca się jej zapach. Najlepiej mieć puszkę blaszaną do cukru z przesianą mączką z pod maszyny i w niej trzymać kilka lasek świeżej wanilji (łut w składach aptecznych kosztuje najwyżej rubel 1, lasek będzie 5), a cały cukier przejdzie zapachem. Biorąc do użytku, połamać na kawałki i tłuc jak zwykle, gdy już znać że rozbita dobrze, wtedy wrzucić kilka kawałków cukru i z nim rozcierać tłuczkiem po moździerzu, póki się wszystko w równy proszek nie zamieni. Następnie przesiać, a pozostałe kawałki jeszcze przetłuc, jest bowiem niemiło w kremie lub w cieście spotkać podłużne kawałki, jakby ciemnego drzewa.

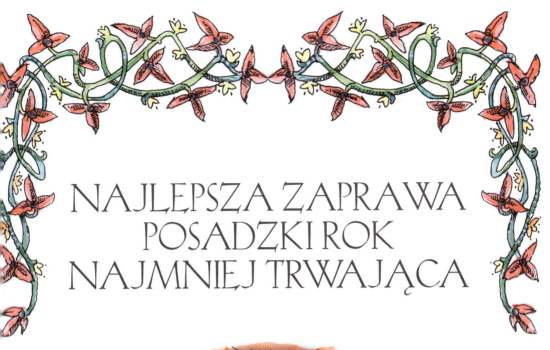

NAJLEPSZA ZAPRAWA POSADZKI ROK NAJMNIEJ TRWAJĄCA

Pomimo, iż w przepisach moich staram się wszystko bardzo dokładnie i wyraźnie oznaczyć, jednak dla ułatwienia gospodyniom nie mającym czasu lub cierpliwości ważenia każdego przedmiotu użytego do gotowania, a bez czego tak potrawa, a co najbardziej ciasto lub legumina popsuć się mogą, podaję niniejszem zamianę funtów na miarę, co rzeczywiście łatwiej i prędzej się daje dopełnić.

Funt cukru jest to pół kwarty dawnej polskiej, pół funta więc będzie kwaterka, a że mniej więcej każda zwyczajnej wielkości do herbaty używana szklanka lub filiżanka odpowiada kwaterce, szklanka więc duża pełna mączki cukrowej lub cukru tartego jest pół funta. Łyżka cukru równa się 4 łutom. Zupełnie ta sama zasada stosuje się do masła, którego kwarta jest dwa funty i łutów 8, pół kwarty więc funt jeden i łutów 4, biorąc więc szlankę mamy niezawodnie nie więcej jak pół funta. Najlepiej jednak do masła mieć wymierzone dwa garnuszki; jeden pół kwartowy a drugi kwaterkowy, w szkle bowiem źle mierzyć naprzykład klarowane masło gorące.

Łyżka masła równa się 4 łutom. Co do mąki przyjęto jest za zasadę, że garniec zawiera 5 funtów, ja jednak przekonałam się, że kwarta zawiera funt 1 i łutów 12 najmniej, to jest jeżeli jest strychowana, garniec więc ma funtów 5 i pół. U siebie w kuchni biorę pół kwarty czubate mąki za 3 ćwierci funta czyli kwaterkę za 12 łutów, szklankę więc strychowana brać można za 10 łutów. Najlepiej jednak do mąki i cukru mieć półkwartę i kwaterkę. Łyżka mąki równa się 2 łutom, gdy idzie o większą ilość, zawsze lepiej użyć wagi.

Gdzie jest dobra i ładna posadzka, tam najlepiej ją zaprawiać bez koloru. Otóż wziąść rondel lub garnek żelazny, wlać w niego na duży pokój cztery funty terpentyny francuzkiej, która wprawdzie jest droższa od zwyczajnej, ale za to nie wydaje tak nieznośnej woni — postawić na ciepłej blasze, byle nie na fajerce i wkrajać w terpentynę jeden funt wosku żółtego skrobiąc go jak najdrobniej. Zrobić kopystkę z drzewa, mieszać, aby się wosk rozpuścił i uformowała massa gęstawa, wtedy nacierać grubym wojłokiem, lub lepiej flanelą grubą związaną w kłąb raz przy razie, jak idą tafle drzewa, co powinien człowiek robić na kolanach, aby się dobrze terpetyna i wosk w drzewo wtarły. Po dobrem wyschnięciu, pociągnąć drugi raz w ten sam sposób, na gorąco zawsze. Obfitość wosku nie dozwala zbyt prędko wyschnąć posadzce — a dopiero gdy zupełnie sucha wycierać szczotkami. Na takiej zaprawie choć się zrobi plama, po zatarciu woskiem ginie w zupełności. Jest to bez zaprzeczenia najlepsza i najtrwalsza zaprawa, potrzeba tylko pod nią dobrej, równej posadzki. Taka zaprawa zostawia posadzce naturalny kolor drzewa, co wygląda najładniej, jeżeli posadzka jest piękna w ładne tafelki z drzewa układana. Kto zaś życzy sobie zaprawy z farbą, niech farbę jakiej używa zwykle, naprzykład: gumiguttę, która daje piękny kolor jasnego jesionu, lub orlean, nieco świetniejszej barwy, lub tenże z domieszką terrangelica na kolor ciemnawy, rozgotuje w miękkiej wodzie wraz z klejem, używając funt kleju na garniec wody i tą farbą dobrze gorącą, posadzkę pędzlem, lub lepiej odpowiednią do tego szczotką zaciągnie, jak idzie słój drzewa, a po zupełnem wyschnięciu tejże, dopiero massą woskową z terpentyną naciera. Ilość farby zależy od gustu: orleanu 2 łuty dostateczne jest na garniec wody, jeżeli farba nie ma być zbyt żółtą; o czem wreszcie dostać można najdokładniejszą informację w każdym składzie, gdzie taż farba kupowaną będzie.

315

Ten sposób zaciągania najpierw posadzki farbą z klejem ugotowaną, radziemy zawsze, nawet wtedy, kiedy ktoś zechce trzymać się dawnego sposobu zaprawy, przy której wosk rozgotowany bywa z potażem. Farba bowiem zmieszana z woskiem, wyciera się przy szczotkowaniu i posadzka zwolna blaknie, czego przy powyższym sposobie się uniknie. Funt wosku rozgotowany w garncu miękkiej wody z jednym i pół funtem potażu, wystarczy na zaciągnięcie średnio dużego pokoju o trzech oknach. Gotować trzeba godzin kilka, aż wosk rozgotowany zostanie doskonale jak śmietana, do czego trzeba przecież przez cały ciąg gotowania wciąż kopystką, do dna garnka dostającą mieszać, aby wosk z wodą się połączył. Ogień powinien być wciąż równy i wolne gotowanie sprawiający, gdyż potaż pobudza do łatwego kipienia. Nie radziemy przecież mniejszej ilości potażu używać, bo wtedy wosk trudno się rozgotowywa, a potem w krupki się zbiega. W razie ukazanie się takowych, gdy wosk gotować się przestawszy chłodnąć zacznie, radziemy z do daniem potażu gotować jeszcze, a rozgotuje się koniecznie. Wosk powinien być również, gorący, o ile można, do zaciągania użyty. Zaciąganie zawsze w kierunku słoi drzewnych, dobrze wcierając, odbywać się powinno.

ZAPISKI

ZAPISKI

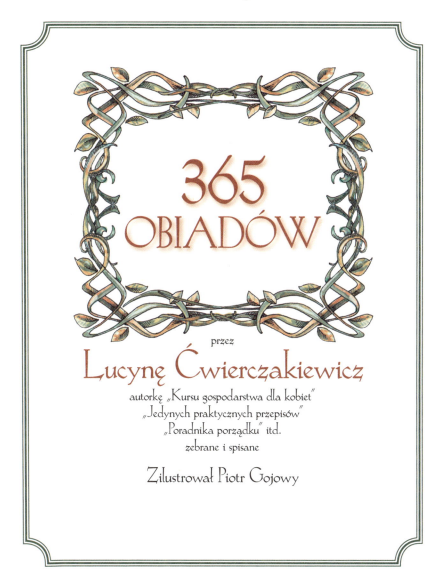

365
OBIADÓW

przez

Lucynę Ćwierczakiewicz

autorkę „Kursu gospodarstwa dla kobiet"
„Jedynych praktycznych przepisów"
„Poradnika porządku" itd.

zebrane i spisane

Zilustrował Piotr Gojowy